МИХАИЛ МАРТ

Автор, которого ждали все

Вышли в свет:

Серия «СЫЩИК»
1. Мертвецы не тоскуют по золоту
2. Кровавый круг
3. Театр мертвецов
4. Принц с простудой в сердце
5. Дама с простудой в сердце
6. Лифт в преисподнюю
7. Покрась в черное
8. Приглашение на эшафот (Покрась в черное-2)

Серия «РЕТРО-ДЕТЕКТИВ»
1. Жизнь вдребезги
2. Дурная кровь
3. Наследство смертника
4. Круглый болван
5. Прежде чем уйти
6. Охота без милосердия
7. Мрачный коридор
8. Прыжок в бездну

Серия «СПЕЦИАЛИСТ»
1. Агония страха
2. Змеиная яма
3. Мороз по коже
4. На раскаленной паутине
5. Покореженное эхо
6. Усталая смерть
7. Узкое место
8. Часовой механизм
9. Не тронь добычу!

Серия «КРИМИНАЛ»
1. Погашено кровью
2. Двуликое зеркало
3. Оставь ее небу
4. Бездомный мрак
5. Вальсирующие со смертью
6. Тем тяжелее будет падение
7. Роковое соглашение
8. В омут с головой
9. Сломанные побеги
10. Жизнь, застигнутая врасплох (Сломанные побеги-2)
11. Обезьяний рефлекс
12. Обратной стороной кверху (Обезьяний рефлекс-2)
13. Нечеткая грань
14. Сквозь тусклое стекло

Серия «МЕЙНСТРИМ»
1. В чужом ряду. Первый этап. Чертова дюжина
2. Затянутый узел. Второй этап. Принцип домино
3. Запекшаяся кровь. Третий этап. Остаться в живых

Серия «КИНОТРИЛЛЕР»
1. Загляни ей в глаза
2. Черная кошка в темной комнате
3. Спиной к стене
4. Там, где обрывается жизнь
5. Шаткое равновесие

МИХАИЛ МАРТ

МИХАИЛ МАРТ

ОКОНЧАТЕЛЬНЫЙ МОНТАЖ

(Сквозь тусклое стекло-2)

Роман

Москва
АСТ • Астрель
ВКТ Владимир

УДК 821.161.1-312.4
ББК 84(2Рос=Рус)6-44
М29

Оформление и дизайн обложки:
Михаил Март

Март, Михаил

М29 Окончательный монтаж (Сквозь тусклое стекло-2): роман / Михаил Март. – М.: Астрель: АСТ; Владимир: ВКТ, 2010. – 317, [3] с.

ISBN 978-5-17-067533-3 (ООО «Издательство АСТ»)
ISBN 978-5-271-28228-7 (ООО «Издательство Астрель»)
ISBN 978-5-226-02343-9 (ВКТ)

Никогда еще известный сыщик столицы полковник Кулешов не был марионеткой в руках преступников. На его счету числились сотни пойманных бандитов и рецидивистов, но он не умел сражаться с невидимками.

Кукловод всегда оставался за спиной. Иди туда, Кулешов, и там тебя ждет сюрприз. Невидимые стрелки на асфальте указывали полковнику путь. Он шел и находил очередной труп. Кукловод посмеивался, а сыщик попадал впросак. Враг рядом, он слышит его дыхание, но ничего не может сделать.

Решение есть. Надо понять правила игры, с которой ты не знаком, а потом сделать свой ход. Важный и нужный. Упреждающий удар! Не сумеешь понять правила, так и будешь спотыкаться о трупы в темноте. Ничьей в кровавых схватках не бывает! Тут нужна только победа!

УДК 821.161.1-312.4
ББК 84(2Рос=Рус)6-44

ISBN 978-5-17-067533-3 (ООО «Издательство АСТ»)
ISBN 978-5-271-28228-7 (ООО «Издательство Астрель»)
ISBN 978-5-226-02343-9 (ВКТ)

Одержимость

Глава 1

1

Они сидели на стульях посреди комнаты и как завороженные смотрели на шедевр великого художника, висящий на стене над кушеткой.

— У меня нет слов, Жорж. Это подлинник.

Братья Леблан считались, и не без основания, лучшими экспертами по русской живописи среди самых квалифицированных знатоков искусства. Они представляли филиал парижского аукционного дома и определяли подлинность полотен, перед тем как выставлять лоты на торги. В их компетенции никто не сомневался, и по этой причине купленные в Париже шедевры получали статус подлинника, не требовавшего дополнительных экспертиз.

Жорж склонил голову набок и поджал нижнюю губу.

— Баскаков покупал картину у нас. На холсте должна остаться метка. Ты ее помнишь?

— Конечно. Я не о том. Мы видели все полотна в апартаментах, расположенных на нашем этаже. Если в нашем номере висит подлинник, значит, и в других тоже. Никто же не знал, в какой номер мы попадем и какой картиной заинтересуемся.

— Что ты хочешь этим сказать, Жорж? — с недоумением спросил брат.

— Я не верю, что Илья Баскаков мог продать отелю все свои шедевры. Их тридцать. И не говори мне о деньгах. Картины бесценны и дорожают с каждым днем. Баскаков четверть века собирал свою галерею, начинал с пяти картин, оставленных ему в наследство дедом. Он никогда ничего не продавал, только покупал. Деньгами его не соблазнишь, он одержимый.

— Владелец отеля показывал нам купчую. С такой сделки платится бешеный налог. Я о другом подумал. Если Баскаков нашел гениального копииста, а такие есть, то он мог ввести в заблуждение Рашида Мамедова. В этом случае определит подделку только лабораторное исследование.

— Наша метка на обратной стороне холста даст исчерпывающий ответ.

Морис покачал головой:

— Мы поднимем на ноги весь отель. Тут же сигнализация. О ней нам прочитали целую лекцию.

Он подошел к телефону.

— Кому ты звонишь? — спросил брат.

— Баскакову. Зачем гадать? Я хочу задать ему вопрос напрямую.

На звонок ответила женщина.

— Мадам Юлия? Вас беспокоит Морис Леблан.

— Рада вашему приезду. Приятный сюрприз.

Жена галерейщика, как и сам Баскаков, прекрасно говорила по-французски. Она сопровождала супруга во всех турне по аукционам, в качестве арт-директора вела переговоры по купле картин, так как Илья был слишком импульсивен. Страсть коллекционера не давала ему возможности поступать трезво и расчетливо. Юлия же отличалась холодным умом и исключительной выдержкой.

— Мы не могли не приехать. На приглашениях, разосланных по всему свету, репродукция картины Кандинского «Этюд к импровизации № 3». Она была продана в Нью-Йорке за сорок один миллион долларов в прошлом году.

— Хорошая завлекалочка, месье Леблан. Артистам прислали приглашения с портретом Мадонны, а владельцам отелей-конкурентов — с фотографиями золотых унитазов. Это же обычный маркетинговый ход. Вы на него клюнули. Как, впрочем, и другие.

— Но я видел своими глазами и Кандинского, и Малевича. Каталожные картины. Они же принадлежат вам.

— Уже нет. Наверняка хозяин отеля хвастался купчей. Документ подлинный.

— Не сомневаюсь, мы знаем толк в таких документах. В бумагу можно поверить, но вот картины... Ваш муж не мог отдать подлинники, в них вся его жизнь. Или он решил лечь в могилу в расцвете сил?

— Да, сердце у него не очень здоровое, но я думаю, что лет двадцать он еще проживет. Что за картина висит перед вами?

— Кандинский. «Кроткое создание». Мы продали ее одному русскому бизнесмену, а он перепродал ее вам. Историю мы знаем.

— Тем более. Картина проходила через ваши руки, и вы знаете, как определить ее подлинность. У вас должны быть свои секреты.

— Для этого картину надо снять со стены.

— В чем проблема? — засмеялась женщина.

— А сигнализация?

— И что? Вы же не намерены ее воровать. Ваше любопытство безобидно. Ничего страшного не случится. Немного звона в ушах, и на этом все кончится. Смелее, месье Леблан, не то вы не сможете спокойно спать. Удачи!

Морис осторожно положил трубку, некоторое время в задумчивости смотрел на телефон, потом резко сорвался с места, вскочил на кушетку и снял картину со стены. Оборвались какие-то проводки, но он не обратил на это внимания.

Братья положили полотно на ковер лицевой стороной вниз. Жорж схватил лупу, встал на колени и прильнул к нему.

— Она! Она, черт подери! Баскаков сумасшедший! Глазам своим не верю!

— Юлия подтвердила факт продажи. Своими ушами слышал.

Дверь номера распахнулась, и в апартаменты ворвались четверо молодцев в черной униформе, с пистолетами в руках. Братьев тут же уложили на пол, прижали стволы к затылку. Через минуту вошел молодой человек в смокинге и коротко приказал:

— Уберите оружие и помогите подняться. Извините, господа! — обратился он к хозяевам номера по-французски. — Сработала сигнализация. Я Эдди Нечаев, главный менеджер отеля.

— Не извиняйтесь, мы сами виноваты, — отряхиваясь, виновато сказал Жорж. — Любопытство взяло верх над разумом.

— Я вас понимаю. Просто надо было нас предупредить.

В его кармане зазвонил телефон, он достал трубку.

— Да, Рашид. Номер 8013. Случилось то, о чем я предупреждал. Все в порядке, но наверняка последуют и другие сигналы. Слишком велик соблазн.

Рашид Мамедов, генеральный директор отеля «Континенталь», устроивший небывалый прием в честь его открытия, отодвинул панель в стене своего шикарного кабинета. Там пряталась никелированная дверца сейфа. Он набрал код. В сейфе находились не полки с деньгами, а табло с кнопками, как в лифте. Рядом с каждой был тумблер. Директор опустил тот, что располагался рядом с кнопкой восьмого этажа, и светящаяся цифра погасла. Одновременно в кабинете перестал звучать скрипучий треск зуммера тревоги. Рашид поправил свой белый смокинг, достал платок и вытер капельки пота со лба.

Рашид Мамедов, человек уже не молодой, перевалило за шестьдесят, снискал себе славу добропорядочного бизнесмена. Свой первый миллион он сколотил относительно честным трудом. Начинал заправщиком на бензоколонке в Ташкенте, потом выкупил ее, а со временем скупил остальные. Все это было в девяностые, теперь же он владел контрольным пакетом нескольких нефтяных компаний Азербайджана. Сейчас он принял участие в строительстве отеля «Континенталь», который обошелся владельцам в миллиард долларов — сумасшедшая сумма для подобных объектов, и претендовал на звание одного из лучших в мире. Сколько человек принимали участие в создании восемнадцатиэтажного монстра с четырьмя крыльями — никто не знает. Не все заработали свои капиталы честным трудом, поэтому официальным владельцем и генеральным директором сделали Мамедова, самого честного из себе подобных. Конечно, компетентные органы знали многие секреты участников проекта, но мешать не стали. Лучший отель мира в столице

России — дело неплохое. Созданы рабочие места, казна будет получать доход в виде налогов — появление такого бренда должно притягивать в Москву богатых туристов. Плюсов получалось больше, чем минусов. Правда, власти решили соблюдать дистанцию — никто из правительства на открытие отеля не приехал. Однако чиновники от государства гостей интересовали меньше всего.

Когда охранники покинули апартаменты 8013, главный менеджер мило улыбнулся постояльцам:

— Я хочу еще раз извиниться за неудобство. Думаю, что недоразумение улажено. В спальне висит оригинал Малевича, вы можете его снять и осмотреть, если возникнет желание. Вас больше не побеспокоят. До начала вечера осталось сорок пять минут. Пока все гости находятся в своих номерах, сигнализация будет отключена.

— Скажите, Эдди, вы ведь русский? — прищурившись, спросил Жорж Леблан. — Мог я вас видеть в парижском отеле «Ритц»?

— У вас хорошая память, месье Леблан. Я два года работал директором-распорядителем в «Ритце». Вернулся на родину, когда мне предложили участие в создании нового шедевра. И не сожалею об этом.

— Примите и наши извинения за случившееся, — улыбнулся Морис.

Братья остались одни.

— Нам дали зеленый свет. Почему бы не взглянуть на Малевича?

— Не сомневайся, он тоже подлинный. Я от другого не могу прийти в себя. Илья Баскаков! Эта страна никогда не перестанет меня удивлять.

— И ее люди, — согласился брат.

2

В комнате, похожей на костюмерную в театре, висело множество разнообразных костюмов, начиная с русских народных и кончая фраками и смокингами. Перед зеркалом крутилась девушка. Вырядившись в народный костюм, она достала из своего рюкзачка русый парик с красиво заплетенной косой. Он так хорошо лег на ее аккуратную головку с короткой стрижкой, что девушка мгновенно превратилась в сказочную красавицу. Осмотрев себя в зеркале в полный рост, она повертелась, потом сняла мини-юбочку и подобрала себе юбку до колен, с вышитыми узорами. За ее переодеваниями наблюдал молодой человек лет двадцати трех, очень симпатичный, с обаятельной белозубой улыбкой. Он уже переоделся в красивую униформу на русский манер: расшитую ярким узором косоворотку, синие шелковые шаровары и красные сапожки. Парень лежал на мешках с чем-то мягким, подложив ладонь под затылок, курил и наблюдал за своей подружкой. Настроение у ребят было приподнятым, будто они собирались на карнавал, где их ждали приятные сюрпризы. Возле двери стояли две тележки, на каждой — маленькие серебряные подносы, на них вазочки с розами, бокалы с шампанским и по запечатанному конверту.

Девушка приколола к груди пластиковый пропуск с фотографией на имя Ирины Лыковой. Если приглядеться, на снимке была другая девушка, но очень похожая, и тоже с русой косой. Чтобы заметить различие, надо очень постараться, а этого делать никто не будет. У молодого человека красовался точно такой же пропуск и тоже с чужой фотографией. На фотографиях всегда существуют детали, которые первыми бросаются в глаза. В случае с девушкой — это русая коса, в случае с парнем — черные курчавые волосы.

— Я готова! — весело провозгласила девушка.

Парень взглянул на часы.

— Уже скоро.

Не успел он это сказать, как раздался звонок его мобильного телефона. Мужской голос произнес только одно слово: «Готово». Молодой человек поднялся с мягкой перины, поправил рубаху, подтянул кушак, и парочка направилась к двери.

В коридоре не было ни души. Толкая перед собой тележки, молодые люди подошли к лифтам. Девушка нажала кнопку третьего этажа.

— Напрямую на этом лифте не проедешь, — сказал парень. — Кнопки шестого, восьмого, девятого и одиннадцатого этажей блокированы.

— Чему ты удивляешься, Лешенька. Со служебного этажа невозможно попасть в жилые апартаменты. Все продумано до мелочей. Думаешь, одни мы такие умные?

— Они как огня боятся журналистов. Те еще проныры. Что касается других незаконных вторжений, то они исключены.

— Прошлой ночью кинологи с собаками прошерстили весь отель. Каждый закуток проверили. Слышал об этом, а, Леш?

— На пропуске ясно написано: «Виктор Лыков».

— Я помню. Мы же в лифте.

Кабина остановилась на третьем этаже, и парочка с тележками оказалась в огромном зале с мраморными колоннами и зеркальным потолком на высоте двух этажей.

Там были стойки администраторов и несколько ниш с лифтами. Надо было точно знать, к какому подойти, чтобы попасть туда, куда тебе надо. Парочка с тележками твердо знала свой маршрут. Она пересекла зал с левого дальнего угла к правому, ближнему к выходу. Возле лифтов стояла официальная охрана в униформе, но без оружия. Входить в отель с оружием не позволялось даже милиции, доблестные милиционеры дежурили снаружи здания.

Молодые люди вкатили тележки в огромную кабину лифта, отделанную красным деревом, золотом и зеркалами. Вместо кнопок тут были скважины для ключей.

— Восьмой этаж, — скромно сказала девушка.

— По вызову? Из какого номера? — спросил лифтер и потянулся к телефонной трубке, висящей на стене.

— Мы не из ресторана, а из дирекции. Разносим приглашения на вечер и должны зайти во все номера, — раздраженно произнес парень. — Гляньте на подносы. Непонятно? Можем позвонить генеральному.

— Вижу, вижу, — закивал лифтер и вставил ключ в скважину номер восемь. Двери закрылись, лифт мягко тронулся с места.

Они не успели моргнуть, как двери вновь распахнулись. Ребята выкатили свои тележки в широкий коридор. Возле лифта стояли двое охранников, левее за столом сидела нафуфыренная женщина лет пятидесяти и разговаривала по телефону. Здесь никто вопросов не задавал: и так ясно — кого попало на восьмой этаж не поднимут.

Молодые люди неторопливо покатили свои тележки. Дойдя до коридора, идущего поперек того, по которому они шли от лифта, девушка повернула направо, а молодой человек налево. Здесь стояла полная тишина. Постояльцы самых шикарных апартаментов восьмого этажа отдыхали перед вечерним представлением, о котором пресса трезвонит уже второй месяц подряд.

Молодой человек остановился перед дверью с номером 8012, взял со столика поднос и постучал в дверь. Через полминуты дверь открыла приятная пожилая дама с высокой прической из седых волос с сиреневым отливом и потрясающим гребнем, украшенным драгоценными камнями.

— Вы ко мне? — спросила она по-английски.

— К вам, леди Кэтрин. Дирекция прислала вам официальное приглашение на званый обед.

Богатая английская леди, жена лорда Кэмирона, заметила изящный серебряный поднос в руках посыльного с очаровательной мордашкой и, улыбнувшись, посторонилась. Кэтрин Кэмирон очень любила хорошеньких мальчиков. В далеком туманном Лондоне у нее имелась квартира для встреч с юношами, которые доставляли ей немало удовольствий и хлопот. Если бы ее муж знал, скольких денег стоили супруге ее слабости! Леди Кэтрин была щедрой женщиной, полученное ею наследство позволяло жить в роскоши, чего не скажешь о ее родовитом муже, имеющем титулы, награды, связи, но не деньги.

Кудрявый черноволосый юноша прошел в гостиную и остановился у стола.

— Вы совсем не похожи на мальчика из обслуги, — сказала дама, подходя к юноше. — И очень чисто говорите по-английски.

— Я студент. Подрабатываю в летний период. А английский язык очень люблю. Мечтаю поступить в Оксфорд в следующем году.

Леди Кэмирон глянула на поднос.

— Шампанское не ко времени, но с вами, пожалуй, выпью.

— Конечно, леди Кэтрин. Но я пью крепкие напитки. Шампанское — удовольствие для дам.

— Что вам налить? — улыбнулась, хозяйка.

— Бренди, если не затруднит.

Она налила бренди в высокий бокал, потом на секунду замерла, прошла в другую комнату и вернулась с сумочкой, осыпанной бриллиантами. Подав юноше бокал, достала визитную карточку и положила ее на поднос.

— Приедете в Лондон — позвоните мне. У меня много друзей в Оксфорде, я познакомлю вас с нужными людьми. Вы мне кажетесь очень приятным молодым человеком, я хочу вам помочь.

— У меня нет слов, чтобы высказать свое восхищение вашей добротой, леди Кэтрин.

— Пустяки. Выпьем за успех.

Дама смотрела на парня, как хищник на жертву, и он сумел многое прочитать в этом взгляде. Они выпили. Юноша обнял женщину, прижал к себе и поцеловал в губы. Она не сопротивлялась. Непонятно, чем все могло кончиться, если бы мышцы женщины не ослабли. Она начала тяжелеть, у нее подкосились ноги. Вряд ли леди Кэтрин потеряла сознание от переизбытка чувств, скорее от шампанского, в котором помимо благородного напитка было еще что-то. Алексей отнес ее в спальню и осторожно положил на кровать.

Дальше он действовал быстро. Вымыл бокалы в ванной, протер некоторые предметы полотенцем, взял свой поднос и электронный ключ от номера, после чего вернулся в коридор.

В апартаментах 8071 на стук девушки дверь открыл высокий мужчина лет пятидесяти в белом жилете и бабочке, брюнет с седыми висками, ровно постриженными усами, крупными чертами лица. Его строгое недовольное лицо тут же изменило выражение при виде голубоглазой русской красавицы с русой косой.

— Подарок с доставкой в номер! Сюрприз!

Она ничего не поняла, он говорил по-гречески.

— Мистер Константинес, позвольте вам вручить приглашение на званый обед по случаю открытия отеля «Континенталь», — сказала она по-английски.

Он взял девушку за руку и втащил в номер.

— Ты вовремя, малютка! Я подыхаю со скуки. Стой здесь, я сейчас.

Он быстрыми шагами направился к спальне и вернулся с бумажником. Открыв его, начал вытаскивать стодолларовые купюры, по одной, и кидать их на поднос. На пятой остановился.

— Пока хватит. Но это лишь прелюдия. Черт, как же ты хороша!

Константинес взял с подноса бокал и выпил шампанское залпом, потом вынул из вазочки розу и вправил ее в волосы девушки. Она испугалась. Парик был не закреплен и мог соскочить с головы, что и произошло в конце концов, но хозяин номера этого уже не увидел. Он упал, выронив бокал из рук и опрокинув вазочку с водой. Парик остался у него в руке. Гостья в национальном наряде выдержала паузу, потом присела на корточки, взяла свой парик, натянула на голову, собрала осколки бокала на поднос, отправилась в туалет, выбросила осколки в унитаз, вернулась, подняла деньги, сунула их обратно в бумажник, который отнесла в спальню, держа его салфеткой, и сунула в карман смокинга. Труднее обстояло с телом, но тут подоспел помощник. В дверь постучали. Три стука, пауза, еще три раза. Она открыла дверь.

— Ты вовремя, Алешка, я его не подниму.

— Приставал?

— Не успел.

— Как из голодного Поволжья. Здесь они вздохнули свободно. Скоты! Россия для них не страна, а бульвар красных фонарей.

Они подняли тело вдвоем и отнесли его на кровать.

— Не наследила? — спросил Алексей оглядываясь. — Не забудь взять ключ.

Через минуту они были в коридоре.

3

К центральному входу отеля подкатил шикарный лимузин. Шофер обошел автомобиль и открыл заднюю дверцу. Сначала появилась нога в бело-вишневых ботинках, потом трость и, наконец, высоченный красавец-брюнет лет пятидесяти, с сединой, с усами, подстриженными на мексиканский манер. Тут было чему удивляться, если бы среди окружающих нашелся человек, побывавший в номере этого господина, ну, скажем, минут пятнадцать назад, когда он швырял сотенные бумажки на поднос хорошенькой девушке в расчете на ее расположение, коего так и не добился, упав в обморок отнюдь не от избытка чувств.

Швейцары заблаговременно открыли двери и сняли фуражки. Гость неторопливо поднялся по широкой мраморной лестнице и гордо вошел в вестибюль. Немного странным казалось то, что на нем был светлый плащ. На улице стояла прекрасная погода, шкала термометра застыла на отметке девятнадцать градусов. Правда, синоптики обещали дождь, но кто же им верит, на небе ни облачка. Иностранцы — народ странный, стоит ли удивляться их чудачествам.

Гость поднялся на эскалаторе в центральный зал, артерию отеля, откуда дороги вели во все концы шикарного дворца. Он целеустремленно шел к главным лифтам, обслуживающим постояльцев отеля. Мимо него проехала тележка с вазочкой, розочкой и шампанским, которую катила миленькая девушка. На подносе лежала карточка, очень похожая на кредитку с магнитной полосой. На карточке был номер золотого тиснения. Когда они поравнялись, карточка исчезла с подноса, словно улетучилась. Девушка улыбнулась. Она ничего не успела заметить. Мужчина подошел к лифту и на вопросительный взгляд охранника показал карточку. Тот нажал кнопку, двери открылись. Вошедший показал карточку и лифтеру. Тот вставил ключ в скважину с номером восемь, двери закрылись.

Из главного холла на верхние этажи шло несколько лестниц и лифтов. Если кто-то терялся на какое-то мгновение, его тут же окружали люди в штатском и очень вежливо предлагали свою помощь. Для каждой категории гостей существовал свой пропуск, для обслуживающего персонала — свой. Постояльцы имели электронные ключи от номеров — пластиковые карточки с вытисненным золотом номером. Для особо важных персон имелся вход с противоположной стороны здания, там выстлали красную ковровую дорожку прямо до концертного зала. Прием городской элиты должен был начаться в семь вечера. Основная масса гостей могла попасть туда только через главный холл, поэтому в нем собралось много народа. Охранникам работы хватало: неосведомленные журналисты и просто любопытствующие сразу бросались в глаза. Маршруты продвижения к концертному залу им были неизвестны, их держали в строжайшем секрете.

Молодой человек с тележкой, точной копией той, что катила девушка, подошел к одному из столиков в холле и, не притормаживая, положил на него журнал. Тут же в кресло возле этого столика села молодая стройная брюнетка с пышными волосами до плеч. Дымчатые очки не позволяли хорошенько рассмотреть ее. Взяв оставленный журнал, очаровательная дама стала неторопливо пролистывать его, пока не заметила вложенный между страниц электронный пропуск, похожий на кредитку. Она незаметно переложила его в свою сумочку, не спеша направилась к барной стойке и заказала себе сухой мартини с джином. Попивая напиток, дама в черном платье от Версачи, осторожно поглядывала на двери лифта, из которого в конце концов появилась наряженная в русские костюмы парочка с тележками.

Мужчина в светлом плаще вышел из лифта на восьмом этаже и, не взглянув на охранников и дежурную по этажу, которая сделала попытку поздороваться, направился к своим апартаментам. У двери с номером 8071 он остановился, провел карточкой по прорези. Красный огонек замка сменился на зеленый. Мужчина надел перчатки телесного цвета и только после этого повернул ручку двери.

В шикарных апартаментах стояла гробовая тишина. На кровати мирным сном спал человек, очень похожий на пришедшего. Гость сбросил плащ, пиджак, надел смокинг, висевший на спинке стула, забрал с тумбочки пригласительный билет. Не снимая ботинок, встал на кровать, едва не наступив на спящего, и снял со стены картину. Другую он снял в гостиной. К внутренней стороне его плаща был прикреплен рулон репродукций, которые по своему размеру совпадали с оригиналами полотен великих мастеров. Странный гость развернул их на большом круглом столе и начал разглаживать, поглядывая на оригиналы. Затем аккуратно поместил их в рамы.

Тем временем на этаже появилась женщина в черном. Она прошла по коридору и свернула влево. Воспользовавшись электронным ключом, вошла в номер 8021 и осмотрелась. Леди Кэтрин Кэмирон крепко спала на своей широкой кровати, рядом на столике лежало приглашение на прием и украшения из золота и драгоценных камней, а также видеокамера. Дама сняла темные очки и внимательно осмотрела камешки в оправах. Судя по всему, они не произвели должного впечатления. Забрав пригласительный билет, дама достала из сумочки маленькую кассету и вставила ее в видеокамеру вместо той, что там была. Потом вернулась в гостиную и спряталась за портьерами. Она все сделала вовремя. Джентльмен в белом плаще, подойдя к номеру, увидел зеленый огонек на электронном замке. Все соответствовало инструкциям — дверь не заперта. Он смело вошел в номер леди Кэмирон. Здесь ему предстояло выполнить ту же работу, что и раньше — заменить полотна на репродукции. Он не спешил, в какой-то момент даже снял парик, чтобы почесать лысый затылок. Джентльмен-вор скрутил картины в рулон, прикрепил их к подкладке плаща и ушел, захлопнув за собой дверь. Из укрытия появилась дама, снова поменяла кассеты местами и тоже не стала задерживаться.

В холле напряжение нарастало. Пришлось сконцентрировать там все силы безопасности. Ровно в семь часов с противоположной стороны здания открылись двери для прохода в концертный зал.

На автостоянку, расположенную на четырех уровнях под зданием, заезжали автомобили всех марок и классов. Верхний уровень предназначался для машин обслуживающего персонала, в том числе и для журналистов, имеющих на аккредитационных пропусках желтую полоску. С желтой полосой репортеры допускались не дальше чем в гостевое фойе концертного зала. С синей и красной полоской —

в сам зал, где происходила торжественная часть вечера, и только те, кто имел на пропуске красную полосу, после торжественных мероприятий могли пройти на банкет. Но телевизионщики и газетчики с синей и красной полосой проходили через центральный вход по ковровой дорожке вместе с гостями, в то время как желтополосные попадали в фойе через «подвал», оставляя свои машины на верхней парковке и далее поднимаясь на лифте.

Лифты всех уровней парковки поднимались до вестибюля отеля, где все должны были регистрироваться. При выходе из лифта у всех проверяли пропуска. Фойе концертного зала находилось этажом ниже. Кажется, службой безопасности было продумано все до мелочей, и все же на вечер сумели попасть те, кого здесь считали нежелательными гостями.

Двое репортеров, прибывших в синем фургоне с ресторанной рекламой на кузове. У них были пропуска с желтой полосой, что означало ограниченный допуск. Поднявшись в главное фойе, они отправились в туалет и вышли из него в смокингах, не отличаясь от приглашенной элиты. Женщина в черном, обойдя отель, остановилась возле лестницы с ковровой дорожкой, ведущей в гостевое фойе перед концертным залом. Мужчина в белом плаще вышел на улицу, сел в подъехавший лимузин. Черноволосый парень и девушка с косой переоделись в костюмы обслуживающего персонала. На девушке было черное платьице, очень коротенькое, с белым кружевным воротничком, таким же чепчиком и фартучком. Юноша надел черные брюки с красными лампасами, белый френч с золотыми пуговицами и плетеным погоном из красного шелка, напялил на курчавые волосы что-то похожее на тюбетейку с золотой бархоткой на нити. Разойдясь, они встретились в комнате уборщиков, из которой были выходы в мужской и женский туалеты.

За углом здания стоял «Мерседес» представительского класса с тонированными стеклами. К машине подошли двое мужчин в одежде, соответствующей мероприятию, но не соответствующей их простоватой внешности. Окошко заднего сиденья немного приоткрылось, в образовавшейся щели появился белый конверт. Один из мужчин взял его, окошко закрылось.

К входу подъезжали дорогие машины, из которых выходили гости. Тут же мелькали вспышки фотоаппаратов и начинали работать видеокамеры. Бомонд столицы съезжался на вечеринку. Банкиры с женами, владельцы крупных предприятий, знатные особы, имена многих никому не были известны, олигархи — все, кроме поп-звезд и нынешних светских львиц щенячьего возраста. Медийных артистов также не пригласили на торжественный вечер, блеска и без них хватало.

Возле «Мерседеса» остановился знакомый нам лимузин. Из него вышел мужчина в белом плаще, под которым были свернутые в рулоны картины, быстро снял свой плащ, положил его в автоматически открывшийся багажник и вернулся на место.

Спустя несколько минут лимузин остановился у ковровой дорожки. Покинувший его джентльмен с тростью зашагал по лестнице к дверям. Женщина в черном, похоже, ждала именно его, но он ее не заметил. Она пошла следом, отставая на две ступени. Их, конечно, фотографировали, но одновременно по лестнице поднимались и другие гости. В частности, те двое, прибывшие в синем фургоне. Один худой, рослый, немного сутуловатый, с орлиным носом. Другой — уже немолодой, среднего роста, коренастый. Все на входе предъявляли пригласительные билеты. Свои пригласительные худой и коренастый достали из конверта, полученного из окошка «Мерседеса».

В фойе перед входом в зал собирался народ. Места хватало всем, даже телевизионщикам с их громоздкой аппаратурой. Мужчины в основной своей массе были людьми немолодыми и мало чем отличались друг от друга, учитывая стандартную для таких приемов одежду. Главным зрелищем были женщины. Именно они демонстрировали статус семьи. Несведущий человек, попавший в эти стены, мог подумать, будто попал на конкурс красоты. Глаза разбегались! Одна другой лучше, о нарядах и говорить не приходилось, но главное — украшения. Блеск драгоценностей слепил глаза. На шеях, запястьях, пальцах, в ушах такие бриллианты, рубины, изумруды! — Алмазный фонд позавидует.

Долговязый и коренастый встали в сторонке, чтобы не попадать под объективы видеокамер и фотоаппаратов.

— Если они пожертвуют свои побрякушки третьим странам, бедных на Земле больше не будет, — ухмыляясь, сказал долговязый.

— Ты прав, Игумен. Но я о другом подумал. На каждый камешек есть свой телохранитель. Да и ментуры здесь не меньше, чем на вечере, посвященном Дню милиции. Если Дербень и появится в этом рассаднике, рисковать не станет.

— О чем ты говоришь, Гаврилыч? Его фургон уже въехал на подземную парковку. Он где-то здесь, не сомневайся. А если так, то обязательно сработает. Такие люди на смотрины не ходят и попусту времени не тратят.

К ним подошел официант с шампанским. Они взяли по бокалу, но тот продолжал стоять на месте.

— Ах, да! — спохватился Игумен и, достав из кармана конверт, положил его на поднос. — Извините.

Официант удалился.

— Между прочим, — заметил Гаврилыч, — пригласительный билетик каждому из этих толстосумов обошелся в пятьдесят тысяч долларов.

— Для них это не деньги. Смотри, как разряжены их «елочки».

Они заметили, что официант, поставив свой поднос, направился к выходу. Добравшись до «Мерседеса» с тонированными окнами, все еще стоявшего на месте, он просунул конверт в приоткрывшееся окно заднего сиденья. Машина тут же уехала.

Минут через десять в зал вошла пара, к которой тут же было приковано внимание всех присутствующих. Мужчина ничем особым не отличался, разве что острой бородкой клинышком и пышными усами, будто пожаловал из девятнадцатого века, но блондинка, годящаяся ему во внучки, была поразительно красива. Однако красоту ее затмевали украшения. Таких бриллиантов, составлявших ожерелье, сверкавших в серьгах и браслете, никто не мог и вообразить.

— Банкир Гурьев, — шепнул Гаврилыч Игумену на ухо. — Обалдеть можно! Обосрал всех с головы до ног.

— Дивные цацки. Ему этого прикола не простят. А баба кто?

— Его жена Анна.

— Откуда ты знаешь, Гаврилыч?

— У нас арендован сейф в его банке. Мы туда положили схему Дербеня. Кстати, глянь вправо, к стойке. Дербень объявился со своим прихвостнем. Успели переодеться. Козлы!

— Я же говорил, Дербень на смотрины не ходит. Точно сработает.

— Не верю! Видишь, за банкиром двое бугаев. Ни на шаг не отступают от камешков. Глянь в сторону лестницы. Сам полковник Кулешов пожаловал, а значит, здесь вся Петровка тусуется. Ни один наглец под носом у Кулешова на «скок» не пойдет. Все щели тут же перекроют, не дадут выйти.

— Не дадут, если объявят тревогу. Никто шумиху поднимать не станет. Скандала многие хотят, но его не допустят. Ленточку отеля министры разрезали, а это уже политика, престиж страны.

Гаврилыч почесал чисто выбритый подбородок.

— Он может уйти через гараж, раз сумел через него войти. Если появился здесь, в фойе, значит, у него есть пропуск с желтой полоской. После третьего звонка желтополосных репортеров в зал не пустят, все они пойдут к лифтам и спустятся на стоянку к своим машинам. С толпой уйдет.

— Да. Если кража не обнаружится. Но не заметить исчезновение таких побрякушек невозможно.

Гаврилыч продолжал гладить подбородок.

— Если Дербень сработает, ему надо памятник ставить, а не убирать. Криминальный мир России потеряет гения.

— Если мы его не уберем, Гаврилыч, он нам не даст воспользоваться своей схемой. Раз он вернулся в Москву, то обнаружит пропажу схемы. Не сегодня, так завтра. Ты прав. Дербень — гений, а потому и нас в два счета вычислит. Мы не можем этого позволить. Другого такого шанса у нас не будет.

— Вот что, Игумен, мы не должны спускать глаз с Дербеня. Я хочу понять его маневр, иначе остаток жизни буду мучиться догадками.

— Может, наша благодетельница в курсе. Она уже появилась. Кружком стоят. К Анне теперь все липнут.

— Что, в лоб спросишь?

— Есть способ.

Игумен направился к одному из баров. Официант только что поставил поднос с пустыми бокалами на стойку и взял такой же с полными. Отойти ему не дал подоспевший джентльмен в смокинге:

— Притормози, приятель. Хочу разыграть одну дамочку. Дай-ка мне свой френч с погонами и поднос. Через минуту верну.

Игумен остановился. Тот же фокус у соседней стойки проделывал сообщник Дербеня Иван, будто успел прочитать его мысли. Дербень, он же Всеволод Николаевич Дербенев, известный вор и аферист, уже давно легализовался и теперь владел тремя крупными антикварными магазинами и жил так, будто владеет биржами на Пятой авеню в Нью-Йорке. За ним охотились все существующие органы правопорядка, а он ни от кого не прятался и продолжал проворачивать свои делишки и насмехаться над законом. Делишки! Это для Дербеня они были делишками, для Игумена одной аферы Дербенева хватило бы на всю оставшуюся жизнь. И сейчас у него имелся шанс воспользоваться планом конкурента, но для этого надо было убрать с дороги гения криминального мира. Иван надел куртку официанта, взял поднос с пустыми бокалами, поставил на него один полный и отправился к компании, в которой стояла красавица, усыпанная бриллиантами. Он подошел к ней чуть сбоку и протянул поднос. Игумену показалось, что он что-то шепнул. Она, не оборачиваясь, взяла с подноса единственный полный бокал и продолжила светскую беседу.

Иван вернулся к бару и переоделся. Повторять фокус Игумен не стал, направился к той же компании при полном параде. Но бриллиантовая фея его не интересовала, он остановился возле другой женщины, не такой молодой, но тоже стройной и красивой. Наклонившись, поднял с пола свой собственный платок и обратился к даме:

— Кажется, вы обронили.

Она повернулась к нему.

— Дербень здесь, готовится к прыжку.

— Упустите. Ждать его надо у норы на выезде, — тихо сказала дама и громко добавила: — Спасибо. Вы очень любезны.

Игумен вернулся к своему напарнику.

— Предложено ждать его на выезде.

— Успеем. Я хочу понять его маневр. Так. И куда он направился?

— Там лестница, ведущая в туалеты, — пояснил Игумен.

— Гениально! Понял! Он подсыпал девчонке мочегонного и будет поджидать ее в сортире. Наверняка женский и мужской связаны переходом. Там располагается комната уборщиков.

— Чушь! В женском туалете полно баб! — возразил Игумен. — Они же визжать начнут при виде мужика. Ты чего, Гаврилыч, наших баб не знаешь?

— Среди уборщиц должна быть женщина. Она на него работает. Идем вниз, глянем.

— Ты хочешь, чтобы Дербень нас заметил?

— Какое это имеет значение? Он даже не подозревает, что мы украли у него схему. И все равно не доживет до утра.

Туалетные комнаты левого крыла как магнит притягивали всех заинтересованных лиц, кроме одного. Двойник Константинеса, джентльмен с тростью, сразу же прошел в еще пустой зрительный зал и занял место, не соответствующее билету, — в шестом ряду партера. Этот ряд был резервным, для особых персон, которые могли появиться неожиданно. В зале, вместе с бельэтажем и балконами, вмещавшем полторы тысячи зрителей, пока находилось не более десятка человек.

Когда Дербенев со своим подручным спускались по лестнице к туалетным комнатам, Иван передал ему конверт. Зная, что за ними следят, здесь они могли не опасаться. Только на этом коротком марше лестницы не было ни одной камеры видеонаблюдения.

— Чисто сработал, — усмехнулся Дербень.

— Работа такая, — холодно ответил Иван.

— А если заметит?

— Навряд ли. До банкетного зала не дойдут, не до того будет.

— Не загадывай. Вопрос еще не решен.

Они спустились вниз и оказались в просторном помещении с мраморным полом, зеркалами, золочеными канделябрами и глазками видеокамер. С левой стороны была дверь в мужскую комнату, с правой — в женскую. Вдоль стен удобные кресла и столики с пепельницами. Оба присели и закурили, наблюдая за чопорной публикой, идущей в обычный сортир, как на прием к английской королеве.

Через несколько минут вниз спустилась Юлия Баскакова. Приятная во всех отношениях дама, жена самого уважаемого коллекционера и галерейщика столицы, неторопливо прошла в женскую комнату. Следом появились Игумен и Гаврилыч, они не ожидали увидеть здесь объекты своего наблюдения, развернулись и пошли назад, к лестнице. Дербень с Иваном были заняты беседой.

— Другого случая у них не будет, — прошептал Гаврилыч, — тут все понятно. Надо ждать на выезде с парковки, иначе упустим.

Игумен согласился.

Поднявшись в зал, они увидели Анну Гурьеву, направляющуюся им навстречу в сопровождении двух телохранителей.

— Жаль бабенку, обратно вернется с голой шеей, — прокомментировал Игумен.

Конечно же, Дербенев с сообщником видели своих конкурентов, но сегодня изображали из себя слепых ротозеев, которые ничего не понимали и ни о чем не догадывались. Когда в дамскую комнату вошла брюнетка в черном платье и в дымчатых очках, они встали и вошли в дверь напротив. В холле было немало народу — люди курили, шумно переговаривались, смеялись. Затишье воцарилось на несколько секунд, когда появилась Анна. Ее грудь закрывала бриллиантовая стена с тысячами лучей, слепивших глаза. Никто не замечал ее красивого лица и того, что выражали ее глаза. Дамочка уже накачалась шампанским либо кокаином, который сейчас был моден в ее кругах. Прозвенел второй звонок. Окурки полетели в пепельницы, все начали расходиться. Скоро холл опустел, и только двое телохранителей остались сидеть в креслах, поджидая свою алмазную хозяйку.

В туалетной комнате Анна подошла к зеркалу, достала помаду и глянула на свое отражение.

— Резко начала, деточка, — сказала стоящая рядом Баскакова. — Не забывай, впереди еще банкет, а ты уже никакая.

— Надо проблеваться, — ответила красавица хрипловатым голоском. Казалось, грубое слово произнес кто-то другой, так оно не подходило к ее внешности.

— Бриллианты не урони в унитаз, — хмыкнула Юлия.

— Хорошая мысль. На скаковых лошадок хомуты не вешают.

Подкрасив губы, Анна взяла свою сумочку и направилась к кабинке с приоткрытой дверью. Она села на унитаз и замерла. Кабинки между собой были перегорожены матовым стеклом, и не сплошным. От пола до перегородки оставалось сантиметров сорок. Справа выкатилась монета. Анна наступила на нее ногой и прижала к полу. Убрав туфельку, увидела портрет Елизаветы II. Она сняла с себя серьги, ожерелье, браслет, положила их на пол, после чего ногой задвинула в соседнюю кабинку. Ей стало легче, будто ее освободили от оков. Анна подняла монетку и положила в маленький карманчик платья, достала из сумочки фляжку из желтого металла, открыла ее и начала пить, морщась от неприятного вкуса.

В кабинке справа находилась брюнетка в черном платье. Она подняла с пола бриллианты, сняла с них сигнальные чипы и жвачкой прикрепила их к бачку унитаза, а на замки украшений приладила новые чипы, работающие на других частотах. Затем вынула из сумочки скомканные листы бумаги и бросила их в унитаз, а на их место положила драгоценности. Сумочка приобрела ту же форму, но потяжелела на вес украшений.

Брюнетка вышла из кабинки и направилась к двери.

За две минуты до нее из мужского туалета вышли Дербенев и Иван. Прозвучал третий, последний, звонок. Они поднялись в фойе. Дербенев направился в зал. Пригласительный билет был в конверте, переданном ему Иваном. Он сумел выкрасть его у мужа Анны, когда подносил шампанское. Сева Дербенев устроился в шестом, резервном, ряду, зная, что здесь его никто не побеспокоит. Если сесть на место, указанное в билете, сразу станет ясно, кто украл приглашение у истинного владельца. Кроме Дербеня, в шестом ряду сидел лишь один человек — солидный тип с тростью. Вскоре к ним присоединилась женщина в дымчатых очках. Зал постепенно заполнялся гостями. Погасли люстры, зажглись прожектора.

У лифтов, ведущих в подземную парковку, собрались журналисты и операторы, не имеющие допуска в концертный зал. Перед допуском в кабину все предъявляли свои пропуска. Иван тоже предъявил и вошел в лифт. Он единственный был в смокинге, остальные выглядели скромнее, и он единственный вышел на парковке верхнего уровня, другие поехали ниже.

Подойдя к синему фургону, припаркованному рядом с выездом, он махнул рукой сторожу, сидящему в будке. Тот поднял шлагбаум. Иван тем временем открыл задние дверцы, запертые на щеколду. В железном салоне сидели трое мужчин в униформе — синих комбинезонах с надписями на груди и спине, лежала какая-то аппаратура и рюкзаки.

— Хозяин, долго еще? Мы едва не задохнулись. Тут же душегубка.

— Все, можно ехать. Дергач сядет за руль, а Фома и Родька остаются здесь. Потерпите, недолго осталось. Вас уже ждут. И не потеряйте часы, их вам еще не подарили. Скоро увидимся.

Дергач выпрыгнул из салона, и Иван вновь запер дверь на щеколду. Фургон, выехав из ряда, повернул к выезду.

Иван подошел к сторожу.

— Ну что?

— Они уже поджидают у выезда. У них джип «Ленд Крузер». Угнали небось.

— Игумен все делает через жопу. На что можно рассчитывать с его мозгами?! Ладно, я ухожу, а тебе придется еще побеседовать с опером. Минут через двадцать начнется облава.

— А как же Сева?

— Сева будет пить шампанское с миллионерами, и я к нему присоединюсь. А ты займись ненужными свидетелями.

Иван отправился к лифтам. Отойдя на метр, оглянулся и спросил:

— А где настоящий сторож?

— Спит у пожарного щитка в песочке. До утра не очухается.

Что же произошло? Фургон приехал с шестью пассажирами. Дербень и Иван ушли в зал. Шофер Валерий Воронов, входивший в команду Дербенева, остался, остались и трое в кузове, которые были случайными людьми. Их наняли для определенной работы. Воронов заменил сторожа. Настоящего, которому подсыпали снотворного в кофе. Так что все главные действующие лица остались в отеле, а фургон уехал с подменой. Но Игумен и Гаврилыч об этом знать не могли.

Когда синий фургон выехал из ворот подземной парковки и свернул на центральную аллею, Игумен приказал:

— Поехали.

— Надо держать дистанцию. Эти жуки слишком хитры, — пробормотал Гаврилыч, сидевший за рулем.

— Точно. Дербеня еще никто не смог обвести вокруг пальца.

— Кроме нас, — усмехнулся напарник. — Если только план сработает.

— Должен сработать. Такой шанс дается раз в сто лет, если промахнемся, я уйду в монастырь.

— Ага. Оправдывать свою погонялу. Станешь настоящим игуменом. Правильно. За всех нас, грешных, помолишься, а то нам все некогда. Совсем Бога забыли в земных вертепах. — Они свернули на юг.

— Держи дистанцию, Гаврилыч. Почему в кабине только один? Ты видел, кто?

— Нет. Темно. Я думаю, шофер их ждал на парковке, а Дербень с Шатиловым сидят в «банке». Не хотят светиться. Он всю жизнь осторожничает.

— Ты уверен, что мы сели на хвост кому надо? А если Дербень опять хитрит?

— Не занудствуй. Это их машина. Она стояла в гараже у Вальки. Они целую неделю ее красили и клеили рекламные плакаты на кузов. Черпак с них глаз не сводил. Снюхался с продавщицей из сельпо и жил у нее целую неделю, а Валька, трепло, все продавщице выкладывала. Машину мы перепутать не могли, они на ней сюда приехали. Где им взять другую?

— Ты прав, — согласился Игумен.

— А потом, мы ничего делать не будем, пока они не прибудут на точку. Накроем их на месте. Видишь, они к Варшавке едут. Значит, мы рассчитали все правильно. У Вальки в деревне их поджидают Черпак и Бориска, а мы зажмем их с тыла. Никуда от нас не денутся. Ивана и шофера ликвидируем тут же, а Дербеня придется тряхнуть как следует перед отправкой в царствие небесное. В схеме, что мы у него изъяли, много непонятного. Пока не расколется, трогать его нельзя.

— Я сам лично всажу ему пулю в лоб! Гад! Всю жизнь мне дорогу переходил.

— Не злобствуй, Игумен. Мозгов Бог тебе не дал, пользуйся тем, что есть. Зависть — дело последнее. Не жил бы на белом свете Дербень, ты не получил бы своего шанса. Его план прост и гениален. Мы получим его на халяву. Пристрелишь Дербеня — свечку не забудь ему поставить в своем монастыре, куда собрался.

Синий фургон проехал окружную дорогу и устремился по Варшавскому шоссе в сторону Подольска. На четвертом километре машина свернула налево. Эта перемычка связывала Бутово с Расторгуевым — десять километров узкой извилистой дороги в два ряда, где в темное время суток опасно идти на обгон. Шоссе не освещалось, и приходилось включать дальний свет.

— Соблюдай дистанцию, Гаврилыч. Мы знаем, куда они едут, сидеть на хвосте не обязательно. Машин нет, мы одни. Дербень может заподозрить неладное.

— Я уже отпустил их метров на триста и дальний не включал. По их габаритам ориентируюсь. Луна выручает...

Он не договорил. Произошло что-то невероятное. Сначала появились яркие ослепляющие фары встречной машины, потом завизжали тормоза. Фары сдвинулись на сорок пять градусов и осветили лес. Огромная цистерна-прицеп юзом пошла вперед, преградила дорогу, и синий фургон, идущий впереди, врезался в опрокинувшуюся цистерну. Раздался взрыв. Фургон подбросило вверх, он вспыхнул как факел, цистерну также подбросило, раздался второй взрыв, осветивший всю округу алым заревом.

Гаврилыч ударил по тормозам. Машина преследователей застыла на месте. Они не могли проронить ни слова и лишь наблюдали за пожарищем открыв рты.

Первым пришел в себя Гаврилыч:

— Бензовоз!

— Уносим ноги, старик. Возьмут за жопу, у нас полный багажник оружия.

— Кто их так?!

— Разворачивайся, дубина. Пламя из Москвы видно.

Гаврилыч резко развернул руль. Игумен достал мобильный телефон:

— Черпак, слушай меня внимательно. Гости не приедут. Вычисти базу, и уходите с Бориской. Встретимся в гнездышке завтра утром. Все, отбой.

Банда Игумена насчитывала пять человек. Гаврилыч как самый опытный играл роль мозгового центра. Черпак был обычным головорезом, на его счету покойничков хватало. Что касается Бориски и Синего, то эти ребята, хваткие и ловкие, не имели должного опыта. Ни один уважающий себя вор с такой командой на дело не пойдет и с Игуменом связываться не станет. Но Игумен получил гениальный план и узнал то, чего не знали другие. Отошедший от дел старый вор Гаврилыч согласился принять участие в операции, и то лишь на условиях, что он будет ее готовить. Что касается остальных, то их дело — четко выполнять инструкции и не разевать рот.

4

Анну Гурьеву обнаружили в туалете в бессознательном состоянии телохранители, когда весь народ уже сидел в зале и началась торжественная часть, посвященная открытию грандиозного отеля. Они терпеливо ждали хозяйку двадцать две минуты. Возможно, ворвались бы в дамскую комнату раньше, но сканер показывал на дисплее — бриллианты на месте. Микродатчики, установленные на застежках ожерелья и браслета, подавали четкий сигнал и не вызывали тревоги. Но на Анне бриллиантов не обнаружили, а чипы нашли за бачком, прикрепленными к нему жвачкой. Скандал исключался, тревогу объявлять было нельзя. Следствие велось скрытно, и сыщики, выряженные в смокинги и бабочки, выглядели необычно. Группу опытных оперативников и сыскарей из Главного управления внутренних дел возглавлял полковник Кулешов, за спиной которого были сотни раскрытых дел любой степени сложности. К сожалению, российские сыщики не имели тех технологий, которыми пользуются их западные коллеги, во многом работали по старинке. Вора можно вычислить по анализам ДНК. Ведь он прикрепил чипы на жвачку, а та была у него во рту. С чьим ДНК сравнивать полученные результаты — вопрос второй, важно иметь образец. Но ни у одного из сыщиков даже мысли похожей не возникло. Допросили уборщиков туалетов, мужа Анны, телохранителей и, наконец, саму Анну, которая неожиданно потеряла сознание, находясь в кабинке туалета, и ничего не помнила. К расследованию подключили присутствующего на вечере репортера светской хроники Вениамина Скуратова. Скуратов ни у кого не пользовался большим уважением, о его темных делишках на Петровке хорошо знали. Однако в сложившейся ситуации он был незаменим. Веня знал о столичном бомонде больше других, собирая досье на сильных мира сего, имел компромат на светских дам, их любовников и мужей, их секретарш и даже о карточных долгах. Скуратов жил шантажом и грязными уловками, но он числился стукачом в управлении и оказал немало услуг управлению по экономическим преступлениям и консультировал многих начальников оперативных отделов. К тому же полковник Кулешов понимал, что если не привлечь Скуратова на свою сторону, его используют те, кого он намерен выловить. Скуратов свидетель, и он такого шанса не упустит. Речь шла о грандиозном скандале, сенсационной бомбе, взрыв которой надо предотвратить любыми средствами. На первом этапе сыщики сделали один вывод. В грабеже участвовали персоны из высшего света столицы. Посадить в лужу банкира Гурьева, который решил выпендриться, вырядив свою жену в бриллианты как новогоднюю елку, мог любой, а желали все без исключения. Эта версия не вызывала сомнений, а потому без Вени Скуратова тут не обойтись.

После того как команда сыщиков, выряженная в светскую одежду, покинув туалетную комнату и предбанник, отправилась просматривать пленки видеонаблюдений, уборщики тоже ушли. Юноша и девушка поднялись на лифте в главный вестибюль, перешли через зал, на другом лифте поднялись на служебный этаж, прошли в раздевалку и скинули с себя униформу. На столе стоял небольшой рюкзачок. Девушка заглянула в него.

— Хорошее подношение за безделье.

Она вынула из рюкзачка пачку стодолларовых купюр. Ее напарник мыл голову под краном, в раковину стекала черная вода, а кудряшки выпрямлялись. Вытираясь полотенцем, он глянул на деньги.

— Фантики, Уличка! Мы получим настоящие. Надо поторопиться, не дай бог о нас вспомнят.

Девушка бросила пачку в рюкзак и сняла с головы парик с русой косой. На деле она оказалась рыженькой с короткой стрижкой, но не менее очаровательной.

— Им даже бутылку шампанского на дорожку положили, чтобы не померли со скуки.

Свою униформу они сложили в тот же рюкзачок, переоделись в скромную одежду и ушли, захлопнув за собой дверь раздевалки.

Из отеля они вышли на улицу без всяких проблем и свернули в переулок, где их поджидала обычная «девятка». На заднем сиденье ютилась молодая парочка, очень похожая на тех уборщиков из отеля, а не на этих, отмытых и переодевшихся.

Уля открыла дверцу водителя и села за руль.

— Привет. Меня зовут Уля.

— Меня Витя, — представился курчавый брюнет.

— А я Ира, — сказала девушка с натуральной русой косой.

— Я знаю, мы ваши пропуска носили на груди. Мне велено отвезти вас на Курский вокзал.

— Отлично. Успеем на последнюю тульскую электричку.

Задняя дверца открылась, и светловолосый парень положил на колени Виктору рюкзак.

— Привет. Я Леха. Тут ваш гонорар, а униформу отдадите тому, кто вас встретит. Ваш благодетель на Деда Мороза смахивает, на дорожку даже шампанское положил.

— Он нас встречать будет? — спросил Виктор.

— Без понятия, ребята. Мы лишь посыльные.

Леха захлопнул дверцу, открыл багажник машины и достал из него другой рюкзачок.

Машина уехала, а Алексей вернулся к отелю. Возле центральной ковровой дорожки остались только охранники, бдительно осматривающиеся по сторонам. Парень спрятался за кустарником, присел на корточки, достал из рюкзака фотоаппарат с большим телеобъективом, штатив. Он ждал. Ждал, пока в дверях не появилась Анна и ее муж. Девушка едва держалась на ногах, банкир поддерживал ее за локоть. Алексей начал фотографировать. К лестнице подъехал «Мерседес».

Вступительная часть, концерт и показ мод закончились. Гости направились к специальному лифту, который должен был доставить их в банкетный зал. Только оттуда можно было попасть на жилые этажи, хотя лифтов было более чем достаточно и работали они нормально, но на день открытия главный менеджер отеля Эдди Нечаев позаботился о мерах безопасности, и на рельсы, по которым скользит кабина, поставили ограничительные «башмаки». Перепрыгнуть невозможно. Вот и приходилось менять лифты, как электрички в метро при пересадке.

Из лифтов гости попадали в мраморно-зеркальный зал. Первыми пропустили десяток журналистов, имеющих на пропуске красную полосу. Этим господам из самых престижных мировых изданий разрешалось присутствовать на банкете во время первого тоста, после чего им следовало покинуть собрание, оставить великосветских персон напиваться до поросячьего визга без свидетелей.

Женщина в черном платье и дымчатых очках, выйдя из лифта, направилась туда, где находилась одна-единственная дверь. Она нажала на кнопку звонка, щелкнул замок, и дверь открылась. Дама попала в богато обставленный кабинет, где на стенах висели мониторы — шла трансляция из банкетного зала. Из-за огромного письменного стола поднялся высокий элегантный мужчина лет сорока и, улыбаясь, направился к гостье.

— Рад тебя видеть, дорогая.

Он поцеловал ей руку.

— Налей мне водки. Надо снять напряжение.

Сдернув на ходу парик, дама встряхнула шикарной копной рыжих волос, взяла рюмку и выпила ее залпом.

— Позови меня, когда выгонят крючкотворов и щелкоперов.

Он понял, что она говорила о журналистах, кивнул и направился к двери.

Брюнетка, ставшая рыжеволосой, подошла к встроенному шкафу и сдвинула зеркальную створку в сторону. Рядом с мужскими костюмами здесь висело одно-единственное женское платье темно-зеленого цвета на тоненьких бретельках. Она достала его, закрыла дверцу и, глядя в зеркало, приложила наряд к груди. К светлым зеленым глазам платье подходило идеально. На красивом лице появилась саркастическая улыбка.

Тем временем в деревне Свиблово люди готовились ко сну. Тишину нарушал лишь беспорядочный лай собак с разных концов одной-единственной улицы. В крайней избе у самого оврага женщина лет сорока сидела на кровати и мяла в руке носовой платок, изредка смахивая им слезы с бледных щек и боязливо поглядывая на парня, держащего в руках пистолет с глушителем. Они молчали. Парень тоже заметно нервничал. На убийцу он не походил, скорее, на студента, да и пистолет в его музыкальных руках с тонкими длинными пальцами не выглядел смертельным оружием. В комнату вошел здоровяк — полная противоположность этому парню.

— Рано мы засветились, Бориска. Дербень не приедет. Кто-то нас опередил.

— Как?

— Не знаю. Игумен велел сваливать.

— Ты чего раскудахтался? Все имена назвать хочешь? — Бориска кивнул на женщину.

— Она нам больше не нужна. Зря мы в дом заходили. Ждать надо было снаружи, и она ни о чем бы не догадалась, а теперь поздно рассуждать.

— Я вас не видела, — прохрипела женщина.

— Это ты сейчас так думаешь. Менты к стенке прижмут — все вспомнишь.

Здоровяк подошел к приятелю, взял у него пистолет и выстрелил не целясь. Пуля попала женщине в грудь. Она вскочила, сделала два шага, но вторая пуля уложила ее на пол.

— Сволочь ты, Черпак! Что она тебе сделала?

— Заткни пасть, щенок! Она свидетель. Уходим.

— Тогда и Зинку-продавщицу пришей. Ты у нее целую неделю жил. Она тебе про Вальку и ее хахаля все рассказала.

— Зинка на нас еще поработает. Вставай, пошли.

Бориска с тоской посмотрел на мертвое тело и направился к двери следом за сообщником.

Пока одни люди веселились на банкете, другие гибли. В двух километрах от Варшавского шоссе взорвался бензовоз и фургон. В фургоне заживо сгорели три человека, через сорок пять минут была застрелена женщина в собственном доме, которая ничего не знала о грандиозном банкете.

Скромная «девятка» подъехала к Курскому вокзалу. Уля остановила машину и оглянулась.

— Ну все, ребята, удачи вам.

Парень, сидящий за ее спиной, спросил:

— Вы же на нас совсем не похожи. На пропусках наши фотографии. Как же вы могли свободно передвигаться по отелю?

Ульяна засмеялась.

— Ну кто же будет присматриваться? Максимум, что могут разглядеть, так это русую косу или курчавую черную голову, а молодость всегда молодость. У меня был паричок, а Леша покрасил волосы смывающейся краской и завил их щипцами. Пусть вас такие мелочи не тревожат. Вы заработали хорошие деньги. В Серпухове вас никто не найдет. В ваших личных карточках указаны несуществующие московские адреса. И в честь успеха выпейте настоящего французского шампанского. Хозяин вам положил в рюкзак, на дорожку. Спасибо и удачи.

Пассажиры вышли из машины и направились к пригородным кассам.

Банкет в новом отеле набирал силу. В зале появился главный распорядитель Эдди Нечаев, сам же владелец отеля Рашид Мамедов и его неотлучная секретарша Люси Каплан стояли в сторонке и ни с кем не общались. Нечаев провозгласил первый тост за процветание. С возгласом «Ура!» все подняли бокалы.

Рядом с банкирами Фельдманом и Шпаликовым оказались Дербенев и Иван Шатилов. Банкиров знали все, а Дербенева и его партнера — никто. Они оказались рядом вовремя, в это время возле крутились фоторепортеры «Глоб» и «Таймс».

— А где же ваш руководитель, Панкрат Антоныч? — спросил Дербенев Шпаликова.

Шпаликов решил, что перед ним один из клиентов их банка, если обращается к нему по имени-отчеству.

— Мы в не меньшей растерянности, чем вы, — пожал плечами Шпаликов. — Мы видели его только в фойе.

— Да. Незабываемое зрелище. Анна должна стать королевой бала. Ее бриллианты ослепили всех, и вдруг она исчезает.

— Мы также удивлены.

— Несмотря на глубокий кризис, ваш банк процветает, если его председатель готов тратить миллионы на украшения для жены.

Шпаликов как-то не подумал о такой реакции вкладчиков на бриллианты Анны. Фельдман тоже навострил уши. Банкиры переглянулись.

— Да, вы правы. Наш банк устоял и выдержал ураганный ветер кризиса, — с некоторой снисходительностью заметил Фельдман.

В этот момент все четверо попали в объективы и были увековечены репортерами глянцевых изданий.

Фельдман хотел было продолжить свою мысль, но, оглянувшись, не увидел рядом с собой любопытных собеседников. Среди гостей не было видно и двойника греческого магната Константинеса. Он поднялся в банкетный зал на минуту, да и то без парика и усов. Рядом с лифтом стояла тумба, на ней ваза с цветами, под вазой лежал электронный ключ от номера леди Кэмирон. Он его сумел забрать, не привлекая к себе внимания. Этот человек имел талант факира и часто демонстрировал его зрителям под псевдонимом Валентин Валентино. В Москве о нем пока никто не слышал. Ему был предложен выгодный контракт за несложную работу, где он мог проявить свой талант в полной мере. Валентин Валентино обладал искусством гипноза и многими другими способностями, содействующими операции, задуманной его нанимателями. От таких предложений не отказываются.

В облике Константинеса он вернулся на восьмой этаж, где жили самые почетные гости, и навестил настоящего Константинеса, а затем леди Кэмирон. Визит вежливости, не более того. И тот и другая тихо спали. Валентино вернул хозяину смокинг, а женщине — ключ от ее номера. И тихо ушел. Из отеля он вышел без грима. Его поджидала машина, обычный «Форд-Фокус», за рулем сидел тот же человек, который катал его на лимузине.

— Кажется, моя миссия на сегодня закончена, — садясь в машину, сказал фокусник с облегчением.

— Не торопитесь, любезный маг. Нам придется дежурить до утра. Быть на стреме, что называется. Тут столько нюансов, всякое может случиться. Мы можем посидеть в хорошем ночном ресторанчике, чтобы скоротать время.

— Вполне приемлемая идея, я проголодался. На банкете успел лишь облизнуться.

— Наверстаем. Кухня в ресторане отменная.

С банкета исчез двойник Константинеса, но не та очаровательная брюнетка, в одночасье превратившаяся в рыжую. Она уже переоделась в зеленое платье, достала из сумочки бриллиантовые украшения и надела их на себя. Трудно сказать, кому они шли больше — Анне или этой даме. Каждая из них была хороша по-своему, а такие «побрякушки» любую женщину могут сделать царицей. Дама налила себе водки, закурила сигарету и встала перед мониторами, наблюдая за происходящим на банкете.

Наконец журналистов попросили покинуть зал, и те неохотно направились к лифтам. Многие из гостей не желали попадать в объективы, афишировать свои связи и потому в присутствии журналистов держались особняком, но теперь можно было чувствовать себя вполне раскованно. После ухода репортеров публика оживилась, заиграл оркестр и некоторые пары решили потанцевать.

Рыжая дама заметила сигнал, поданный ей из зала Эдди Нечаевым, тем самым устроителем вечера и хозяином кабинета, в котором она находилась. Дама допила свою водку, затушила окурок и вышла из кабинета, накинув на плечи шаль в тон платья. Рыжеволосая красавица скинула ее, лишь взяв с подноса бокал шампанского. Присутствующие оторопели. Алину Малахову, жену лучшего российского ювелира, знали все, и даже иностранные гости. Она несколько лет была представителем всемирно известной фирмы по продаже драгоценных камней «Де Бирс» в торговых домах Лондона и Парижа. К этому следует добавить, что иностранные гости не присутствовали в фойе, где произошла кража века. Соотечественники отнеслись к увиденному по-разному. Но как бы кто ни отнесся к появлению Алины с таким украшением, все должно остаться в стенах, куда допуск получали избранные. В свете не принято выносить сор из избы.

Алина не успела допить свой бокал, как к ней подошел мужчина лет пятидесяти со смуглой кожей. Несмотря на европейский облик, в нем угадывалась арабская кровь.

— Вы позволите пригласить вас на тур вальса?

— Разумеется, — ответила красавица.

Они вышли на площадку и закружились в танце.

— Что скажете, ваша светлость? — спросила дама.

— Шедевр. Это то, что удовлетворит требование принцессы и принца. Во всяком случае, он будет спасен от неминуемой гибели.

— Вот видите. Бриллианты способны не только убивать, но и спасать жизни хорошим людям.

— Абу Фат-младший прибудет в Москву через неделю. Вас эти сроки устраивают? Через полмесяца его свадьба.

— Я помню, уважаемый Мухамед бен Талал. Моя фирма не подводит своих клиентов.

Танец закончился, и дама попала в руки другого партнера. Теперь Алина танцевала с банкиром Фельдманом.

— Могу я задать вам нескромный вопрос, Алина Борисовна?

— Конечно, Саул Яковлевич. Банкиры скромных вопросов не задают.

— Мы знаем о существовании гарнитура «Око света». Ожерелье, серьги, браслет. Его сделал ваш муж, и гарнитур был выставлен в вашем салоне. Его многие видели. Сейчас я его вижу на вас. 224 камня в ожерелье, 72 в браслете плюс серьги. Кажется, уникальный гарнитур весит полторы тысячи карат.

— Больше. Зачем вам эта арифметика?

— Два часа назад этот гарнитур был на Анне Гурьевой. Она куда-то исчезла вместе с мужем, а наряд оказался на вас. Как такое возможно?

— Очень просто. Анна перепила, и муж отвез ее домой. Но гарнитур хотели увидеть многие, и я продолжила его демонстрацию. Исполняю роль манекена.

— Это понятно. Значит он ваш. Мы же не дети и понимаем, что такой товар не делают на продажу, а выполняют на заказ. Вы не смогли бы купить такое количество бриллиантов на свои средства. Мы, банкиры, знаем, кто каким капиталом владеет. Но Гурьев не мог заказать вам подобный гарнитур. Он на грани банкротства...

— Не он, а ваш банк, господин Фельдман. Это разные вещи.

— Гурьев воспользовался случаем и взял деньги из банка. Бессрочный, беспроцентный кредит, который не хочет возвращать. Сто миллионов. Банк едва держится на плаву, а Гурьев жирует, покупая новые акции за проценты вместо того, чтобы гасить кредит.

— Он председатель. Вы сами его выбрали. Не пускайте слюни, убейте его и успокойтесь.

— Тогда мы не вернем свои деньги. С трупа ничего не возьмешь. Я думаю, гарнитур он взял у вас напрокат. Хороший маркетинговый ход. Пустил вкладчикам пыль в глаза. Но вы не могли доверить ему бриллианты без залога, а он ничего не мог вам предложить, кроме акций алмазных копий в Анголе, на что потратил банковские деньги.

— Допустим, что так. Эти акции сейчас стоят не сто миллионов, а на порядки больше.

— Но они именные. Вы ими не можете воспользоваться, а мы можем. Как правопреемники в случае его смерти.

Он не погасил кредит, его имущество пойдет в счет погашения кредита.

— К чему вы клоните, Саул Яковлевич?

— Бриллианты на вас. Залог в ваших руках. Он вам не может вернуть бриллианты, которых у него нет, а вы не отдадите ему залог на законном основании. Мы же, в отличие от вас, можем реализовать акции. Разница пополам.

— Делите шкуру неубитого медведя? Какой вы предсказуемый, Фельдман. Я подумаю над вашим предложением, а вы держите язык за зубами. С вашими клыками лучше не ввязываться в драку. Разорвут!

Танец кончился, и Алина отошла в сторону. На нее с восхищением смотрела Юлия Баскакова.

— А ты мастерица шокировать публику, — улыбаясь, сказала галерейщица.

— С детства обожаю эффекты, — взяв бокал, улыбнулась Алина. — Взгляни на их лица. Они подыхают от любопытства.

— Так удовлетвори несчастных.

— На всех у меня не хватит времени, придется исчезнуть так же внезапно, как и появилась. Того и гляди сыщики нагрянут к нам в гости.

— Тебя не смущает такое количество свидетелей?

— Ничуть. Их показания ничего не стоят.

— На случай неожиданности есть дежурная команда.

— Надеюсь, ничего экстраординарного не произойдет.

Оркестр заиграл медленный танец, и возле красавицы в бриллиантах как из-под земли выросла очередь поклонников, желающих пригласить ее на танец. Алина выбрала элегантного мужчину лет пятидесяти с красивым лицом, которое портили оспинки.

— Вы обворожительны, Алина Борисовна. Если Анну это ожерелье украшало, то с вами все наоборот. Вы придаете бриллиантам то, чего им не хватает.

— Чего же?

— Жизни. Они только камни.

— У адвокатов всегда ограничена фантазия, потому что они привыкли отталкиваться от фактов. От всего земного, а потому очень скучного. Анна плохо себя почувствовала и попросила меня приехать и заменить ее на банкете. Разумеется, ждать меня она не стала и уж тем более не доверила бы мне свои бриллианты. Я сняла это ожерелье с витрины своего салона. Стекляшки. Образец из алмазов Сваровски. Пользуюсь тем, что здесь нет специалистов.

— Феноменально! Однако я вижу представителей «Де Бирса». Уж они знают толк в бриллиантах.

— Я их тоже видела, но танцевать с ними не стану. А потом, они не говорят по-русски и вряд ли кто-то из наших матрон обратится к ним за консультацией. Они доверчивы как дети. Верят своим глазам и языкам. Будет о чем поболтать.

— Вы хотите, чтобы ваша версия сработала и пронеслась по сарафанному радио?

— Для того я и пошла с вами танцевать. Лучше вас, Гурген Вартанович, никто не умеет пользоваться испорченным телефоном.

Алина недолго оставалась на банкете. Она исчезла так же незаметно, как и появилась. Попав в тот же самый кабинет, женщина в первую очередь изъяла видеокассету с записью наблюдений за залом, а потом переоделась. Из кабинета вышла брюнетка в дымчатых очках, строгом черном платье без всяких украшений и направилась к лифту.

5

Жертвы ограбления прибыли домой, как побитые псы. Всеми уважаемый банкир потерпел фиаско. Его жена, переступив порог дома, тут же протрезвела. К алкоголю она не прикоснулась, в отличие от мужа. Савелий Георгиевич Гурьев, сменив смокинг на домашнюю стеганую куртку, выпил стакан коньяка и начал прохаживаться по гостиной, заложив руки за спину.

— Ну, что ты молчишь? — спросил он жену.

— Я видела в туалете жену Саула Фельдмана.

Гурьев остановился.

— Ты думаешь, они знают о залоге? — Помолчав, он добавил: — С другой стороны, кроме Фельдмана и Шпаликова никто на такой скандал не пойдет. Представим себе на минутку — они знают о том, что я отдал Алине акции в качестве залога за прокат ожерелья. Шпаликову подчиняется вся служба безопасности банка. Там работают высококлассные профессионалы из разведки. Они вполне могли провернуть подобную операцию. Но никто, кроме Алины, не знал, что ты появишься на вечеринке в ожерелье...

— Брось, папочка! Не будь простаком. Ты берешь гарнитур за неделю до грандиозного события. Для чего? Для того, чтобы я в бриллиантах ходила в парикмахерскую? И младенцу все понятно. Профессионалы тут ни при чем. Анна знала о моей золотой фляжке. Я видела у нее такую же. Восхитилась. Показала ей свою, обычную, серебряную, она предложила съездить с ней в один антикварный магазин. Мы поехали, и там нашлась еще одна, которую я купила.

— Ну и что?

— А то, что в туалете менты нашли не мою фляжку. Ее подменили. На ней была гравировка, а на моей не было.

На вечеринке я не раз выпускала сумочку из рук. У барной стойки, и в том же туалете... Фляжку нетрудно подменить. Анна Фельдман знает, что я всегда ношу с собой виски. Эта версия представляется мне самой реалистичной. И вспомни о гравировке. Там написано «Анне с любовью от Д.». Жена Фельдмана тоже Анна. Вторая версия касается твоей шлюхи. Я забыла дома сумочку. Почему? Потому что она не попалась мне на глаза. Я помню, что она лежала на трюмо, а потом исчезла. Значит, фляжку подменила Оксана, наша горничная. Вряд ли эта дура могла сама подсыпать отраву. Ей дали уже готовую фляжку и велели незаметно подменить.

— Глупости! Оксана меня не продаст! Она мне предана.

— Где-то ты очень умен, папочка, а в каких-то вещах наивен. Фельдман и Шпаликов могли перекупить твою шлюшку.

— Я слишком много для нее сделал.

— Жизнь дороже.

Анна вышла из комнаты и через минуту вернулась с газетой «Крымские новости».

— Почитай. Она на русском языке. Нашу горничную зовут не Оксана Мартынчук, а Вероника Кутько. Она в розыске пятый год. Участница банды грабителей известного на Украине Левши. На их счету с десяток убийств. В том числе они чистили банки. Теперь она с чужим паспортом работает в Москве, обслуживает известного банкира Гурьева. Вероника единственная, кого еще не выловили. Остальные члены банды давно сидят за решеткой. В газете даже ее снимочек имеется.

— Где ты взяла эту газету?

— Не имеет значения.

— Почему молчала?

— Не хотела тебя расстраивать. Так вот, папочка, если я знаю такие подробности, то почему их не могут знать Фельдман и Шпаликов, которые давно уже метят на твое место? Сам же говорил, что у твоих замов целый штат опытных сыщиков. Ты только представь себе, чем вся история может кончиться, если Оксана перейдет на сторону твоих врагов! Она работает на нас два года, ты с ней спишь и слишком много болтаешь. Она знает, что я твоя дочь, а не жена. А может, она знает гораздо больше? Тогда ее газеткой не напугаешь. Анна сама возьмет тебя за жабры.

— Ладно, все, хватит о ней. Нет сомнений, что гарнитур украден по наводке банкиров. Цель их понятна. Теперь, имея бриллианты, они захотят обменять их на мои акции. Допустим, Алина отдаст им мои акции, чтобы вернуть свои бриллианты. Гарнитур сделан на заказ из камней заказчика, уникальных камней. Алина пойдет на любую сделку, чтобы вернуть свой шедевр. И это не преувеличение. Индийские бриллианты чистейшей воды староиндийской огранки. Таких в наше время не встретишь. Они отбирались столетиями не одним поколением шейхов. Мне даже страшно подумать о последствиях. Утеря шедевра равна взрыву атомной бомбы.

— Оставь в покое чужие проблемы, отец! Подумай о нас. На кой черт банкирам твои акции? Они же именные, никто, кроме тебя, их не может продать.

— В случае моей смерти мое имущество подлежит компенсации в пользу банка в счет неуплаченного кредита. Таким образом, банк становится официальным правопреемником акций и вправе их продать. Они заработают на них в пять раз больше. Кредит составляет сто миллионов, номинальная стоимость акций тоже сто миллионов. Но за год они выросли в цене в пять раз. И продолжают расти. Теперь ты понимаешь, что значит для них ожерелье?

— Так, минуточку. О каком имуществе идет речь? Ты все оформил на мое имя, тебе ничего не принадлежит. После этого мы с тобой официально развелись. Мы чужие люди. У меня банк ничего отнять не может.

— Мы развелись, чтобы не вскрылся подлог. В конце концов, я женат на своей дочери и у тебя два паспорта. Ты можешь жить как Анна Каземировна Гурьева, а можешь переехать в Питер и стать Ириной Савельевной Гурьевой, моей дочерью. До поры до времени такая маскировка была необходима, сейчас пропал смысл этого. Но акции остались в моей собственности. Они именные, банк может их конфисковать в качестве погашения кредита.

Анна встала, подошла к бару, налила себе виски и выпила полстакана залпом.

— Ты забыл, папочка, одну деталь. Чтобы продать твои акции, банкирам надо их получить. Это первое. А второе, им придется тебя убить, так как наследство делят после смерти.

— Они на грани разорения. Это первое, а второе — они хотят занять место председателя правления банком. Моя смерть принесет им заветное кресло председателя и восстановит денежный баланс. О чем можно говорить? Убить человека в наше время проще, чем плюнуть. Сотни головорезов и криминальных авторитетов хранят деньги в частных сейфах нашего банка. У Шпаликова на каждого владельца банковской ячейки есть детальное досье. И у Фельдмана тоже. Им ничего не стоит договориться с бандитами, и те сделают свое дело в лучшем виде. Комар носа не подточит.

— Идиот ты, папочка! Пора тебе гроб заказывать. Из такой ситуации выхода уже не найдешь.

— Не каркай, дура!

Гурьев выпил еще коньяку, сел в кресло и обхватил голову руками. Он думал, а жена-дочь закурила новую сигарету, поглядывая на папочку с легкой усмешкой. Она знала, какое решение он примет. Тут не надо иметь семи пядей во лбу, чтобы предсказать его следующий ход. У него был только один вариант решения. И он его принял.

— Утром вызову к себе Лурье. Я официально перепишу все акции концерна на твое имя. На имя дочери — Ирины Савельевчы Гурьевой и тут же отправлю факс в Анголу и сообщу концерну об изменении владельца, а диппочтой переправлю им подробную документацию. Банк ничего не получит. Все их старания будут равняться нулю. Если они завладеют акциями, их можно будет обвинить в краже в особо крупных размерах. С ожерельем можно проделать то же самое. Надо лишь зафиксировать факт наличия у них того или другого. Например, при обмене. И Алина не сможет требовать с меня бриллианты. Я отдал ей как залог чужие акции. Она будет вынуждена вернуть их тебе.

— А потом пришьет тебя.

— Кто-то это все равно сделает. Я уже не жилец, но не хочу, чтобы дело всей моей жизни попало в руки прохвостов и ублюдков.

— Хорошее решение, папочка. Теперь ты стал обычным оборванцем. Имущество и недвижимость переписал на имя своей жены, с которой развелся, акции — на имя дочери. То, что жена и дочь — одно лицо, никого не касается. Как жена я все перепишу на имя дочери. Передарю недвижимость сама себе, а потом уничтожу паспорт на имя Анны Гурьевой. Ее нет. Уехала. Навсегда. В неизвестном направлении. Осталась только дочь Ирина Савельевна Гурьева. Мультимиллионерша. А тебя отправлю на паперть подаяние собирать.

— Ты меня не выгонишь. Я тебя от вышки спас, простил убийство Анны. Той единственной, которую любил по-настоящему.

— Вот она тебя уже давно бы пришила. Нашел себе сучку на год моложе дочери! Благодарить меня должен. И хватит об этом. Подумай, что делать с другой шлюшкой. Оксана слишком много знает. Горничную может использовать любой, кто пронюхает о ее прошлом. А такой вариант исключать нельзя. Ты же видел, что менты привлекли к делу репортера Скуратова. Он носом землю рыть будет. У него досье на весь бомонд не меньше, чем у Фельдмана на криминалитет.

Гурьев задумался.

— Так или иначе, в нашем деле должны быть козлы отпущения. Полковнику Кулешову не обязательно знать все подробности. Не дай бог он твоим прошлым заинтересуется. Не знаю, до чего он сможет докопаться. Его надо отвлечь, нам его помощь не нужна, мы свою проблему решили.

— Скуратов — грязная личность, Кулешов это знает не хуже нас. А почему бы не использовать его в игре?

— Как связать его с Оксаной?

— Я знаю — как, если Оксана через сутки исчезнет навсегда. Почему бы ею не заняться, папочка? Тем более что тебе терять нечего, ты же уже похоронил себя. А вдруг выгорит что-то интересное?

В квартире раздался звонок, оба от неожиданности вздрогнули. Анна на цыпочках подошла к двери и глянула в глазок.

— Иди открывай, — сказала она отцу, вернувшись в комнату. — Кулешов и Скуратов, новоиспеченная сладкая парочка. Теперь ты понял, что я права? Я иду к себе, у меня алкогольное отравление. Разговаривай с ними сам.

Анна направилась в свою комнату, а Гурьев поспешил к входной двери.

6

Жена знаменитого ювелира Печерникова, создателя бриллиантового ожерелья, Алина Борисовна Малахова возвращалась домой в хорошем настроении. Черный парик и дымчатые очки лежали рядом на пассажирском сиденье ее машины, а поразившей всех алмазный гарнитур покоился в неприметной дамской сумочке. Телефонный звонок застал ее у ворот дачи, где она проживала с мужем круглый год. Звонившая женщина говорила очень тихо, но Алина узнала голос Анны Гурьевой и поняла — кто-то находится рядом с Анной, а потому выключила двигатель, чтобы лучше слышать.

— В доме полковник Кулешов и Венька Скуратов. Хороший тандем. Савву допрашивают. Следующая ты на очереди.

— Меня никто не видел в фойе.

— Я о другом. Савва пришел к нужному решению.

— Быстро. И запугивать не пришлось.

— Не помешает. А почему бы Скуратова не подставить под удар? Ты же знаешь его слабые места. Загляни в его досье. Кулешов — опасная акула. Почему бы ему не поперхнуться Скуратовым? Он лишняя кость в горле сыщиков.

— Ты ведь уже определила на эту роль свою горничную.

— Чем больше грязи, тем тяжелее из нее выбираться. А если нам как-то объединить Скуратова с Оксаной?

— Я подумаю и перезвоню тебе.

— Договорились. Кто-то стучится. Пока.

На лесном участке дорога, ведущая к огромному трехэтажному дому, пролегала между кустами роз. Подъехав, Алина поднялась на второй этаж и тихонько приоткрыла дверь мастерской мужа. Печерников трудился за рабочим столом, где стоял гранильный станок. Ювелир славился своим трудолюбием. Возраст и целая вереница болезней торопили его: он не успел сделать главного, своего шедевра, который вошел бы в историю, как Шапка Мономаха или яйца Фаберже. Но великому мастеру нужен безупречный материал для работы, и этим занималась жена Алина. Она творила чудеса. Супруги стоили друг друга, несмотря на разницу в возрасте, равную тридцати годам. Он ставил клеймо на изделиях, делая свое имя бессмертным, она выгодно продавала результаты его труда. Все деньги доставались Алине, Юлиана Андреевича Печерникова деньги не интересовали, он думал лишь о комфортных условиях для работы и качественном материале. И то, и другое у него было благодаря ненаглядной красавице жене.

Кабинет Алины ничем не напоминал рабочее место мужа. Здесь царила роскошь. В трех старинных комодах, стоящих в ряд, хранилась необходимая оперативная информация. Женщина выдвинула нужный ящик, достала папку и пролистала документы. Некоторые места она перечитывала дважды. Захлопнув папку, взялась за телефон.

— Вы где? — спросила она, когда ей ответили. — Слушайте мои инструкции.

Разговор длился пять минут, после чего Алина перезвонила Анне Гурьевой.

— Они ушли?

— Поехали к вам. Юлик в курсе?

— Я его подготовлю. Тебе надо поработать сегодня ночью. Ты можешь найти горничную?

— Конечно. Она выполняет мои мелкие поручения согласно схеме. Вчера арендовала сейф, положила в него мою шкатулку, сегодня повезла туда же мои побрякушки. На этом ее работа заканчивается.

— Нет. Ты хочешь связать ее со Скуратовым. Для этого нам нужен снимочек Оксаны и Дины вместе. Дина — слабое звено Скуратова, через нее можно выстраивать дальнейшую работу. Я уже все продумала. Найди Оксану и привези ее в ресторан «Маяк». Наши дежурные привезут туда девчонку Скуратова.

— Это так просто?

— Не забывай, Валентино не только фокусник, но и гипнотизер. Ты сама расписывала мне его талант. Думаю, он справится, да и Герман — мужик не промах. Действуй, девочка, сейчас не до отдыха. Пружина сработала.

Алина переоделась и направилась к мужу, чтобы подготовить его к приезду сыщиков. Юлиан Андреевич во всем слушался свою жену, не вникая в ее сложнейшие интриги. Что Алина ни делает, все идет на пользу их бизнеса.

* * *

Известный в Хабаровске маг и волшебник Геннадий Васильевич Бартошевич, именовавшийся на афишах как Валентин Валентино, который сегодня успел побывать греческим магнатом Константинесом и украсть из апартаментов отеля четыре шедевра великих живописцев, отдыхал в ночном ресторане «Маяк» и набивал желудок вкусной пищей. Его партнер по московским делам Герман отвечал за операцию, но Бартошевич знал, от кого исходят приказы, а потому беспрекословно подчинялся своему временному партнеру, успевшему сегодня побывать в роли шофера лимузина. Проделав работу в отеле, они отправились ужинать в ресторан, где Герман подрабатывал официантом. Зачем ему нужна эта должность, Бартошевичу было не известно, у Германа хватало денег, он ни в чем не нуждался, имел не одну машину и квартиру. Но эти факты биографии партнера фокусника не беспокоили. Его пригласили в Москву участвовать в афере века, он согласился. И дело не в гонораре. Артист Валентин Валентино мечтал о славе и заграничных гастролях, что ему и было обещано. Он поверил обещаниям, зная, от каких людей они исходили.

К их столику подошел официант.

— Да, кстати, Геннадий Василич, я вас не познакомил...

— Нас уже знакомили, Гера. Семен ко мне на Кутузовский через день привозит обеды из вашего ресторана.

— Почему я не знал об этом? — удивился Герман.

— Забывал тебе сказать, — ухмыльнулся официант.

— Ладно, Семен, я с тобой позже поговорю. Принеси двести граммов коньяку. Чистого, неразбавленного.

— Как ты можешь так обо мне думать, Гера?

— Давай, давай, поживее.

Официант отошел.

— Черт! — отложив вилку, ругнулся артист. — Сегодня футбол, а мы вынуждены дежурить. Все же сделано, и сделано на высшем уровне.

— Не бубни, Гена. Мы слуги государевы, всегда на часах, всегда в бдении. Нам не подходит поговорка: «Сделал дело — гуляй смело!» Мы написали первую страницу, а книга, как я думаю, будет толстой. Не шутки шутим.

Семен принес коньяк в графинчике и поставил на стол. Выпить Гера не успел, его отвлек телефонный звонок. Ответив, он молчал не менее пяти минут. Убрав мобильник в карман, встал.

— Гена, у нас работа. Серьезная. Потребует особых усилий.

Он кивнул официанту, тот тут же подбежал.

— Готовь стол на четыре персоны, мы вернемся с дамами. Одна может прийти раньше.

* * *

Анна Гурьева остановила машину у дома на Фрунзенской набережной. Ей пришлось ждать еще десять минут, пока появилась их служанка Оксана. Та вышла из очень престижного дома, огляделась по сторонам, только потом подошла к машине и села.

— Ну рассказывай, девочка, — сказала хозяйка.

Оксана нервничала.

— Я все сделала, как ты велела. В начале десятого приехала в банк Савелия Георгиевича, прошла в отдел частных сейфов и положила в свою ячейку твои кольца и серьги. В твою же — шкатулку, которую положила вчера. Вот ключ.

Оксана достала ключ с брелоком в виде золотой медали и положила Анне на колени.

— Интересно, ты моего отца в постели тоже по имени-отчеству называешь?

— Тебе это интересно?

— Что ты дергаешься, Оксана?

— Думаешь, мне легко среди ночи удрать от этой сволочи? Пришлось угомонить его клофелином, до утра не очухается. Ты же обещала мне помочь.

— Давай-ка по порядку, милая беглянка.

— Все снова?

— Да, снова. У меня появилась новая идея. Итак?

— Что тут непонятного? Левша сбежал из зоны. Как ему это удалось, не знаю. В Украине его слишком хорошо знают. Рванул в Россию, решил в Москве затеряться. Тут нас судьба столкнула вторично. И все твой папочка. Он, видите ли, хочет, чтобы только я подавала ему жратву, даже в банкетном зале ресторана.

— Это нормально. Слишком много желающих его отравить.

— Для того и приручил меня. Так вот, в этом же ресторане оказался Левша. Он меня проследил. Мы поехали к вам домой. Так он выяснил, на кого я работаю, а потом взял меня за жабры. Грозил сдать. Но пугает. Меня сдаст — сам залетит.

— Это он велел тебе открыть ячейку в банке отца?

— Да. Я ему рассказала о существовании универсального ключа, который может открыть любой ящик, и о существовании единого контрольного кода. А что мне еще оставалось делать, если нож приставили к горлу? Вчера, когда ты мне дала шкатулку из слоновой кости, чтобы я отнесла ее в ремонт, я отнесла ее в банк. Савва мне рассказывал про наблюдение за ячейками. Если за три появления в банке ты не кладешь в сейф ничего ценного, ячейку снимают с наблюдения. Сегодня я отнесла туда твои побрякушки, золотишко всякое. Но об этом ты уже знаешь. Появлюсь завтра утром с пустячком, и ячейку снимут с контроля.

— Это мне понятно. Но чего ты добиваешься? В чем зерно?

— Твой отец обещал мне дать универсальный ключ и код. Я все рассказала, и ему в голову пришла отличная идея. Левша не знает одной очень важной детали. Когда ты входишь в хранилище, то предъявляешь ключ с номером на брелоке. Охранник тут же снимает твой номер ячейки с электронной охраны. Ты идешь к своему сейфу. Но если у тебя припрятан еще один ключ и ты попытаешься открыть чужой сейф, на пульте охранника сработает тревога. Ты же не показывал ему второго ключа, и другая ячейка не снята с сигнализации. Все входы и выходы тут же блокируются. Вор окажется в ловушке. Если я дам наводку Левше на чужой сейф и передам универсальный ключ, он попадет в капкан. Другого способа от него избавиться я не знаю. Ты знаешь, во сколько мне обошлась квартирка в этом доме? Пока Левша из меня всю кровь не высосет, он меня в покое не оставит. Убить я его не могу, он в Москве не один, его подручных я не знаю, зато они меня знают. Левша сдохнет — меня в порошок сотрут. А если он завалится на банке, то я буду ни при чем.

Анна немного помолчала, над чем-то посмеиваясь.

— Сама идея мне нравится, надо взять ее на вооружение. Папочка у меня мужик умный, но ничего не смыслит в ментовских делах. Все ваши идеи требуют чистки, как старые персидские ковры. То, что наводку своему бывшему дружку дала ты, а не кто-то другой, его подельники будут знать первыми, если только он не решил их кинуть. А если он завалится, то виноватой окажешься ты. Из чего следует вывод. Пока ты не будешь знать всех его дружков, трогать Левшу нельзя. Убирать надо всех одновременно обычным бандитским путем, что вполне естественно для таких фруктов, как он. Сдохнут украинские бандюки — никто в таком дерьме возиться не станет. Никакого мудрежа. Заточку в бок, и готово. Исполнителей я найду. А теперь представь себе на секундочку. Твоего хмыря берут в банке с универсальным ключом и знанием секретного десятизначного кода. Такие ключики в металлоремонте не закажешь, они с намагниченными фасками. И код на калькуляторе не просчитаешь. Значит, грабителю помогал свой. И не простой клерк, а имеющий доступ к святая святых. Кто? Если Левша тебя не сдаст на первом допросе, тебя все равно просчитают, стоит копнуть его прошлое. Кто не сидит в зоне из его банды? Вероника Кутько. Запросят дело Левши, а там твоя фотография. Бог мой, так это же служанка генерального директора Гурьева! Черный паричок и темные очки тебя не спасут. Ограбление банка — дело серьезное, а убийство бандюг из бывшего СССР никого не трогает. Перемудрили вы с папашкой. Делать будешь то, что я скажу.

— Ладно. Поняла.

— Сейчас поедем в ресторан «Маяк». Официант, его зовут Семен, посадит тебя за столик. Потом к тебе присоединятся двое мужчин и девчонка. Делай все, что будет говорить Герман. Из ресторана поедешь домой, в квартиру, которую отец для тебя снимает. Жди моего звонка. Все поняла?

— Все.

* * *

Герман и фокусник остановились перед дверью квартиры, и, прежде чем позвонить, Герман спросил:

— Ты готов, Гена?

— Чтобы ввести в состояние транса, мне нужно видеть глаза. Через дверь я не могу управлять человеком, ничего не получится. Как только поймаю ее взгляд, она наша, твори с ней что хочешь.

— Соберись. Я звоню.

Дина уже спала. Настойчивые звонки в дверь разбудили ее. Девушке очень не хотелось вставать. Неужели Венька с вечеринки решил к ней закатиться? От этого психа что угодно можно ожидать. Дина встала, накинула халатик и пошла открывать дверь. Это была одна из множества квартир, арендованных Скуратовым по всей Москве. Слава богу, Дина уговорила его сюда никого из посторонних не приводить. Ей тоже нужен свой угол для отдыха, в том числе и от самого Вени. Какое счастье, когда он занят. Она так устает от него и его дурацкой работы, в которую он ее втянул, что иногда хочется все бросить и бежать куда глаза глядят. Но Дина не могла сбежать. Веня был единственным человеком, трамплином, который мог поднять ее на международный подиум. Приходилось терпеть. Иногда и рукоприкладство. Чего не сделаешь во имя будущего?

Дина подошла к двери и открыла, не спрашивая «Кто там?». А кто, кроме Веньки, мог прийти сюда, у Дины даже парня на стороне не было. Она всего себя лишила ради карьеры.

На площадке стояли двое незнакомых мужчин. Один из них был уже немолод, солиден и очень хорошо одет. Она смотрела на него и не могла отвести взгляда, будто завороженная. На его лбу надулись жилы, карие глаза с красными прожилками на белках блестели так, будто в них стояли слезы.

— Я тот, кто сделает из тебя звезду первой величины. Ты станешь знаменита на весь мир. К твоим ногам посыпятся миллионы долларов и охапки роз. Я пришел за тобой, чтобы научить тебя азам профессии царицы. Сейчас ты оденешься, возьмешь ключи от фотостудии Скуратова, и мы поедем туда. Именно там ты должна сделать свой первый шаг. Шаг к своему трону! Ты готова?

Дине казалось, что она парит в небесах. Голос свыше проникал в ее сознание, и это было так сладостно! Девушке хотелось улыбаться и следовать приказам сказочного голоса.

Крылья принесли Дину и ее странных ангелов-хранителей в студию Вени Скуратова, где он делал свои лучшие фотографии и кинопробы. Здесь имелась вся техника, за ширмой стояла огромная кровать с подсветкой со всех сторон. На ней Скуратов фотографировал моделей для эротических журналов. Мастерская находилась в доме на Тверской, напротив телеграфа. Верхние этажи со стеклянными крышами принадлежали художникам с крупными именами, говорят, когда-то здесь даже Кукрыниксы имели свою студию. С Вениными связями можно всего добиться, так что гости не удивились, увидев шикарные хоромы и море дорогой техники и осветительных приборов. Волшебник-маг Валентин Валентино исполнял роль фотографа и кинооператора, а его спутник разыгрывал с Диной любовные сцены пред объективом. Когда дело дошло до постели, он надел на лицо маску. Костюмов и масок любых размеров здесь хватило бы на все случаи жизни.

Вряд ли девушка понимала, что с ней происходит, она пребывала в эйфории, словно ее накачали наркотиками. Закончив съемку, компания поехала в ресторан. Там их ждала другая девушка, не такая красивая, но вела она себя непринужденно. Герман сфотографировал обеих, предложив им обняться, как старым подружкам. Сидели недолго. Сначала завезли домой Оксану, а потом Дину. Девушка легла в постель и тут же уснула. Если она и вспомнит события этой ночи, то только как сон. Ей часто снились эротические сны, молодость требовала большего, чем она получала.

Оксана выполнила задание своей хозяйки Анны, но так и не поняла, с какой целью ее послали в ресторан, в компанию непонятных людей, которых пришлось ждать битый час, а потом слушать всякую глупую болтовню.

Она вернулась домой уставшей. Покормив свою собачку, спать ложиться не стала, ждала звонка, но так и заснула, сидя в кресле.

7

Последняя электричка на всех парах мчалась к Туле. Вагоны пустовали, в ночь на воскресенье из Москвы никто не уезжал. Дачники отправились на природу еще в пятницу вечером, запоздавшие уехали утром. Девушка с русой косой и курчавый паренек, немного похожий на цыгана, ехали вдвоем и пели песни.

— А если они кого-то убили? — глядя в окно, вдруг спросила девушка.

Парень отмахнулся:

— Нет. На убийц они не похожи. Вообще, мне ребята понравились. Ты же понимаешь, Ирочка, они могли нас наколоть и ничего не заплатить. Мы сидели и ждали их в машине весь вечер. А если машина угнана? Они обчистили иностранцев в номерах и тихо ушли. Все! Ищи ветра в поле. А нас взяли бы в угнанной машине. Нет. Они честные ребята. Двадцать тысяч! Мы о таких деньгах и думать не могли. Принесли же.

Он похлопал по рюкзачку и почувствовал ладонью что-то твердое. Открыв рюкзак, достал бутылку шампанского.

— Черт, а я и забыл о презенте!

Покопавшись в вещах, нашел пластиковые стаканчики с логотипом отеля «Континенталь».

— Класс! — воскликнул парень.

— А зачем нам эти тряпки? — спросила девушка, указывая на скомканную униформу прислуги отеля.

— Они сказали, что в Туле нас встретит парень и заберет ее. Значит, ею еще раз хотят воспользоваться. Какое нам дело, в конце концов.

— А если нас найдут, Витя? Я боюсь!

— Поздновато вспомнила о страхе. У них, кроме наших фотографий, ничего нет. Адреса вымышленные. Кто догадается искать нас в Туле? Забудь. Мы для ментов недосягаемы. Давай-ка отметим успех мероприятия. Смотри, настоящее французское шампанское. Никогда не пробовал.

Виктор открыл бутылку, подал Ире стаканчик и разлил напиток. Они чокнулись, выпили. Через двадцать минут ребята уснули и умерли во сне.

Какой-то оболтус проходил по вагонам в надежде стрельнуть сигаретку, но как назло среди малочисленных пассажиров не нашлось ни одного курящего. В одном из вагонов он увидел молодую парочку. Девушка спала на плече парня. Он хотел их разбудить, но передумал. На сиденье лежал пухлый рюкзачок. Поезд подъезжал к Серпухову, до станции оставались считаные километры. Проснувшись, они опомниться не успеют, как он будет уже далеко. Парень взял рюкзак и направился к последнему вагону. Там можно спрыгнуть с платформы и никому не попадешься на глаза.

Он не знал о том, что эти ребята уже не проснутся и что в Серпухове дорожная милиция обнаружит их трупы. Он также не знал о двадцати тысячах долларов, лежащих в рюкзаке. И уж тем более не мог догадаться о том, что его арестуют в обменном пункте валюты, так как доллары окажутся фальшивыми.

8

К тому, что известный аферист Всеволод Дербенев и его сообщники не сели в фургон, а вместо них с парковки выехали трое других мужчин, которые, в конце концов, погибли в момент столкновения с бензовозом, следует добавить одну деталь. Погибшим передали некоторые вещи: Дербень отдал Фоме свои часы и перстень, Иван Шатилов отдал Родьке свои часы, третий подельник Дербеня Валерий Волков, выполнявший роль шофера, ничего не дал своему двойнику. Почему? Да очень просто. Команда Дербеня знала о готовящейся катастрофе. Своим двойникам они передали только металлические предметы, то есть те, которые не сгорят в огне. А от шофера ничего не останется, он разобьется в лепешку. Потому Волков ничего не стал дарить сменщику.

Дербень с Иваном отправились на банкет, а Валерий до конца сыграл роль сторожа парковки, поговорил с оперативником и только после этого уехал домой. Точнее сказать, он отправился в Свиблово к Валентине, где они прожили целую неделю, отвлекая внимание банды Игумена на себя и на фургон, над которым изрядно потрудились, изменив его облик до неузнаваемости.

Дербень был человеком опытным, осторожным и расчетливым, оттого всегда оставался в выигрыше. Так получилось и на этот раз. Но чтобы разобраться в его планах, придется вспомнить детали, а их немало. Не будем торопиться, проследим пока за событиями той злополучной ночи, когда все шло не так гладко, как выстраивалось в планах. Кое-что приходилось исправлять по ходу событий. Не надо забывать о том, что полковник Кулешов, лучший сыщик МУРа, уже приступил к работе, взяв себе в помощники репортера светской хроники Веню Скуратова. Такая команда могла докопаться до истины, если им не смешать все карты на начальном этапе. Участники аферы это понимали и делали все возможное, чтобы сбить сыщиков со следа, но от сюрпризов никто не был застрахован.

Вернувшись в село, Валерий нашел Валентину мертвой. На полу валялись две гильзы от пистолета «ТТ». Воронов ничего трогать не стал, тут же позвонил Дербеню:

— Сева, люди Игумена убили Валюху. Скорее всего, это сделал Черпак. Я не знаю, что делать.

— Скоты! Значит, они поджидали нас в доме, и Валя их видела. Игумен и Гаврилыч ехали следом за фургоном. На даче ловушка должна была захлопнуться. Не получилось.

— Да, я видел на шоссе останки фургона. Уже все загасили. Пока там только местные менты, но Кулешов наверняка прибудет.

— Не сомневаюсь. Из чего в нее стреляли?

— Из «ТТ». Две гильзы валяются на полу.

— Возьми в сарае ящик с инструментами, там лежит «браунинг» с патронами от «ТТ». Сделай два выстрела в воздух через глушитель и замени гильзы. В ящике мобильный телефон. Положи его рядом с трупом, но так, чтобы не бросался в глаза, после чего уходи. Езжай на стоянку и возьми мой джип. Сиди в машине и жди моего сигнала. Рабочий день может затянуться на сутки. Слишком много нежданчиков, поправки будем делать на ходу.

Дербенев убрал трубку в карман, подошел к двери и слегка ее приоткрыл. Он находился в московской квартире галерейщиков Баскаковых. Юлия с мужем приехала с банкета, накачала Илью Даниловича снотворным и уложила спать, после чего подала сигнал Дербеневу, и тот поднялся в квартиру. Юлия ждала гостя. Гость пришел.

Им оказался Игумен. Дербенев тут же перешел в соседнюю комнату, оставив дверь приоткрытой.

Хозяйка проводила Игумена в гостиную и предложила сесть на диван.

— Ну, как ваши успехи, Костя?

— Дербеня больше нет. Вознесся к небесам.

— Скорее, провалился в ад. Что ж, его там заждались. Не наследили?

— Мы его поджарили. Ад он получил на земле.

Игумен всегда плохо врал, и это было заметно по бегающим глазкам.

— Теперь вы мне можете сказать, почему отказались от его услуг и передали дело мне. Я не так удачлив, как Дербень.

— Мне нужен не «удачник», а исполнитель, — сказала Юлия. — Дербень сделал свое дело. Он придумал гениальный план, вам надо лишь следовать его схеме, не отступать ни на шаг от его задумки. К сожалению, Дербень попал в поле зрения ментов, Костя. Он под колпаком Кулешова, за ним установили наблюдение, поняв, что Сева готовит крупное дело. Меня такой вариант не устраивает. Сорвать операцию всей своей жизни я не могу. Мне жаль великого комбинатора, но рисковать было нельзя. Второго шанса не будет. Теперь, когда Дербень погиб, Кулешов успокоится. Тем более что у него возникли новые проблемы. Самое время воспользоваться случаем.

— Но я до сих пор не знаю кодов замков.

— Я их тоже не знаю. Дербень их знал. Он связан с людьми, которые устанавливают электронные замки. Этим занимается специальная фирма, у меня нет на нее выхода.

— Таких фирм немало. Я в курсе событий. Они устанавливают свой код как демонстрацию работы запоров, но после ухода установщиков владелец сейфа меняет код на свой. Это же очевидно. Зачем нужен еще кто-то, способный вскрыть замок без ведома владельца? Начнет процветать спекуляция чужими кодами, а я о таком бизнесе не слышал.

— Мой муж — особый случай. Он пользуется кодом, установленным фирмой, и менять его не будет. Коды указаны в завещании, оно у его преданного адвоката. У Ильи Даниловича больное сердце, он может умереть в любую минуту и унести секретные коды с собой в могилу. По этой причине коды не меняются годами.

— Вы уверены, что Дербень знал коды?

— Они написаны на его схеме. Я видела их, но запомнить не смогла. И зачем они мне? Теперь схема у вас.

Игумен побледнел:

— Там нет кодов.

Юлия Михайловна строго взглянула на собеседника.

— Вы идиот, Константин. У вас на руках не та схема. Набросок. А я видела оригинал. Ищите.

— Завтра же обыщу дома всех. Жену Дербеня и Ивана наверняка вызовут на опознание трупов, мы успеем проверить их норы.

— Я со своей стороны сделаю все, что смогу, но гарантий никаких. На меня не рассчитывайте. Ройте землю носом, делайте, что хотите, но операцию вы сорвать не должны. Слишком высокие ставки. А теперь идите, мне нужно все обдумать.

Игумен испугался. Юлия Баскакова могла отказаться от его услуг, и тогда он лишится самого крупного куша в своей жизни. Ведь добытая им схема содержала лишь общие черты операции, на пути стояли препятствия, которые не перешагнешь, как кучу навоза. За пустяковую работу таких денег не платят.

После ухода Игумена из соседней комнаты в гостиную вышел Дербенев.

— Все слышал? — спросила Юлия.

— У него фантазии не хватило бы поджечь фургон.

— Кому понадобился фейерверк?

— Все очень просто, Юленька. Игумен со стариком ехали следом за фургоном, а на даче, где мы прожили неделю, фургон поджидала засада. Ловушка могла сработать. Не убивать же мне Игумена, пока он не выполнил свою работу. Значит, он должен стать победителем. Игумен должен твердо знать, что меня в живых нет, при этом не видеть трупов. Меня должны похоронить все, и не только Игумен. Главное — полковник Кулешов. Значит, трупы моей команды надо кремировать до того, как их опознают. Вот и вся хитрость.

— Ты большой мастак на идеи. Что я без тебя делала бы? С моим вопросом пока закончено. Звонила Анна. У нее не все в порядке, надо помочь девочке. Я ей сказала, что ты у меня. Пока мы разбирались с Игуменом, она подъехала, ждет тебя в машине на улице.

— Да, Анна — самое слабое звено в цепи, с ней мы еще намучаемся. Ладно, отдыхай, мне в эту ночь не заснуть.

Всеволод покинул Юлию Баскакову и встретился с поджидавшей его Анной Гурьевой. Девушка от волнения грызла ногти.

— Какие проблемы, красавица? — спросил Дербенев, сев в машину.

— Моя схема требует переработки.

— Что не так?

— Горничная. Моя горничная Оксана открыла ячейку в банке моего мужа. Вчера положила туда мою шкатулку. Для отвода глаз. Сегодня зафиксировалась в банке с моей бижутерией. Все это делалось без моего ведома. Теперь по порядку. Девчонка с прошлым. Работала в банде Левши в Украине. Банду взяли, она выскользнула, притаилась в Москве. Левша бежал из зоны, нашел девчонку, теперь хочет с ее помощью обчистить ячейки в банке. Хуже всего то, что она много знает. Мой муженек слишком болтлив в постели. Но Оксана понимает, что Левша ее грохнет, как только они провернут это дело. Ему обуза не нужна. Похоже, он в Москве не один. У нас в доме был полковник Кулешов и Венька Скуратов. Савва обещал Вене пятьдесят кусков за ожерелье.

— Ушлый тип, — кивнул Дербенев. — Пожалуй, он опасней Кулешова.

— Алина тоже так считает. Слабое место Скуратова — его девчонка. Алина предложила работать через нее. Я использовала талант фокусника. Они с Германом вытащили ее из дома, отсняли порнушку и сделали снимки Оксаны с Диной, так зовут пассию Скуратова. Сейчас Оксана ждет меня на съемной квартире.

— Гипноз?

— Валентин Валентино мастак в этих делах.

— Интересные идеи выдвигает наша Снежная королева. Значит, Алина хочет перетасовать карты еще раз. Оксана — бандитка в розыске, в Москве находится ее сообщник. Они знакомы с Диной, девчонкой Скуратова. Таким образом Скуратова можно притянуть за уши к делу, если он начнет работать по нашей схеме. Как? Надо выложить для него след, по которому пойдет только он, один, без Кулешова.

— Скуратову обещаны премиальные, и он ни с кем делиться не захочет, — уверенно сказала Анна. — К тому же речь идет о сенсационном журналистском материале. Скуратов будет действовать сам по себе.

— Я тоже так думаю. И вот что важно. Скуратов — носитель идей, а Дина, Оксана и Левша из Украины — его пешки, их надо крепко повязать между собой.

Анна покачала головой.

— Нет. Оксана может попасть в лапы полковника раньше, чем до нее доберется Скуратов. Она не должна открывать рот, иначе все полетит вверх тормашками.

— Значит, ее придется убрать.

— Для этого я и приехала сюда, у меня в багажнике шампанское. Я могу войти в дом незамеченной. Савва снимает в доме две квартиры. Одну для Оксаны, вторую для деловых встреч с партнерами по алмазному бизнесу. Я там часто бываю на торжественных приемах, и мое появление не смутит консьержку. Но я не смогу сделать все как надо. Что-нибудь упущу.

— Сможешь сработать под Оксану?

— Наверное. На голову можно повязать косынку, надеть ее вещи, очки, а главное, собачка. У нее есть болонка.

— Отлично. Позвонишь консьержке и скажешь, что вызвала такси. Пусть попросит таксиста подняться за вещами. Я поднимусь. Остальное решим на месте.

— Ты гений! Значит, Оксана решила удрать из города с ожерельем.

— Нет, слишком примитивно. Она хочет удрать от Левши, но Левша ей этого не позволит сделать. Поехали.

* * *

Юлия Михайловна Баскакова не собиралась ложиться спать, ей нужно было исправлять ошибки бездарного грабителя Игумена. После отъезда Дербенева она покинула свой дом. Ночная Москва опустела, и ей удалось добраться до квартиры сына за полчаса. Алеша и Уля не спали. У них тоже ночка выдалась не из легких. Сын Юлии никогда не приезжал к матери. Три года назад он разругался с отчимом, галерейщиком Баскаковым, и больше в их доме не бывал. Юлия ездила к сыну тайком, а Илье Даниловичу сказала, будто сын уехал учиться в Лондон и они лишь изредка разговаривают по телефону.

У Баскакова был скверный характер. Этот человек, не способный на компромиссы, был жаден и очень злопамятен. Вряд ли такой способен на любовь. Фанатик-коллекционер, одиозная личность с огромными амбициями. Он мечтал прославиться на весь мир, разыгрывал из себя нового Третьякова. Галерею назвал собственным именем и, как великий меценат, завещал ее народу после своей смерти. Единственным, кого он ценил и слушал, была его жена. История, похожая на семью ювелира Печерникова. Юлия прослеживала все мировые аукционы, вела переговоры, распоряжалась деньгами, закупками, продажами, а Илья Данилович лишь рассматривал каталоги и тыкал пальцем с восхищением: «Хочу этот холст!» На «хочу» был ответ: «Будет». Чего у Баскакова не отнимешь, так это его профессионального чутья. Он безошибочно определял, какая картина, какой художник в недалеком времени поднимется в цене, что надо покупать сейчас, а что еще не созрело и с покупкой можно повременить. Конечно, команда получилась прекрасной, планы на будущее строились грандиозные.

Сын был рад приезду матери.

— Я очень беспокоилась за вас, — начала Юлия с порога, расцеловав сына и его молоденькую жену.

— Кажется, мы справились с задачей, все прошло по плану.

Алеша провел мать в комнату и показал на экран монитора.

— Вот главный снимок. Анна выходит из отеля без ожерелья. Я отснял еще два десятка интересных кадров, которыми можно поспекулировать.

— Молодец. Но до этого еще далеко. Тебе надо поехать в дом к Ивану Шатилову и положить под скатерть стола эту схему.

Мать выложила на стол свернутый лист ватмана.

— Это скорректированная Дербеневым схема с нужными кодами. Сева не хотел ее отдавать Игумену, пока тот не доведет первый этап операции до конца. Теперь перед ним можно приоткрыть вторую карту из колоды.

— Когда ехать?

— Утречком. Жен погибших вызовут на опознание. Игумен этим воспользуется, но начнет обыск с дома Дербеня, потом переберется к Ивану. Ты успеешь. И еще. Тебе надо встретиться с Севой. Дербень хочет, чтобы ты познакомился с его женой. Вы же уже виделись с ней?

— С Катей? Виделись мельком пару раз.

— Очень хорошо. Значит, она тебе поверит. В следующую субботу Дербеню потребуется алиби и он не сможет участвовать в операции. Он хочет, чтобы его продублировала Катя. Она женщина умная. План уже есть. Ты должен ее подстраховать. Помни главное — Кате неизвестна вся правда и ей не надо знать деталей. Не вмешивайся, если ее идеи не будут противоречить нашей схеме. Ты все понял?

— Конечно.

— Отца давно видел?

— Вчера. У него все готово, он тебя ждет.

— Скоро приеду. Сейчас нужна осторожность. Я найду нужный момент.

— Полотна у тебя?

— А где же им быть.

Юлия улыбнулась, расцеловала детей и ушла.

9

На журнальный столик упала пачка газет.

— Вот. Эти статьи о деятельности нашей банды я собирала по крупицам. Когда-то гордилась своими подвигами, — объясняла Оксана своей хозяйке. — Тут есть снимки всех участников банды на суде. В общем, вся история.

— Зря ты хранишь компромат сама на себя там, где живешь. Но теперь статьи могут послужить оружием против Левши. В какой квартире он живет?

— В сто двенадцатой на седьмом этаже. Подъезд ты помнишь.

— Им займутся. Позвони консьержке и скажи, что вызвала такси. Пусть попросит таксиста подняться за вещами.

— Я уезжаю?

— Ты останешься в Москве, но будут считать, что ты уехала. Нам нужно, чтобы Левша засуетился и вывел моих людей на своих сообщников. Уничтожить надо всех. В каком виде ты ездила в банк?

Оксана достала из сумки парик, очки и указала на платье, висящее на стуле.

— Понятно. А теперь звони консьержке, она должна разнести слух о твоем отъезде.

Оксана стала звонить, а Анна достала из целлофанового пакета бутылку шампанского. Дальше все проходило запрограммировано. Оксана выпила шампанского и тихо уснула в кресле.

Через пятнадцать минут в дверь позвонили. Анна открыла, ее трясло.

— Ну, ну, детка! Не надо так нервничать.

— Я ее убила.

— Ее убил яд, а не ты. Ты собрала чемодан?

— Нет, не успела.

— Собери. Здесь ничего не должно оставаться.

— А что мы будем делать с трупом?

— Решение этой проблемы мы оставим Скуратову. Я уже придумал, как его сюда заманить.

— У Оксаны есть газеты со всеми подробностями о деятельности ее банды.

— Они нам пригодятся. Покажи-ка мне свою сумочку.

Анна подала Дербеневу изящную сумочку из крокодиловой кожи. Он вытряхнул все дамские побрякушки на стол.

— От чего этот ключ с номером на брелоке?

— От банковского сейфа. Туда она положила мою шкатулку и бижутерию.

— Очень хорошо. Мы подумаем, что еще туда можно положить. Если Скуратов воспользуется этим ключом, значит, он связан с Оксаной, что и требуется доказать. Ты говорила о том, что Оксана была сегодня в ресторане «Маяк»...

— Да. Ее фотографировали с Диной.

Разговаривая, оба занимались делами. Анна собирала чемоданы, запихивая в них немногочисленные вещички хозяйки, а Сева вынимал фотографии из рамок. Это были снимки самой Оксаны, но когда находят в пустой квартире с трупом пустые рамки, обычно делают вывод, что убийца унес свои портреты с места преступления. Стекла некоторых рамок Дербень разбивал как доказательство нетерпения и нервозности убийцы.

Анна нашла рыжий парик с короткими волосами.

— Вот он. Она сказала, что в банк ходила в этом парике.

— Очень хорошо. Положим его в твою сумочку, которую убийца забыл или не заметил. Чем больше путаницы, тем лучше. Наша задача — не дать сыщикам свести концы с концами. Никакой логики, сплошной сумбур. Найди ее записную книжку и впиши туда несколько телефонов ее почерком. Это нетрудно. Я думаю, Оксану можно связать даже со мной, тогда у ребят точно крыша съедет.

Он достал из кармана золотую зажигалку со своими инициалами и бросил ее в сумочку.

Когда все приготовления к уходу были готовы, Дербенев обратил внимание на телефон.

— Здесь есть автоответчик. Старый образец с кассетой. Надо оставить ей сообщение — назначить свидание в «Маяке». А ты женским голосом с металлическим оттенком укажешь время звонка.

— И что это даст?

— А то, что главным подозреваемым в краже бриллиантов остаюсь я. Но я погиб. Бриллианты не горят, а в обломках фургона их не найдут. Значит, я их кому-то передал. Почему не Оксане? Может быть, сейф она арендовала по моему приказу. Я погиб, Оксану убили конкуренты, ключ остался в сумочке, сумочку найдет Скуратов...

— А где же бриллианты? Думаешь, Алина даст кому-то поиграть своими камешками? Скорее удавится.

— Алину я беру на себя. Банкиры клюнули на ее появление в бриллиантах. Они знают, что ты ушла с голой шеей. Почему бы не включить их в игру?

— Они сами сопрут украшение.

— Не уверен. Посмотрим.

Через пятнадцать минут мимо консьержки прошла Оксана. Ну а кто же еще? Ее платье, собачка на руках, шофер такси нес чемоданы.

Глава 2

1

Она услышала звук открывающейся входной двери и выбежала в гостиную. Улыбка сползла с ее лица. С веранды в дом вошел мужчина в форме майора милиции.

— Это ограбление? — спросила хозяйка.

— Нет. Я проверял, подходит ли ключ к вашей двери. Он подошел. Значит, сомнений уже не осталось.

— Что вам нужно?

— Вы Екатерина Андреевна Дербенева?

— А кто еще может находиться в моем доме?

— Ваш муж. Я майор Баранов из управления милиции Ленинского района Подмосковья. Есть предположение, что ваш муж Всеволод Николаевич Дербенев погиб этой ночью в автомобильной катастрофе. Фургон, в котором он ехал, столкнулся с бензовозом. Произошел взрыв, все погибли. Трупы сильно обгорели, мы обязаны привлечь родственников к опознанию.

— Мой муж уехал в Карелию на рыбалку. И у него нет никакого фургона, он ездит на джипе.

— Я все понимаю. Но дело в том, что металлические предметы, найденные у трупов, сгореть не могли. Среди них были эти ключи. Они подошли к вашей входной двери и к калитке у ворот. Так что вам придется проехать со мной в морг. Труп можно опознать по коронкам, зубам. Вы же врач, Екатерина Андреевна, сами все знаете.

— У меня есть рентгеновский снимок мужа. Год назад у него был перелом ключицы.

— Очень хорошо. Рентген мы сделать сможем. И дай бог, чтобы снимки не совпали.

— Вы слишком деликатны для милиционера. Подождите, мне надо собраться.

Милицейская машина стояла возле ворот загородного особняка. Немного дальше по дороге скучал неприметный «жигуленок». Когда майор и хозяйка дома уехали, из «жигуленка» вышло четверо мужчин и, воспользовавшись веревками с крюками, ловко перемахнули через трехметровый забор из стальных копий.

* * *

Опытный адвокат Роман Лукич Лурье, работающий на самые известные фамилии Москвы, очень хорошо знал своих клиентов, а потому был крайне удивлен решением Савелия Георгиевича Гурьева.

— Вы хотите переписать все акции алмазодобывающего концерна на имя своей жены?

— Дочери! — подчеркнул банкир. — Дочери. Ирины Савельевны Гурьевой. И не стройте из себя идиота, Роман. Вы прекрасно знаете, о ком идет речь. Документ надо оформить задним числом. Скажем, маем месяцем.

— Вы же понимаете, что потеряете контроль над акциями.

— Не имеет значения. Я все еще остаюсь учредителем концерна и вхожу в совет директоров. О своем решении я уже информировал концерн.

Они сидели в кабинете банкира у него дома, при разговоре присутствовала дочь Гурьева — Анна, точнее, Ирина, так как Анной была жена Гурьева, но лишь единицы знали о том, что дочь и жена одно и то же лицо.

— Давайте оговорим некоторые детали, прежде чем подписывать документы. Все акции на сто миллионов долларов вы передали в качестве залога за прокат бриллиантов гарнитура «Око света» Алине Малаховой, жене ювелира Печерникова. У меня вопрос. Алина требовала от вас сертификат на собственность акций?

— Нет. Ни одному здравомыслящему человеку не придет в голову, что я могу кому-то отдать, продать или подарить акции, бешено растущие в цене.

— Значит, вы совершили подлог. Вы отдали акции, принадлежащие вашей дочери, чего делать не имели права. Это стопроцентное мошенничество. Алина может подать на вас в суд. По закону она обязана вернуть акции Ирине, но вы можете не возвращать ей бриллианты. Я в курсе событий, Савелий Георгиевич, и до меня, как и до многих в Москве, дошли слухи о краже на вчерашнем вечере в отеле «Континенталь». Вы попадете под подозрение в первую очередь. Это же стопроцентная афера, вы себя дискредитируете перед обществом и вкладчиками.

— Когда эта афера вскроется, меня на свете не будет, я уже не первый месяц жду выстрела в затылок. Только после моей смерти банк сможет реализовать акции как правопреемник моей собственности. Именно мое имущество указано в залоге под кредит, полученный мной в банке. Теперь они ничего не получат. Уже нет смысла меня убивать. На данный момент стоимость акций подскочила до полумиллиарда, и вы думаете, я позволю получить эти деньги прохвостам? Нет! А на свою репутацию мне плевать. Мои заместители не станут раздувать скандал. Банк — все, что у них есть, в то время как меня он уже перестал интересовать. Соответственно и банковские вкладчики. Алина тоже не будет раздувать скандал, с ней мы как-нибудь договоримся. Она же прекрасно понимает, что акции придется отдать, и ей ее репутация не безразлична.

— Значит, гарнитур утерян? — тихо спросил Лурье.

— Во всяком случае, мне он не нужен. И я не знаю, кому он может понадобиться. Его невозможно продать, он уже внесен в мировые ювелирные каталоги. Ни один ювелир не решится купить его, не говоря уже об аукционных домах. В чем же вы видите аферу? Мне не нужные бриллианты, Алине не нужны чужие именные акции. Я не вижу состава преступления для открытия уголовного дела.

— Хорошо. Я ваш раб. Давайте займемся документами.

2

Алина обожала перевоплощаться. Актриса милостью божьей. Она не очень сильно меняла свою внешность, но результаты были поразительными. Паричок, макияж, пара деталей, походка — и перед нами другая женщина. В банк ее привез Валерий Волков на красном джипе Дербенева. Алина знала, что банкиры ведут наблюдение за своими клиентами, все снимают на пленку и по мере необходимости просматривают видеоматериалы. Нужно ли в таком случае использовать машину одного из подозреваемых, к тому же погибшего в автокатастрофе? Нужно! Главное, считала женщина, посеять хаос в головах тех, кто заинтересован в розыске бриллиантов, картин и виновников скандала. Пока банкиры ничего не знали о Дербеневе. Его видели на банкете, Сева даже ухитрился с ними сфотографироваться для журнала «Глоб». Но кто он такой, они даже не догадываются. На покойника теперь можно валить все. Машина Дербенева — лишь небольшой штрих в конспирации.

Сегодня Алина красовалась в коротком рыжем паричке и в платье Оксаны, которое ей передала Анна прошлой ночью, когда вывезла вещи из съемной квартиры, оставив в ней труп прислуги и сумочку с уликами. Анне помогал сам Дербенев, живой и здоровый. Идея с хаосом принадлежит ему. Он оставил кучу противоречивых улик и непонятных слов на автоответчике. Рано или поздно каждая деталь сыграет свою роль, а пока надо продолжать путать следы и составлять ребусы.

У Алины имелась своя ячейка в банке Гурьева. Она не хранила в ней ничего ценного, а потому не стояла на контроле у службы безопасности банка. Не привлекая к себе внимания, клиентка прошла в отсек частных сейфов, где по предъявлении ключа тебе открывали допуск в царство стальных дверей. Долго она не задерживалась, оставила в своей ячейке черную замшевую коробку и ушла. Волков ждал ее в машине. В камеру видеонаблюдений его лицо не попало — стекла джипа были затонированы.

— Моя персона не привлекла их внимание, Лерочка, — сказала Алина, сев в машину. — Если будут просматривать пленку, спутают меня с Оксаной.

— У той курицы не такие красивые ноги.

— При чем тут ноги? Брошь на платье будет главной деталью для узнавания, у них камеры старые, изображение дают нечеткое. Кризис, на новое оборудование тратиться не время.

— Куда едем?

— Я хочу знать, какие новости есть у официанта, но сначала надо повидаться с полковником Кулешовым.

3

Часовая беседа с главным сыщиком успокоила Алину. Следствие не тронулось с места. В фойе гостиницы работал кинооператор, нанятый Алиной, он снимал то, что она велела снимать. Пленку она передала полковнику. Пусть ломает голову. Дербенев попадал в объектив кинокамеры десяток раз, и, учитывая его популярность в знаменитом доме на Петровке, им заинтересуются в первую очередь. У полковника к Дербеневу было особое отношение. Он охотился на него не первый год и каждый раз проигрывал схватку.

Теперь надо проверить, как дела идут у репортера Скуратова. Этот парень в светских интригах знал толк, с ним придется поработать отдельно. В то, что Кулешов может привлечь Веню Скуратова к следствию, было трудно поверить, но это случилось, и к такому обороту дела никто из заговорщиков не был готов. Скуратова пришлось взять под наблюдение, им занимался Герман. Германа Алина знала плохо, его привлекла Анна Гурьева. Ей сказали, что он опытный сыскарь, когда-то служил в контрразведке. За провал операции и стрельбу в городе был уволен из органов. В те смутные времена, когда сносили памятник Дзержинскому, в ФСБ царила анархия, руководили конторой случайные люди, слабо знающие специфику организации. Лучшие профессионалы оказались не у дел. Одни сами ушли в никуда, других уволили, и лишь немногие удержались на плаву.

Герман Карлович Лацис ждал Алину в ресторане «Трапеза», где они обычно встречались, если требовалось решение вопросов, не нуждающихся в обстоятельных обсуждениях.

Алина подсела к его столику.

— Есть что-нибудь интересное?

— Да. Скуратов не верит в ограбление. Он убежден, что тут замешаны ты и Анна. О картинах, как я думаю, никто ничего не знает, но если Скуратов узнает о галерее, он в первую очередь займется Юлией Баскаковой.

— Феноменальный тип с острым чутьем. Похоже, я его недооценила. С чего он начал поиски?

— Подловил заместителя Гурьева Панкрата Шпаликова в постели со шлюхой, всем известной Инессой. У нее свой притон для привилегированных лиц. Некоторых она обслуживает сама. Скуратов работает в обычном режиме, делает порнофотки и идет на прямой шантаж — требует в обмен на компромат ключи от сейфов твоего мужа, Анны и самого Гурьева. Инна обещала ему помочь. Не знаю, как она это сделает.

— Странное желание. Неужели этот псих думает, что кто-то из нас будет абонировать сейф, находящийся под контролем? У меня есть свой салон, где я храню камешки. Надежней не придумаешь. Зачем мне нужна ячейка в банке? Гурьев великолепно знает систему собственного банка и потому ничего там держать не станет.

К столику подошел официант, и Алина заказала себе кофе с коньяком.

— Ну что ж, раз Скуратов хочет что-то найти, надо дать ему эту возможность. Тем более что Оксана в банке уже засветилась. Я хотела поиграть с банкирами, отвлечь их от Гурьева на себя, но придется направить их усилия против Скуратова.

— Ты уверена, что они будут играть на твоем поле?

— На банкете все видели ожерелье на моей шее. И о том, что Гурьев оставил мне под залог свои акции, банкиры тоже знают.

— Они тебе не поверят.

— Поверят или нет, значения не имеет. У них нет выбора. Стоит мне отдать акции Гурьеву, как они его прикончат. Другого способа заполучить эти акции у них нет. К тому же акции надо найти, как известно, Гурьев никогда их не принесет в свой банк.

— Ты хочешь подставить Скуратова?

— Да. До обвинения дело не дойдет, но надолго отвлечет внимание полковника Кулешова. Дербенев прав — менты никогда не откроют официального следствия, руководство отеля этого не допустит. Боюсь только, что мы сами не расхлебаем заваренную нами кашу.

— Я хочу напомнить тебе о девчонке Скуратова. Она может поработать на нас. Хорошее подспорье в таком деле.

— Припугнуть шлюшку порнушкой? Не смеши.

— Я знаю, как это сделать.

— А что с твоим официантиком?

— Возит обеды фокуснику. Я ему достал приметный автомобильчик и свел с одной бабенкой из деревни. Одним словом, светится везде, где только может. Парень сидел за ножевую драку. Он то, что мне нужно. А главное, очень исполнительный. Делает что велят и не задает вопросов. Деньжат я ему время от времени подкидываю. Работаем мы с ним в ресторане в разных сменах через день. Все, что нужно, случается в его выходные дни, когда я на работе у всех на виду. Сам того не подозревая, хорошо меня прикрывает.

— Отлично. Я займусь банкирами, а ты девчонкой Скуратова. В ближайшее время она нам понадобится.

4

Дверь открыла Екатерина Дербенева, красивая, статная дама лет сорока, с холодным строгим лицом. На веранде стояла молодая парочка — совсем еще дети, без хитрости в глазах.

— Здравствуйте, Екатерина Андреевна. Вы нас помните? — улыбнулся паренек.

— Да, помню. Тебя зовут Алеша, а девчушку Улей. Вы приезжали пару раз к моему мужу. Пришли высказать соболезнование?

— Нет, закончить начатую операцию. Мы работали на Севу, были полноценными участниками его плана. Может быть, вы нас впустите?

— Заходите. Только не шумите, в соседней комнате спит Ляля, жена Ивана... Точнее, вдова, как и я.

— Мы в курсе.

Ребята огляделись по сторонам.

— У вас был обыск? — спросила Уля.

— Да. Пока я ездила на опознание, здесь пошустрили.

— Игумен искал схему, — уверенно заявил Алеша.

— Догадливый.

— Догадки тут ни при чем.

— Присаживайтесь, — предложила хозяйка, продолжая смотреть на гостей вопрошающим взглядом — ожидала объяснений.

— Ваш муж выполнял заказ моей матери, я сын Юлии Баскаковой. В деле много всяких заморочек, и я не обо всех знаю. Суть сводится к следующему. Деньги, а именно сто миллионов долларов, выданные под залог картин руководством отеля, хранятся в галерее под семью замками. За работу ваш муж должен был получить половину, вторую половину забирает моя мать.

— Почему она не может взять все?

— В хранилище есть еще один сейф. Открыть его может только Дербенев. В нем лежит подлинное завещание и полный каталог картин, включающий и неучтенные. Каталог и завещание интересуют мою мать в большей степени, чем деньги.

— Я поняла. По завещанию вашей матери ничего не достается, а каталог надо уничтожить, чтобы он не попал в руки властей. В хранилище ворованные полотна.

— Все правильно. По завещанию галерея переходит городу и становится народным достоянием. Картины не ворованные, они куплены официально на торгах, просто мой отчим их не выставлял. Ждет российского аукциона. Это работы зарубежных живописцев, они его интересуют как материал для обмена. Их стоимость составляет половину фонда галереи, и если их найдут, они тоже станут народным достоянием, так как являются собственностью Ильи Баскакова.

— И ваша мать пошла на сделку с моим мужем?

— Да. Ограбление должно выглядеть натурально, чтобы даже сомнения не возникло, что это инсценировка.

Катя встала, подошла к камину, возле которого стоял столик на колесиках, взяла бутылку вина и налила себе полбокала. Молодежь следила за ней, не отрывая глаз.

— Почему вы ко мне пришли? Я не умею открывать сейфы.

— Сева сказал, что план ограбления галереи разрабатывали вы.

— Неужели? Он был с вами слишком откровенен.

— Да. Мы его не обманывали, он нам доверял.

— Тогда объясните мне, всезнайки, что он вчера делал на открытии отеля «Континенталь» и кто его убил?

— Попытаюсь. Расскажу что знаю. Сева, Иван и Валерий специально приехали в отель засветиться. Туда же мать позвала конкурентов вашего мужа. Она дала то же задание Игумену. Дело в том, что на Петровке каким-то образом узнали о предстоящем налете на галерею и с Севы не спускали глаз. Значит, рисковать он уже не мог. Его работу предложили другой банде, тем более что план уже был и Игумену оставалось лишь следовать схеме. Вчера ваш муж отвлекал на себя внимание, так как все милицейское начальство собралось на вечеринке. И точно. В фойе обокрали жену банкира. Сева знал об ограблении заранее, и у него было заготовлено алиби. Тут все страховали друг друга. Стало понятно, что Дербень отказался от галереи, если занялся бриллиантами банкира. Ему оставалось исчезнуть на неделю, а потом после истории с галереей вновь появиться. Черная работа предназначалась Игумену. Но он получил лишь первичную схему, не главную, и мать вчера об этом узнала. Пришлось подложить в дом Ивана окончательные чертежи. Вот почему у вас производили обыск, Игумен искал недостающие звенья.

— Кто убил Севу?

— О покушении на его жизнь мог думать только Игумен. Он его боялся и ждал подвоха. Но сделал это не он. Игумен со своими придурками был на вечере и не мог спрятать бензовоз в засаде.

— Может быть, твоя мать знала?

— Разве она могла променять Дербеня на Игумена? Игумен — шестерка для подставы. Операция должна была контролироваться Севой. Теперь его заменить можете только вы. Остается одна нерешенная задача — как вскрыть в хранилище сейф с документами?

— Твой отчим может написать другое завещание?

— Оно у адвоката. Первое завещание пятилетней давности, где все остается моей матери. Составив второе, адвокат не стал уничтожать первое, сохранил. И оно сработает, если не найдут последнего.

— Значит, адвокат в доле?

— Он свое получит. Нас это не касается.

— Что будет с владельцем галереи, твоим отчимом?

— Она с ним разберется. У него слабое сердце.

— И с остальными тоже. Я подумаю над твоим предложением. Времени у нас достаточно, до субботы еще пять дней.

Молодые люди встали.

— Я позвоню вам завтра, — уходя, сказал Алексей. Неожиданно он остановился и повернулся к хозяйке: — Вы знаете, как Иван женился на Ляле?

— Не спрашивала.

— Он увидел ее выступление в цирке. Сева сказал Ивану: «Ты же любишь миниатюрных женщин, Ваня. Почему бы тебе не жениться на этой тростиночке? Такая в любую щель и даже в водосточную трубу пролезет. Да еще с такой идеальной гибкостью!» Через три месяца они поженились. Ваш муж был дальновидным человеком, Екатерина Андреевна.

Гости ушли, а Катя вернулась к столику и налила себе еще вина. Ей не о чем было думать, она уже все для себя решила.

5

Мастерская художника Петра Юрьевича Томилина находилась в Измайлове. Он занимал четырехкомнатную квартиру, где не только работал, но и жил. Как член Союза художников Томилин должен был время от времени выставляться, однако игнорировал это, занимался частными заказами. Когда-то его считали восходящей звездой и прочили большое будущее, но постепенно стали забывать. Поначалу недоумевали, как такой прекрасный мастер решил уйти в подполье и наплевать на свое будущее. Но он не плевал на будущее, он зарабатывал деньги, обладая талантом копииста. Делать копии великих шедевров — тоже дар, не часто встречающийся.

Сегодняшнее воскресенье для всех причастных к аферам в гостинице выдалось очень хлопотным. Начался многодневный марафон с препятствиями, где победитель получал все, а проигравший мог не только потерять удачу, но и жизнь. Ставки были слишком высоки.

Юлия Михайловна Баскакова приехала к Томилину около полудня. В дверях они расцеловались. Юлия держала в руках тубус для чертежей и сразу же прошла в квартиру. Петр выглянул на лестничную клетку и, не заметив ничего подозрительного, захлопнул дверь. Они прошли в самую большую комнату, где и находилось рабочее место художника. Юлия была взволнована, хозяин понимал состояние гостьи и тихо за ней наблюдал, сев в старое скрипучее кресло. Петр очень хорошо знал Юлию. Когда-то она тоже была Томилиной, они прожили в браке тринадцать лет, и у них был общий сын — Алешка. Теперь бывшая жена носила фамилию Баскакова и была замужем за очень богатым человеком, одним из самых знаменитых коллекционеров русской живописи.

Юлия достала из тубуса свернутые в рулоны полотна и осторожно закрепила их на мольбертах.

Томилин хмыкнул.

— «Фуга» Кандинского была продана год назад в Нью-Йорке за двадцать миллионов, а «Этюд к импровизации № 3» — за двадцать два миллиона...

— Прекрати, Петя. Сегодня за эти четыре полотна можно получить сто пятьдесят без всяких торгов. Фанаты Кандинского, Малевича и Серова еще не перевелись и ждут своего часа. Меня беспокоит вопрос времени. Больше четырех дней я тебе дать не могу. В четверг копии должны быть сухими и готовыми к повторной экспертизе.

— Малевич не Рембрандт, проблем не вижу. Старые холсты я уже подготовил. Смыл с них мазню, можно наносить новую. Отличий ни один эксперт не увидит, но краски-то будут свежими. Даже после просушки и нанесения пыли.

— Это моя забота. Ты меня понял, Петя? Работай. В субботу получишь импрессионистов. Холсты достал?

— Целый арсенал. С Гогеном и Моне никогда проблем не было.

Юля закурила и села на диван.

— У тебя выпить найдется? Ужасно устала.

Художник достал из холодильника водку и грибочки. Рюмок у него не нашлось, пришлось дать граненый стакан. Несмотря на свои заработки, Томилин жил скудно, если не нищенски. Старая мебель скорее всего собиралась на помойках, о чистоте и говорить не приходилось, а, глядя на хозяина, складывалось впечатление, будто его голова никогда не знала расчески. Гостью, привыкшую к роскоши, ничего не смущало, она всякого в своей жизни повидала, до нынешних высот карабкалась по крутой винтовой лестнице.

— Операция прошла нормально? — спросил бывший муж, после того как Юлия выпила и закусила.

— Все сработало. Дело надо закрыть в течение недели, иначе оно может завести нас слишком далеко.

— Следствие ведется нелегально? Ведь так?

— До картин дело еще не дошло. Кулешов этой истории пока не знает. Я думаю, его не ставили в известность — слишком напуганы. Пока все иностранцы не разъедутся, хозяева отеля ничего предпринимать не станут.

— На их месте я бы в первую очередь заподозрил тебя.

— Я весь вечер была рядом с Рашидом Мамедовым и Эдди Нечаевым. Кстати. Я не уверена, что они обнаружили исчезновение картин из номеров.

— Я всегда удивлялся твоему оптимизму.

Юлия рассмеялась.

— Да, да, я помню. Именно с моей подачи ты заработал свой первый крупный гонорар. Как ты не хотел делать копию «Ночи над Днепром»! И все же сделал. А теперь она висит в музее. И все благодаря моему оптимизму. Если не верить в удачу, зачем жить?

— Удача, моя дорогая, всего лишь сухой остаток расчета! А тут тебе равных нет. Кажется, это твои слова.

Она помолчала, потом тихо сказала:

— Я так по тебе скучаю, Петруша. Когда же эта каторга кончится?

6

Деловые встречи по выходным дням были большой редкостью для уже немолодых банкиров, предпочитающих проводить свободное время на своих дачах. Алина решила сама поехать на дачу к Шпаликову, предварительно договорившись с ним по телефону и потребовав присутствия Фельдмана при разговоре. Она помнила об их предложении, сделанном ей на банкете, и понимала — они заинтересованы в неурочном свидании. К тому же Алина знала о готовящемся визите к Шпаликову хозяйки притона Инессы с компроматом, приготовленным Веней Скуратовым. Самое время ей вмешаться и изменить ситуацию в свою пользу.

Шпаликов и Фельдман встретили ее в кабинете. У Алины была с собой объемистая спортивная сумка, да и сама она выглядела непривычно, вырядившись в джинсы, футболку и кроссовки.

Оба банкира прекрасно знали, что из себя представляет Алина Малахова, получившая в свете прозвище «Снежная Королева». Дамочка опытная, отлично разбирающаяся в финансовых вопросах.

— Вы подумали над нашим предложением, Алина Борисовна? — начал Шпаликов.

— Вы правы в одном, господа. Акции Гурьева у меня, и ожерелье тоже в моих руках. Я могу вернуть акции Гурьеву, а могу не вернуть. С вами мы решим вопрос позже. Все акции вы не получите. Сейчас они тянут на полмиллиарда, а вам полагается сто. На эту сумму можете рассчитывать. Большие деньги, их надо отработать. Гурьев ничего не заплатит, о нем я даже говорить не хочу. Вам надо найти вора. Того, кто снял украшение с Анны в туалете отеля.

Банкиры переглянулись.

— Нам казалось, вы знаете, кто это сделал.

— Я говорю не об истинном воре, а о человеке, на которого можно повесить ограбление. Он должен быть реальной фигурой, иметь имя, фамилию, а у вас должны быть неопровержимые доказательства. Что будет с ним потом, я решу позже. Когда мы с вами найдем вора, тогда и будем говорить об акциях.

— Чем же мы можем вам помочь? — удивленно спросил Фельдман.

— Вор сам напрашивается в капкан. Я даже нашла ему сообщников. Получается очень любопытная комбинация.

— Кто же это? — поинтересовался Шпаликов.

— Тот, кто засек вас, Панкрат Антоныч, в постели с секс-бомбой Инессой и сделал десяток хороших снимочков. Веня Скуратов, репортер светской хроники.

— Подонок! Ему еще не оторвали голову? Дождется!

— Конечно. Сегодня он нарыл компромат на секс-студию короля порно Ковалевского, посетил моего адвоката Нерсесяна. Следующим в списке стоит адвокат Гурьева Роман Лурье. Парень ведет активную игру. Его внезапное исчезновение никого не удивит. Теперь о его целях. Скуратов уверен, что между мною и Анной есть сговор. Он копает в этом направлении, и я не хочу его переубеждать. Что ему нужно от вас?! Он почему-то уверен, будто у меня, Анны и наших мужей есть ячейки в вашем банке, и хочет, чтобы вы ему показали их содержимое. Вот для чего он подготовил на вас компромат, Панкрат Антоныч. Что ж, покажите ему четыре ячейки. Пусть он найдет в них то, что искал, а вы снимите его действия на пленку. Самым интересным может стать кадр, когда Скуратов возьмет в руки украшение. А он непременно захочет его потрогать.

— Вы собираетесь доверить нам гарнитур «Око света»?

— Разве я похожа на сумасшедшую? Муляж — другое дело, он сделан так, что отличить его от оригинала сможет только ювелир. Я положила его сегодня утром в ячейку 222.

— Вы все видите наперед... — покачал головой Фельдман.

— Ну, если псевдовор сам напрашивается, зачем же отказываться от его услуг? Скуратов непременно захочет его украсть, полагая, что сможет получить за него выкуп в пять миллионов долларов. Эту сумму вы ему покажете в мнимом ящике вашего шефа Гурьева. Для остальных ячеек я привезла «реквизит», он в этой сумке вместе со списком, в каком ящике что должно лежать.

— Но мы будем выглядеть идиотами, если позволим ему совершить кражу, — заметил Шпаликов.

— Он не сразу решит красть. Результат первого осмотра приведет парня в шок. Идея возникнет позже, когда он окончательно придет в себя. А там мы посмотрим, на что годится его фантазия. Дайте ему универсальный ключ, а номера кодов он наверняка сфотографирует. У него должен оставаться шанс.

— А если он захочет с нами поговорить?

Алина улыбнулась.

— Наверняка. Скуратов попытается найти у вас поддержку. Особенно после того, как узнает истинную сумму залога. Про акции алмазного концерна информацию ему подбросит один из наших адвокатов. Вот тут вы должны его вывести на неизвестную даму, которая, как выяснится, пользовалась ячейкой Анны Гурьевой. Такая девчонка есть. Она арендовала ячейку номер 824. У вас должен быть на нее какой-то безобидный материал. К примеру, фотографии и пленки видеонаблюдений. Пусть он ею займется. Их связь нам на руку. Девчонка работает горничной в доме Гурьевых. У нее криминальное прошлое. А кто еще мог Скуратову помочь украсть гарнитур? Он ее непременно найдет. Дальше начнется цепная реакция. Так или иначе, но Скуратов из помощника полковника с Петровки превратится в подозреваемого. На первом же этапе следствия. Нас такой вариант вполне устраивает. Полковнику вы тоже сумеете подыграть.

— Что будет после того, как гарнитур, тем более не настоящий, попадет в руки Скуратова? — с тревогой спросил Фельдман.

— Как найдет, так и потеряет. Важно другое. Он будет последним человеком, кто держал его в руках. А может быть, и первым. Что бы он ни говорил, ему уже никто не поверит, Скуратову не выпутаться из паутины. У него нет друзей, только враги, которых он накопил немало за последние годы. Мы многим людям доставим удовольствие видеть, как трясина проглатывает безумного паршивца.

На столе зазвонил мобильный телефон. Ответив, Шпаликов сказал:

— Инесса! Она уже здесь. Ждет меня в березовой роще. Говорит, срочно.

Алина усмехнулась:

— Я же говорила. Все идет по плану. Вам, Панкрат Антоныч, покажут порнушку с вашим участием. И помните обо всем, что я сказала.

7

Вернувшись домой, Дина тут же разделась и пошла в душ. Сегодня Скуратов подверг ее новому испытанию: она изображала из себя грязную шлюшку, желающую сниматься в порнофильмах. Хотелось поскорее смыть ощущение грязи. С каждым днем ей все больше и больше казалось, что она нужна Вене только для его темных делишек, что он вовсе не собирается делать из нее топ-модель для подиума, а пользуется ее незаурядной внешностью, чтобы загнать в тупик очередную жертву своего шантажа. На сегодняшнем кастинге она видела людей, против которых Скуратов хочет пойти войной. Борьба против порноиндустрии бесполезна, Веню раздавят как котенка, и она может угодить в те же жернова. А если и уцелеет, куда ей деваться в огромном мегаполисе? В Москве нет друзей и даже знакомых. Скуратов не позволяет ей ни с кем общаться, ходить на вечеринки, самостоятельно искать спонсоров. Время уходит, надо что-то делать, но что?

Накинув легкий шелковый халатик, Дина вышла из ванной и застыла на пороге, не в силах шевельнуться.

В гостиной сидел молодой рыжеволосый мужчина с пистолетом в руках. Ну вот, все случилось так, как она предполагала. С Венькой они уже разделались и пришли по ее душу. Девушку словно парализовало.

— Садись, Диночка. Будешь умницей — уцелеешь, — сказал мужчина, подошел к ней, взял за руку, подвел к дивану и усадил на него.

— Я тут ни при чем, — тихо заговорила она. — Он меня заставляет.

— Понятное дело. Ты не хочешь сниматься в порнушке, ты мечтаешь о карьере манекенщицы, о парижском подиуме, о славе и больших деньгах. С твоими данными можно добиться успеха. Ты очень фотогеничная.

На столике перед диваном лежало несколько глянцевых журналов, где были помещены фотографии Дины. Фотографировал ее Веня, и в журналы их пристраивал он же, поэтому она так долго верила его обещаниям. Но взамен она отдала ему три года жизни — слишком дорогая цена.

— Он сделал из меня рабыню, — чуть ли не шепотом произнесла девушка, и у нее на глазах появились слезы.

— Я могу поправить твое положение.

— Нет. Лучше убейте меня, но в порнухе я сниматься не буду.

— И об этом поговорим. Но позже. Сейчас решается твое будущее. От тебя зависит очень много. Ты можешь остаться гнить на полу этой квартиры, а можешь помечтать о Париже. Я порекомендую тебя одному деловому человеку, ты покажешь ему эти журнальчики, и возможно, он возьмется за твое дальнейшее продвижение.

Дина немного осмелела. Во всяком случае, стрелять в нее не собирались, рыжий тип говорил с ней ровным, спокойным тоном.

— Что вы от меня хотите?

— Начнем вот с чего. Как Веня на сегодняшнем кастинге вел съемку? В помещение детского сада, где шел конкурс девушек, ты прошла одна. У тебя даже сумочки не было. Скуратов сидел в машине в соседнем дворе. В чем фокус?

— Как работают телевизионщики? У него не машина, а целая студия на колесах. Там оборудование лучше, чем у шпионов. На моем жакете была брошь и пуговица. Это видеокамеры. Сигнал срабатывает на километр. Веня вел запись, сидя в машине.

— Понятно. А ты могла бы его заменить?

— Я занимаюсь съемкой чаще, чем он. У Вени камера встроена в узел галстука. Когда он с кем-то встречается и выкачивает нужную информацию, в машине сижу я, записываю разговор. Получается очень качественно. Морщинки собеседника видны. Включается и выключается камера из машины.

— Мастер. Ничего не скажешь. Хорошо. Где Скуратов прячет свои самые важные архивы?

— На даче в Локтионово. Большой двухэтажный дом. Он арендует его у дипломата, который постоянно проживает за границей. Где тайник, я не знаю, но если он там есть, то Веня везде поставил кодовые замки. Можно судить по входной двери. Даже у меня нет входного ключа. Нет, он, конечно, есть, но Веня об этом не знает. А верхний замок — кодовый. Комбинация чисел мне не известна, он им никогда не пользуется.

— Уверена?

— Конечно. Он оставляет меня на даче, а сам уезжает и пропадает дня на два. Возвращается, а я на месте. Он уверен, что я никуда не уходила. Если дверь захлопнется, уже не войдешь. Я, разумеется, уходила, а возвращалась с помощью своего ключа. Если бы он пользовался верхним кодовым замком, я даже выйти не могла бы. Об этой даче никто не знает. Его там никогда не искали, и он за три года успокоился. Но о тайниках я ничего не знаю. Они меня не интересуют, как и все его делишки.

— Отлично. С сегодняшнего дня ты работаешь на меня, Диночка. Со Скуратовым скоро будет покончено. Он не жилец. Слишком много нагадил. Естественно, что все его подельники тоже пойдут под нож. Ты можешь уцелеть, если встанешь на нашу сторону. Только не думай, что от нас можно сбежать или спрятаться. Мы можем управлять людьми с расстояния. Могу тебе это доказать.

Рыжий взял Дину за плечи и спустил халатик до пояса, обнажив ее высокую красивую грудь. Девушка напряглась, но не сопротивлялась.

— Тебя портит эта кошмарная родинка над правым соском. Ты же меченая.

— Я собиралась ее вывести.

— Шрам останется. Только за хорошие деньги можно удалить без следов. Деньги ты получишь. Веня же тебя не баловал. По его мнению, достаточно того, что ты жила на всем готовом. А сейчас я покажу тебе кино, которое мы умеем снимать.

Рыжий поднял с пола портфель, достал из него ноутбук и включил. Дина вздрогнула. Она узнала мастерскую

Вени, его кровать, себя, абсолютно обнаженную, и рыжего, с которым они занимались любовью, меняя позы. Ее родинка была видна вполне отчетливо.

Он выключил компьютер.

— Вот видишь, а ты говорила, что никогда не будешь сниматься в порнухе! От тюрьмы и от сумы не зарекайся. И не важно, что ты помнишь, а что нет. Я же тебе сказал: «Мы умеем управлять людьми на расстоянии». А теперь представь себе, что мы выложили эту запись в Интернете... О карьере модели придется забыть. Поставить на ней крест!

Из глаз девушки брызнули слезы.

— Что вы хотите?

— Будешь беспрекословно выполнять все мои инструкции и приказания — останешься живой и получишь нашу помощь. И не надейся на Веню, его песенка спета. Живи с ним как жила, выполняй его поручения. Через пару дней решим все вопросы. Поняла?

— Поняла.

— Догадываюсь. Ты умная девушка. Ну а теперь выпьем за знакомство. Меня зовут Герман. Я тот человек, который тебе по-настоящему нужен.

Рыжий достал из портфеля бутылку шампанского.

8

Алина оставила машину в квартале от дома Гурьевых на Кутузовском проспекте, далее пошла пешком. Сегодня она была яркой блондинкой и смахивала на дорогую элитную проститутку, что подчеркивалось ее походкой и игрой бедер, обтянутых платьем. Неизменным остались только дымчатые очки в крупной черной оправе. Мужчины, оглядываясь, глотали слюнки. Не каждый решится подойти к такой крале без пухлого бумажника в кармане. Минуя третий подъезд нужного дома, она заметила желтенький «Фольксваген», называемый в народе «жуком». Алина зашла в следующий подъезд и предъявила охранникам ключ. На брелоке в виде золотой медальки стоял номер. Такой ключ играл роль пропуска. Опытные охранники знали всех жильцов в лицо, но квартира девяносто семь на десятом этаже выполняла роль элитного гостиничного номера и арендовалась Академией наук для важных приезжих сотрудников, во что охранники мало верили. Ученые так не выглядят — сюда слетались только красотки с длинными ногами. Но кому какое дело? Инструкции получены, их надо выполнять.

Женщина вызвала лифт, села в кабину и уехала. Все правильно. На светящемся табло загорелась цифра десять и застыла. Дама прибыла по назначению.

Алина действительно приехала в девяносто седьмую квартиру. Дверь ей открыла Анна.

— Привет, дорогуша. — Гостья чмокнула хозяйку в щечку и прошла в гостиную. — Тут неплохо, но не хватает женского запаха. Надо усилить акценты, чтобы с первого взгляда становилось понятно — ты попал в бордель.

— Не все сразу, — сказала входя следом Анна. — Пока была жива Оксана, здесь располагался мой кабинет для встреч с деловыми партнерами. Она убирала его и не должна была что-то заподозрить.

Алина с удивлением посмотрела на подругу.

— Партнерами? Значит, сюда приходили мужчины?

— Нет. Мужчины ходят в соседний подъезд, где сейчас живет фокусник, а сюда присылают курьерш в юбках для передачи документов. Иногда я сама нанимаю дорогих проституток, они ночуют тут за деньги. Утром уходят. Так что каждая квартира имеет свою репутацию.

— Я видела желтого «жука» у соседнего подъезда.

— Да. Официантик из ресторана Германа мозолит глаза охранникам. Возит обеды фокуснику. В один прекрасный момент все сработает.

— Ну а как Гурьев? Не знаю, как его называть, то ли твоим мужем, то ли отцом? Он здесь был?

— Нет. Организация квартир — моя забота. Он только платит за них через подставных лиц.

— Идея с ключами, похожими на банковские, тоже твоя идея?

— Конечно. Папочка безумно боится Фельдмана и Шпаликова. Боится слежки и покушений. С людьми из алмазного синдиката встречаюсь я на разных квартирах. У нас целая система конспирации. Подпольщина.

— Значит, совет директоров не будет удивлен, что все акции переписаны на твое имя?

— Они поставлены перед фактом, теперь никто ничего изменить не может.

Анна накрыла стол и пригласила подругу. Они устроились напротив друг друга и подняли бокалы.

— За скорейшую развязку! — сказала Анна.

— За благополучный финал! — уточнила Алина.

Они чокнулись.

— Теперь ты одна из самых богатейших женщин России, — улыбнулась Алина. — Но кто — Анна Каземировна Гурьева или Ирина Савельевна Гурьева? Кто наследница великого комбинатора Савелия Гурьева?

— Я его дочь — Ирина. Анна умерла четыре года назад.

— Вот об этом я и хочу с тобой поговорить, дорогая. Так сложились обстоятельства, что мне пришлось подключить к работе и Фельдмана, и Шпаликова. Только с их помощью мы можем устранить со своего пути Скуратова. Как ты помнишь, мы не предполагали появления светского прохвоста, но он объявился, и мы должны его аннулировать. Банкирам обещано вознаграждение — возвращение кредита.

— Они гроша ломаного не получат, — резко оборвала Анна. — Тебе, конечно виднее, я не такая умная, как ты, но и банкиров надо убрать. Мавр сделал свое дело, мавр может умереть!

— Они слишком осторожны.

— У них есть мотив — они пытаются вернуть деньги.

— Здесь все понятно. Почему банкиры уверены в том, что Гурьев не может переписать акции на твое имя? Ведь это так просто. К тебе они не могут предъявить никаких претензий, если не знают историю гибели настоящей жены твоего отца.

— Весь фокус в том, что знают. Узнав о передаче мне акций, они вынудят меня отдать их. Так они считают. Им пришлось заплатить немало денег, чтобы докопаться до истины, а докопавшись, они перестали воспринимать меня всерьез. Отец — другое дело. С ним играть бесполезно, его можно только убить. Он оттянул свою смерть, передав акции тебе.

— Это мы уже проходили. Проблема решена. Что они могут сделать с тобой? Выкладывай карты на стол, Анна, иначе не успеем найти противоядие против банкиров. Мы слишком долго готовились к операции, отдали силы, время и способности ради ее благополучного исхода.

— Хорошо. История началась шесть лет назад, а не четыре. Мой отец не только меня держит на голодном пайке. Мать моя тоже от него ничего не видела. Если бы он не был талантливым финансистом, то стал бы неудачным картежником и мы давно подохли с голода. Он игрок до мозга костей. Все деньги уходили на его алмазные аферы. В какой-то момент он сделал удачную ставку. Ломоносовское месторождение под Хабаровском оказалось настоящей сенсацией. Отец восторжествовал. «Ну вот, — сказала мать, — а я надеялась, что он застрелится». Он все время говорил нам, что пустит себе пулю в лоб, если опять ошибется в своих ставках. Даже пистолет завел. Один отставной генерал привез его из Германии после войны как военный трофей. Генерал хотел взять кредит для сына, но ему было отказано. Восьмидесятилетним старикам кредиты не дают, а отец выдал ему кредит. Тот в благодарность подарил ему офицерский «браунинг». Акт незаконный, но никто же не собирался регистрировать это оружие. Роковая получилась сделка. Этот пистолет выстрелил. Отец убил мою мать. В тот момент меня не было на даче. Я опоздала на полчаса. Причин для скандалов в доме всегда хватало. Мамочка у меня тоже не славилась идеальным характером. Я хотела вызвать милицию, но отец встал на колени и умолял меня ничего не предпринимать. Убийство — случайность, он не хотел, она сама взяла оружие в руки, он лишь пытался отнять у нее пистолет, но тот выстрелил, и рана оказалась смертельной. Я поверила, зная характер матери. Полночи мы просидели, обливаясь слезами, а потом похоронили ее в саду. Там же и пистолет закопали.

Отец пустил слух, будто его жена сбежала с любовником, бросив его, бедолагу.

У отца в Хабаровске были большие связи. Это в Москве банкиров как собак нерезаных, а там он слыл первым лицом города. Дела шли наилучшим образом. Банк процветал. Конечно, люди, знавшие нашу семью, не поверили пущенному отцом слуху, но таких нашлось не много, и спустя какое-то время был оформлен развод. Сенсацией это не стало. На всякий случай отец открыл счета в своем банке для начальника управления МВД и прокурора города. На этих счетах появились солидные суммы денег. Но тут для меня начали открываться некоторые факты. У отца имелась молодая подружка, моя ровесница. Амбициозная девица с большими планами на будущее. Я провела свое расследование. Выяснилось, что эта связь длится не первый год. Еще я узнала, что у его подружки есть другой парень, молодой и очень крутой тип. Я его охмурила. Получился занимательный квартет. Отец не знал о существовании любовника у своей пассии, которую звали Анной. Анна не знала, что я переманила ее любовника. Герой-любовник не догадывался о том, что я являюсь дочерью банкира, с отцом я перестала встречаться. Любовничек и посвятил меня во все подробности. Я устроила скандал и сказала, что порываю с ним, так как у него есть другая женщина. Парень не на шутку испугался. Он по-настоящему в меня влюбился. Тогда и рассказал всю правду. Анна его интересует только в качестве кошелька. Она хочет женить на себе старого банкира, но тот должен переписать на нее все свое состояние. Старик влюблен в нее по уши и ради Анны убил свою жену. Он готов пойти на любые ее условия. После женитьбы банкир случайно попадет под машину. Или ему на голову упадет кирпич. Это сделает он, чтобы у Анны было железное алиби. Наследство они делят пополам, а потом сматываются в Москву или Питер, где можно затеряться. Так что Анна ему нужна только для дела. Через пару месяцев он станет очень богатым и женится на мне.

— Кто придумал эту аферу? — спросила я.

— Идея пришла мне в голову, когда я увидел, как Гурьев смотрит на Анну. Она ждала меня в ресторане. Я опоздал. В этом же ресторане обедал Гурьев. Кто он такой, мне известно, я знаю всех богатых людей города. У меня есть своя картотека и справочник Остапа Бендера, где описано четыреста способов честного отъема денег у богатых людей. Я написал Анне записку: «На тебя глазеет крупный банкир. Попытайся поймать рыбку в сети. Увидимся вечером!» Записку передал через официанта, а сам сел за дальний столик и стал наблюдать. Анна дважды улыбнулась Гурьеву, и он пошел в атаку. Она умеет брать быка за рога. Такого шанса больше не будет. Дело стоящее, и его надо довести до конца.

В его плане хватало дыр, и я начала задавать наводящие вопросы.

— Но у старого банкира могут быть другие родственники, которые тоже начнут претендовать на наследство.

— Была жена, осталась дочь, но они меня не интересовали с самого начала. Дело в том, что у Гурьева нет завещания. Он страшный трус, боится собственной тени. По его мнению, завещание — это приговор самому себе. Тут же находятся люди, готовые тебя убить ради денег. Никто не любит ждать чужой смерти, если от нее зависит твое благосостояние.

— Почему же он согласился отписать все своей молодой жене? Она ничем не отличается от других смертных.

— Ей ничего не придется ждать. Не будет никаких завещаний, сразу же все, что имеет, он переписывает на ее имя.

— Полный идиот! — возмутилась я на полном серьезе. — Подписывает сам себе приговор. Да и ты не лучше.

Завладев состоянием банкира, Анна пошлет тебя к черту. Хорошо рассуждать, когда у тебя пустые карманы. Но когда в руках зашелестят деньги, на мир начинаешь смотреть другими глазами. Человек меняется до неузнаваемости.

Мой герой иронично улыбнулся:

— Конечно, я все знал. И Гурьев не идиот. Его сгубила страсть, но он не потерял окончательно свою голову. Куклу надо держать на цепочке. Но как? Он нашел способ. Жену Гурьева убила Анна. Только ни тот, ни другой не знали, что я затаился в доме и все фотографировал. Дело происходило на даче Гурьева. Жена сидела в гостиной и смотрела телевизор. Банкир открыл Анне дверь и тихонько провел ее на второй этаж в свой кабинет. Я же залез на солярий снаружи, что сделать проще простого. В кабинете в темноте сидел адвокат Гурьева — некий Роман Лурье. Обрусевший француз и очень опытный прохвост. Я думаю, что Лурье и придумал всю эту историю. Анна ничему не удивлялась, выполняла инструкции как зомби. Ее даже свидетель не смутил. Гурьев открыл сейф и достал пистолет. У него на руках были перчатки. Он передал оружие Анне. После этого Гурьев и Лурье подписали какие-то бумаги, и их тоже передали Анне. Все это я фиксировал на пленку, стоя на солярии. Они даже не удосужились закрыть окно и занавески. Снимочки получились идеальными. Затем они перешли в гостиную, и Гурьев громко сказал: «Маша, я собираюсь развестись с тобой ради другой женщины».

Жена оторвалась от телевизора и оглянулась. Перед ней стоял муж, его адвокат и молодая девушка, державшая руки за спиной. Женщина отреагировала спокойно. Она встала и подошла к ним. Анна выстрелила в упор, прямо в сердце. Этот момент я тоже зафиксировал. Удивляюсь ее хладнокровию — убить человека и глазом не моргнуть! Жена Гурьева упала, следом на пол упал пистолет. Банкир поднял его за ствол, не снимая перчаток, и завернул в салфетку. Я не знаю, что они планировали делать дальше, но тут темный сад осветился, послышался звук мотора. Я тут же пригнулся. Все, что успел услышать, это голос Гурьева: «Уходите в сад через заднюю дверь. Приехала дочь!» Мне удалось удрать незамеченным. Что происходило потом, я не знаю.

— Зато я знаю, что происходило дальше, — продолжила свой рассказ Анна. По ее щекам катились слезы. — Конечно, шок парализовал меня и на мелочи я не обратила внимание. Почему пистолет был завернут в салфетку. Как мать могла угрожать пистолетом, если отец хранил его в сейфе, код которого знал только он. Но в тот момент я ничего не понимала.

Я потребовала у своего любовничка предъявить мне фотографии, он мне их показал.

— Этим ты хочешь шантажировать Анну? — спросила я.

— Она даже не догадывается об их существовании. Я получил оружие против Лурье. Он соучастник убийства. Конечно, у них существует свой план. На случай угрозы со стороны Анны, если она захочет воспользоваться наследством, они обвинят ее в убийстве и разыграют из себя случайных свидетелей. Но обвинить Анну в убийстве мужа никому не удастся. Его убью я, когда Анна будет находиться на людях. Сотни свидетелей хватит.

— Какие же у тебя гарантии, что она отдаст половину добычи?

— Ее расписка. Она напишет мне расписку, что готова оплатить услуги киллера. Я верну расписку в обмен на деньги. Бумага уже написана. Так что я получил двойную страховку.

— А какие гарантии ты дашь мне?

— Тебе? Разве мои признания не гарантия моих чувств? Я люблю тебя, и мне никто, кроме тебя, не нужен.

— Поверю. Все фотографии и расписки передашь мне на хранение, а я тебе помогу довести дело до конца. Ты тоже подготовишь себе алиби, чтобы не зависеть от Анны. Гурьева убью я. Он того стоит.

Мой дружок обалдел от такого заявления.

Через месяц отец женился на Анне. Тихо, без помпы. Многие так и не узнали о том, что Гурьев женился на молодой. Не все еще опомнились от странной истории с его женой, которая в сорок семь лет сбежала с молодым любовником, бросив мужа-миллионера.

Они месяца не прожили. Я откопала пистолет и на той же даче пристрелила Анну на глазах отца. Документы, выданные Анне, уже приняли юридическую силу. Рисковать дальше не имело смысла. Меня подстегнул и второй любопытный эпизод. Отца вызывали в Москву, предложили возглавить «Юнисфер-банк», филиалом которого он руководил в Хабаровске. Причем ему гарантировали неограниченные полномочия, квартиру на выбор и все что душа пожелает. А это значит, что он опять начнет новую игру. Ангольским алмазным приискам требовались срочные финансовые вливания. У отца была идея привлечь израильских граверов, в этом случае контроль «Де Бирса» над добычей терялся. Превращать алмазы в бриллианты, не вывозя из Анголы, — идея гениальная. Я смотрела вперед и поняла — отца убивать рано, а вот его сопливая шалашовка может загубить идею на корню.

Я заявила ему следующее:

— Эта поганая тварь убила мою мать, у меня есть доказательства. Теперь я готова пойти в прокуратуру и написать чистосердечное признание. Готова сделать заявление прессе. Спектакль окончен.

Отец прекрасно понимал, что лишился жены, а теперь лишится дочери и, разумеется, карьеры. Ни о какой Москве думать не придется. Следствие займется двойным убийством, и дай бог, если он останется на свободе. При таком скандале его ни один прокурор не спасет. Он взмолился о пощаде. Тогда я потребовала от него написать, что это он застрелил Анну, отомстив ей за убийство жены. Отец сел за стол и написал все, что я ему продиктовала. Это письмо до сих пор у меня. Той же ночью мы закопали Анну в другом конце сада, подальше от моей матери. На следующий день отец отнес мои фотографии своему приятелю, высокопоставленному чиновнику милиции, сказал, что жена потеряла паспорт, нужно сделать новый. Никаких проблем не было. Банковский счет начальника пополнился на несколько тысяч, а я стала Анной Каземировной Гурьевой. Одна в двух лицах, но об этом никто не знал, кроме нас с отцом. Своим коллегам отец сказал, что молодая жена уже уехала в Москву, подбирать нам квартиру.

В Хабаровске его провожали с помпой. Когда мы приехали в столицу, где нас никто не знал, он представил меня как свою жену Анну. Потом я ему рассказала о планах настоящей Анны и о ее любовнике, который остался с носом. Тогда-то он понял, что я спасла ему жизнь, и увидел во мне единственного преданного ему человека. С тех пор идеи с женитьбой ему в голову больше не приходили. Довольствовался горничными и секретаршами.

Алина покачала головой.

— У меня такое впечатление, будто я посмотрела добротный триллер, сделанный талантливым режиссером. А что с любовничком? Он так с носом и остался?

— Талантливый, смелый, решительный, неглупый. Отличная реакция, физическая форма и опыт работы в контрразведке. Нет, таких партнеров не бросают. Я убедила его в том, что не пришел еще час для решительных действий, необходимо убрать помехи, чтобы добиться многого. Он меня правильно понял. Помехой была Анна, и она исчезла. Куда и как, он не знает и никогда не спрашивал. Терпеливый парень. Он в Москве, ждет четвертый год. И не только ждет — работает. Речь идет о Германе. Сейчас он официант в «Маяке», готовит мартышку для подставы. Но это ты сама знаешь.

— Я знаю лишь то, что в команду он попал по твоей рекомендации, а теперь поняла, что на него можно рассчитывать. Но я хочу вернуться к тому, с чего мы начали. Я с тобой согласна, банкиры не заслуживают денег, их надо использовать, а потом придется от них избавиться. Ты опасаешься Фельдмана и Шпаликова, а я допустила их слишком близко к кормушке.

Анна выпила бокал вина, подумала и сказала:

— Они должны считать, что я их боюсь, в противном случае запаникуют и наделают глупостей. Год назад отмечался юбилей банка «Юнисфер», на который были приглашены директора филиалов. В то время я и отец уже потеряли бдительность. На банкете присутствовал директор хабаровского филиала, который в течение пяти лет работал заместителем моего отца. Конечно, этот человек знает немало. Случайно или умышленно, но он сказал Фельдману, что я дочь Гурьева и зовут меня Ирина, но почему-то все меня величают Анной, на которую я совсем не похожа. И где же Анна? Фельдман и Шпаликов за это ухватились и направили в Хабаровск частного сыщика. Я уж не знаю, что тому удалось раскопать, но что-то он нарыл. Тогда со мной встретился Фельдман. Отец не знал о нашей встрече, назовем ее тайным свиданием. Саул Яковлевич не стал юлить, пошел ва-банк.

— Дорогая Анна Каземировна или, если быть точным, Ирина Савельевна, мы в курсе очень печальных событий, произошедших в Хабаровске. У вашего отца есть только один вариант сбросить акции, не потеряв контроль над ними. Оставлять их у себя он больше не может. В случае его смерти они вернутся в банк в качестве залога за полученный кредит. Этот пункт указан в договоре. У него есть один способ избавиться от долга — объявить себя банкротом. Но тогда его заявление должны подтвердить в алмазном синдикате Анголы. И они это подтвердят, если ваш отец перепишет все акции на ваше имя. Что в этом случае делаем мы? Если он укажет в качестве нового владельца акций имя жены, то мы докажем, что такой женщины не существует. Ваш липовый паспорт аннулируют, а вас арестуют. Если он укажет в документах имя дочери, то мы обвиним вас в убийстве Анны Гурьевой и сумеем это доказать. Я хочу вас предупредить — не берите на себя неподъемный груз, не ввязывайтесь в эту аферу. Вы еще так молоды, не торопитесь на нары. Мы сами разберемся с вашим отцом так, как считаем нужным. Вы получите компенсацию в размере пяти процентов с продажи акций и сможете долгие годы жить припеваючи где-нибудь на Лазурном Берегу Франции. Мягкий климат Средиземноморья лучше, чем суровый климат зоны.

— Вы зря беспокоитесь, Саул Яковлевич. Мой отец никому и никогда не доверит своих акций. Ни дочери, ни черту. А если они попадут ко мне в руки, то я соглашусь на ваше щедрое предложение. Пять процентов меня вполне устраивают.

Фельдман остался доволен результатами нашей встречи.

— И ты их боишься?

— Разумеется, нет. Но на всякий случай я развелась с отцом, он все имущество переписал на дочь, а паспорт на имя Анны я уничтожила. Можно считать, что его никогда и не было.

— Но акции переписаны на твое имя? Так ведь?

— Все наши договоренности, Алиночка, остаются в силе. Что касается банкиров, то к ним надо применить третий закон Ньютона: «Сила действия равна силе противодействия». На данный момент они ничего сделать не могут, у них выбили оружие из рук. Акции отданы под залог бриллиантов. Бриллианты украдены. Их ищут. Пока безрезультатно. Игра продолжается. Мы можем тянуть время столько, сколько захотим, и накручивать новые витки интриги. Что я еще предприняла бы? Ну, к примеру, покушение на жизнь моего отца.

— А как ты притянешь к этому факту банкиров?

— Убийство Гурьева только в их интересах. А ты обещала им вернуть акции. Обоюдоострая ситуация. Если банкиры узнают, что акции тебе переданы без взаимных расписок, значит, у тебя их можно отобрать без всяких проблем. Сейчас важно другое — чтобы они не узнали об истинном владельце акций, иначе зачем им охотиться на отца, когда пора переключаться на меня? Нет, они должны продолжить свою охоту, а для этого им нужно иметь уверенность, что они заберут у тебя акции без особых проблем.

— Это мы устроим, Ирочка.

— Анечка.

— Как скажешь. Но для начала надо заставить их поработать на нас.

— И при этом хорошенько извалять в грязи.

— Ну, в этих вещах нам нет равных! Из цыпленка можем сделать ворона, а из ворона цыпленка.

Алина достала из сумки фотографию.

— Удачный снимочек. Твоя горничная Оксана сидит в ресторане в обнимочку с любовницей Скуратова Диночкой. Закадычные подружки. Если эта квартира — предполагаемое гнездышко твоего отца, где он встречался с женщинами, то почему бы фотографии не затеряться здесь? Оксана обронила...

— Упала с тумбочки в спальне и зацепилась за плинтус.

— Найти ее будет нелегко, — ухмыльнулась Алина.

— Надеюсь, люди полковника чего-то стоят. Как-никак на Петровке работают.

— Ладно. Давай еще выпьем и обсудим другие проблемы. Ком накатывается слишком быстро, уже разросся до небес. С такими скоростями легко упустить мелкие звенья, к которым потом не будет доступа. У нас ювелирная работа, как у моего мужа, очень тонкая. Паутинка. Ошибаться не имеем права.

9

О таких местах большинство людей даже не слышали. Развалины фабрики, ржавые станки... Тут не было даже бомжей — слишком далеко до жилого района. Подобное нередко можно увидеть в кино. Если нужно показать бандитскую разборку, ее снимают на заброшенных заводах. Выглядит эффектно, но уже стало штампом.

Жена Дербенева и сын Юлии Баскаковой сидели в машине в самом дальнем и темном углу двора перед зданием из почерневшего кирпича с выбитыми стеклами и наблюдали за мертвой зоной.

— Ну вот они и появились, — наконец сказал Алеша.

— Две стены сломали под зданием галереи. Полагаю, что к пятнице команда Игумена закончит подготовительные работы. Хорошее местечко выбрали для штаба.

— Вычислить их ничего не стоило. Я сел им на хвост, и они сами меня сюда привели. А на следующий день, когда все уехали крошить очередную стену, я осмотрел их гнездышко. Схема, которую нашли в доме Ляли, у них, но чертеж с коммуникациями здания галереи они даже не раскрывали. Вот тогда я понял, что деньги собираются выносить через коллекторы.

Пятеро мужчин вышли из машины и, освещая дорогу фонарями, скрылись в разбитом проходе развалин.

— Ты прав, Алеша. Из подвала моего гаража они унесли только предварительные схемы. Мешки для денег не тронули, не поняли, что это такое. А мешки шились на заказ из особо прочной парусины и обшивались кожей. Узкие, длинные, в каждый может поместиться три миллиона долларов. Их надо скрепить карабинами и просунуть в вентиляционные коридоры коробов. Все размеры соблюдены, мешки легко будут скользить по гладкой поверхности жести. Этот «эшелон» должен проехать до выхода наружу двадцать два метра. Их встретят с другой стороны здания, выходящей к парку. Весь фокус в том, что грабители выйдут на улицу через колодцы коллекторов с пустыми руками. Если на них устроят облаву, обвинение выдвинуть не смогут. Факт участия в ограблении не докажут. Мешки с деньгами будут находиться в вентиляционных коробах, в которые взрослый человек не пролезет, а значит, останутся вне внимания сыщиков.

— Идея гениальная, Екатерина Андреевна. Но Ляля может пролезть. С ее детской фигуркой и гибкостью такая игра удовольствие, а не труд.

— Труд! И еще какой труд. Ляля уже приступила к тренировкам. Не так все просто, как нам кажется.

— Значит, вы ее уговорили?

— Мы мстим за наших погибших мужей и хотим довести их работу до конца. Игумен не получит ничего. Пусть потеет, прокладывает нам путь, рискует, делает всю черную работу, а мы заберем добычу.

— Не торопитесь делить шкуру неубитого медведя, Екатерина Андреевна. Нам надо подсказать Игумену, как должен сработать план. Эти идиоты и впрямь могут потащить деньги через люки канализации.

— Ты хочешь, чтобы я им помогла?

— Нет, конечно. Это сделаю я. Накрою их в подвальчике и прижму к стенке. Повод есть. Мне нужны документы из маленького сейфа, стоящего в хранилище. А заодно поставлю жучки в их подземном офисе. Мы должны знать, что они планируют.

— Ты рехнулся, Алеша. Банда Игумена состоит из головорезов, они стреляют без предупреждения. Эти звери за доллар мать родную придушат.

— Я приду не один, возьму с собой десяток студентов. Об опасности говорить не буду, соблазню вечеринкой в честь каникул и предложу попугать бомжей. Похохмить. Муляжи «Калашникова» достать ничего не стоит. Мои друзья любят хохмить. Сделаем в лучшем виде. Подберу борцов из секции института. У них видок тот еще. Сплошные мышцы.

— Ну что ж, пожалуй, по-другому мы Игумена уму-разуму не научим. Поехали, я покажу тебе макет вентиляции здания.

10

Работы у «покойного» Севы Дербенева хватало. Он корректировал действия всех звеньев длинной и, на первый взгляд, непонятной цепочки. Любой безукоризненно выстроенный план хорош лишь на бумаге. Но идеальных преступлений не бывает, всегда вмешивается господин случай. Вот и теперь, кто мог предвидеть появление на поле боя прохвоста Скуратова? У репортера было прекрасное чутье, и он выбрал правильный след, в то время как опытные сыщики крутились на месте и все больше и больше запутывались в паутине, вытканной для них с таким старанием. Они действовали по четкой логике, придерживаясь фактов, грамотно выстраивали версии. Задачей знаменитого Дербеня было сделать все, чтобы логика не укладывалась ни в какие рамки. Неоспоримым достоинством таланта Дербеня было его отношение к противнику. Он относился к нему с уважением, не считал себя умнее других. Просто работал. Но работал, с одной стороны, как преступник и как следователь — с другой. Шел сам за собой по пятам, искал следы, допущенные ошибки и улики. Интересная картинка получалась: Сева совершал преступление, за ним следом шел Сева-сыщик, а потом уже в дело включались профессионалы в погонах.

Дербень остановил машину на Фрунзенской набережной, прошелся пешком и сел в другую машину, где сидели

Валера Волков и Иван Шатилов, главные его помощники во всех делах.

— Ну, привет, мальчики. Как идут дела? — кивнул он на шикарный дом на набережной.

— Квартира принадлежит генерал-лейтенанту Слободскому из Генштаба, — начал Иван. — Он умер полгода назад. Наследство еще не оформлено. У его дочери шикарный коттедж за городом, где она живет с семьей. Квартиру отца сдала на три месяца. Дело не в деньгах — квартирант должен поддерживать порядок, ухаживать за мебелью из карельской березы и антиквариатом. Как Оксане удалось арендовать столь престижное жилье, я не знаю. Возможно, рекомендация Гурьева помогла, если только он в курсе событий. Беглый зек Тарас Тишко, известный под кличкой Левша, после исчезновения Оксаны возле ее дома появлялся, но его ребята часто дежурят на Кутузовском, у дома Гурьева. Очевидно, считают, что она живет там, где работает. Левша уверен, что девушка его не сдаст, оттого и не дергается. В принципе Оксана ему уже все рассказала, и он в ней не очень нуждается. Идея ограбления частных ячеек в банке Гурьева не дает ему покоя. Сейчас он ищет способ, как раздобыть универсальный ключ от сейфов.

— Сколько у него людей?

— Двое. Но на фотографиях, напечатанных в газетах, которые ты забрал из квартиры Оксаны, их нет. Значит, они не из старой банды. Те до сих пор сидят. Девчонка боялась Левшу, потому что не знала новых подручных, не знала и сколько их. А сдавать его она не стала еще и вот почему. Оксана — единственный член банды, не попавшийся в сети. Ей светит лет десять, если ее возьмут. Левша сделал верный вывод — девчонка сбежала.

— Вы были в его квартире?

— Да. Замки там смехотворные.

— Попади туда оперативники вместо вас, что они найдут?

Воронов засмеялся.

— Полный букет, Сева. Отпечатков столько, что их стирать придется неделю. Левша оказался любопытным парнем, а дочь генерала слишком доверчивой. Жареный петух бабу еще не клевал. Ну, к примеру, сервиз екатерининских времен. Ему цены нет. И на всех предметах Левша оставил свои пальчики. Любопытный мужик, все рассмотрел. Особое внимание уделил мундиру генерала, орденам. На парадном кителе есть орден Суворова первой степени, звезда Героя и несколько иностранных наград. Польский орден Белого орла. Все это стоит немереных денег. Я думаю, при отходе он ничего не оставит в доме.

— Установили адреса его подельников?

— Да. Оба живут в скромной квартирке в Марьино. Им хоромы по статусу не положены. Теперь о главном. Есть в квартире тайничок, оборудованный еще покойным генералом. В нем лежит пистолет и две пачки патронов. Оружие трофейное, с войны. Без документов. Там же кинжал «СС», номерной. Такими Гимлер награждал своих молодчиков. Тайничок Левша нашел и сам им пользуется. Спрятал туда схему банка «Юнисфер». Схема с надписями и стрелочками, нарисована женской рукой. Тут все понятно, рисовала схему Оксана. Раз она любовница Гурьева, работала на него два года, то знает о банке немало.

— Ты прав. Какой пистолет?

— «Вальтер», офицерский. Футляр из кожи с замшевой подложкой с углублениями в форме оружия и обоймы. На крышке золотое тиснение и орел со свастикой.

— Теперь этот пистолет должен выстрелить, — задумчиво проговорил Дербенев. — Итак, команду мы уже организовали. Связь Левши с Оксаной доказана, связь Скуратова с Оксаной тоже сомнений не вызывает. Вспомни ее фотографию с Диной, сделанную в ресторане. Банкиры взяты Алиной в ежовые рукавицы и будут плясать под ее дудку, пока не поймут, что их водят за нос. Для начала они расскажут Скуратову об Оксане. Его их версия вполне устроит, он проглотит наживку, а значит, наследит в ее квартире. Итак. Левша, Оксана, Скуратов. Их надо объединить и накрепко связать морским узлом. Но все они могут быть лишь исполнителями, ни один не тянет на главное действующее лицо.

— И кого ты хочешь поставить во главе банды? — поинтересовался Иван.

— Банкиров. Они заинтересованы в смерти Гурьева. Это раз. Они могли перевербовать Оксану. Им есть что предложить ей и ее беглому любовнику. Скуратова они используют как страховочный пояс. И это правильно. Шушере нельзя доверять. Дадим Скуратову роль контролера. Он близок к полковнику Кулешову и сумел влезть без мыла в следственную бригаду. Отличная идея.

— Ты, конечно, мужик мозговитый, — начал Волков, — но представляешь, сколько надо проделать ходов, чтобы создать банду из людей, которые, практически, друг друга не знают. Ну возьмут их тепленькими всех разом, а очная ставка тут же обнаружит нестыковки.

— Оксана мертва. Взять должны главарей или главаря, «шестерки» нам не нужны, Лерочка. Ими займется Герман.

— Надеюсь, что не мы, — добавил Иван. — Мы честные аферисты и воры, а не мокрушники.

— Конечно. И когда Валюху убили на даче ублюдки Игумена, тоже играл в интеллигента?

— Что касается Игумена, то это другая песня. Они нам за все заплатят. Дело Юльки Баскаковой проходит по другой схеме.

— Тогда, ребята, вы так ни черта и не поняли. Эта афера зарождалась два года назад. Она медленно созревала, наливаясь соками, как молодильные яблочки. Авторы идеи — три умные и коварные женщины. Год назад они объединились под общим знаменем и выдвинули свои лозунги. Мы тут ни при чем. Анна, а точнее, Ирина — дочь Гурьева, жена галерейщика — Юлия Баскакова и Алина Малахова — жена ювелира — это одна гидра с тремя головами. У каждой головы своя цель и задача. Открытие отеля «Континенталь» — событие очень важное, о нем знали год назад и готовились весь год. Этот день должен был стать главным. Преимущество громкого события — желание владельцев отеля замять скандал. На этом выстраивался весь план. Неофициальное следствие не может поднять всех оперов города. Петровка работает втемную. Девочки подстраховывали одна другую на каждом этапе, и в этом их главное достоинство.

— Но план им составлял ты? — спросил Воронов.

— Я, Лерочка. Они же клиенты моих антикварных салонов. И они знают о моих способностях и связях. Мы знакомы не один год, я уже оказывал им услуги. Так Баскакова с моей помощью приобрела две картины Казимира Малевича. Без сертификатов. Но потом я достал и их, когда она отравила коллекционера. Не своими руками, разумеется, но яд предоставила она. Южноафриканский серебряный плющ. Страшная отрава. Где она ее достала, не знаю. Он может вызывать разные эффекты в зависимости от дозы. Действовать как снотворное, как медленно действующий яд или убивать мгновенно. Диагноз всегда один — инфаркт миокарда. И если вскрытие не сделать в течение шести часов, то следов яда обнаружить невозможно. Коллекционера обнаружили мертвым через сутки. Каталога его картин не нашли. Сертификатов подлинности тоже. Никто так и не узнал, пропало что-то из его коллекции или нет. Старик умер от инфаркта, и никто никого ни в чем не подозревал. Каждая из кумушек обращалась ко мне с разными просьбами, и все они находили у меня понимание.

— Они слишком умны, — пробормотал Воронов, — могут кинуть под занавес.

— Это моя забота. Вы — часовые на важном посту, ваше дело — бдительность и четкое понимание поставленных задач. Дипломатию оставьте мне.

— И все-таки нам нужна страховка, — сказал Иван.

— Конечно. Не волнуйся, Ваня, нас страхуют наши жены.

— Они знают?

— Знают, что должны довершить нашу работу. Катя — человек жесткий, уверенный. Я спокоен.

11

Встреча Алины с банкирами состоялась на втором этаже ГУМа в маленькой закусочной. Тихое укромное местечко и отличный обзор. Пили кофе, разговаривали.

— Вы все правильно рассчитали, Алина Борисовна, — сказал Фельдман и выложил фотографии на стол. — Мы допустили Скуратова к ячейкам. В каждую положили ваш реквизит, а в мнимую ячейку Гурьева — пять миллионов долларов. Он все сфотографировал. А на этом снимке вы видите, как он держит в руках ожерелье из гарнитура «Око света». Вы правы, от настоящего не отличить.

— Мы делаем такие для витрин, дорогой Саул Яковлевич. Люди должны восхищаться товаром. Стекляшки моются в специальном растворе, а потом покрываются особым лаком, что придает им ошеломляющий блеск. Бриллианты выглядят бледнее, но покупатели не понимают этого.

— Скуратов ушел из банка в полной растерянности, — заметил Шпаликов. — Парень в шоке, как сейчас модно говорить. Ему понадобится время, чтобы принять решение.

— Он его уже принял, — уверенно заявила Алина. — Скуратов приезжал один?

— За рулем его джипа сидела девчонка со смазливой мордашкой. — Фельдман вынул фотографию.

— Прекрасно. Значит, она непременно появится в вашем банке и зарегистрирует себе сейф. Дайте ей ячейку рядом и универсальный ключ. Ей не нужно мешать. Себя Скуратов подставлять не станет, тем более что он уже засвечен. А с девочкой я договорюсь на выходе. Все идет по плану.

Шпаликов отпил кофе и задумчиво протянул:

— Мы рискуем своей репутацией.

— Только не говорите, Панкрат Антоныч, что у вас есть другой план или идеи лучше моих. Наша сделка состоится только в том случае, если против Скуратова будет возбуждено уголовное дело, на основе неопровержимых улик. Но этого мало. У него не найдут ожерелье, и соответственно мне его никто не вернет, а значит, я не верну Гурьеву его акции. И меня, и вас должно устраивать это. Только так дело будет доведено до логического конца. В противном случае сделка не состоится.

У банкиров не нашлось аргументов для спора.

* * *

Появление Юлии Баскаковой в кабинете главного менеджера отеля очень насторожило Нечаева. Он не знал, как реагировать.

— Не дергайся, Эдик. Все нормально. В конце концов, я беспокоюсь за свои картины. Почему бы мне не проведать своих «деток»? Так и скажешь Мамедову.

— О твоем появлении в отеле его наверняка предупредили.

— И какие проблемы? Скажешь, что сумел отбрехаться. Шум идет вокруг бриллиантов, но о картинах никто ничего не слышал.

— Не считая полковника Кулешова. Мамедов обещал ему миллион за результат.

— Не густо. — Юлия прошла к дивану и села. — В моем хранилище лежит сто миллионов залога. Один процент — премия небольшая.

— Даже если Мамедов вернет картины, он тебе их не отдаст. Я думаю, ему выгодно, чтобы ты узнала об ограблении.

Нечаев засуетился у бара.

— Мне джин с мартини. И успокойся, Эдик. Все под контролем.

— Мамедов в бешенстве, ты должна это понимать.

— Кулешов с другими полковниками был у нас на даче. Он ни словом не обмолвился о картинах, его интересовала золотая фляжка Анны, из которой та отравилась в отеле. На ней есть гравировка. Очень мило поболтали. Эти ребята самостоятельно ничего не найдут. Им надо все разжевать и положить в рот. Но когда найдут картины, я об этом узнаю и обязана потребовать их обратно. Какова будет реакция Мамедова?

— Я считаю, что Рашид не хочет возвращать тебе картины.

— Конечно. Они стоят дороже залога. Что касается Кулешова, то Рашид заткнет ему рот миллионом. Но что это меняет по сути? Мамедов не сможет повесить картины в апартаментах, а тогда зачем они ему нужны?

— Он думает над этой проблемой. Хозяевам известно, что они могут договориться с тобой, но не с твоим мужем. С фанатами и коллекционерами договориться невозможно.

— Ты прав! — Юлия выпила свой бокал и поставила его на столик. — К сожалению, владельцы отеля, которых представляет марионетка Рашид Мамедов, давно уже перестали быть гангстерами. Кровавые девяностые позади, и теперь это очень уважаемые люди. Но сколько волка ни корми, он все равно в лес смотрит. Я могу предложить такие варианты. Картины нашлись и вернулись в руки Мамедова. Как он может их присвоить и повесить для общего обзора? Для этого надо лишить меня залога! Украсть у меня сто миллионов долларов из хранилища, и тогда я не смогу выкупить свои картины. Вариант второй. Убить моего мужа. Тогда галерея перейдет в мои руки и он сможет купить полотна, оставив мне лишь здание и сделав меня бессменным руководителем аукционного дома, который мы собираемся открывать совместными усилиями. Доходы, разумеется, пополам.

— Идея гениальная, но Мамедов на это не пойдет. Он трус.

— Мне плевать, на что он пойдет, а на что нет. Важно, чтобы к такому выводу пришел Кулешов.

— Но твой муж жив и деньги лежат в хранилище.

— Это мелочи, Эдик. На днях ты получишь письмо от грабителя с условиями выкупа. Оно должно попасть в руки Мамедова в присутствии Кулешова. Очередная головоломка нам не помешает.

— Вычислить шантажиста нетрудно.

— Я знаю. Мне только этого и надо. Но на его поиски уйдет не меньше недели. Сроки подходящие. Ты, в свою очередь, должен убедить Мамедова нанять частного детектива после настойчивых писем о выкупе. Я пришлю двух кандидатов, и с каждым он должен поговорить. В ресторане. Пусть они пообедают вместе.

— Зачем тебе это?

— Мне нужны фотографии Мамедова с этими людьми. Снимочки ты сделаешь сам.

— Разъяснишь?

— Конечно. Когда придет время. Я тебя понимаю, Нечаев, работать на нескольких хозяев одновременно и выполнять противоречивые задания не просто, но ты же не отказался еще от виллы на юге Франции и белоснежной яхты. Так работай. Деньги с неба не падают. Кому, как не тебе, этого не знать.

Юлия встала и взяла свою сумочку.

— Напиши мне адрес твоей электронной почты.

12

Никогда Гурьев не возвращался домой одним и тем же маршрутом. Он был человеком очень осторожным, но телохранителей не нанимал. Бесполезная трата денег, считал банкир. При современных технологиях охранники пригодны лишь отпугивать мальчишек и борсеточников. Савелий Георгиевич знал: если на него совершат покушение, то наймут самого опытного киллера. Временно он себя обезопасил: предполагаемые убийцы знают, что у него нет акций на руках, он отдал их под залог, и ему их не вернут, пока он не отдаст бриллиантовый гарнитур «Око света» ювелиру Печерникову. Это позволяет оттянуть время казни. Фельдману и Шпаликову нужны гарантии получения акций. Теперь они ничего не получат. Если раньше он считал своим долгом погасить кредит, то теперь раздумал. У него появилась ненависть к своим заместителям. Они начали вести против него открытую войну. Что ж, их право. Банк висит на волоске. Без возврата кредита он продержится на плаву не более полугода, и они вынуждены будут объявить себя банкротами. Вылетят в трубу и останутся на обочине. Прогоревших банкиров даже мелкий магазин не возьмет и на роль кассира. Жирный крест на карьере им обеспечен.

Савелий Георгиевич решил срезать путь и проехать переулками, как это сделал вчера. Он свернул вправо и притормозил — из ворот дома выезжала машина, а переулок был слишком узким, чтобы ее объехать. В эту минуту раздались выстрелы. Гурьев мгновенно лег на сиденье. Пули задели рулевое колесо, разбили зеркало. Стреляли сзади, значит, за ним следили и выбрали удачный момент. Машина стояла на месте, и у стрелков была возможность прицелиться. Стрельба длилась секунд десять, потом все стихло. Банкир продолжал лежать, не шевелясь. Если решат его добить, могут счесть мертвым.

Минут через десять раздался вой милицейской сирены. Бандиты так и не подошли, не стали рисковать. Тут немало офисов, люди вот-вот должны были возвращаться с работы. Савелий Георгиевич набрался смелости и приподнялся. К его машине бежали милиционеры в форме. Он открыл дверцу и вышел.

— Кто-то пострадал? — спросил подбежавший капитан.

— Нет, я ехал один. Стреляли сзади.

— Вы их видели?

— Если бы оглянулся, получил бы пулю в лоб. Я успел растянуться на сиденье.

— Вы догадываетесь, кто это мог быть?

— Киллеры. И не пытайтесь их найти. Я руководитель банка «Юнисфер», и для моего устранения мальчишек не наймут. — Гурьев достал из кармана права и визитную карточку. — Вот что, капитан, висяк вам не нужен, а мне не нужна огласка. Замнем это дело, пока журналисты не набежали. Цепляйте машину на буксир и тащите на платную стоянку, а потом отвезете меня домой. Это все. Тысячу долларов вы получите, если подсуетитесь, они у меня с собой.

— За тысячу лишиться погон? Посмотрите, сколько зевак собралось.

— Как собрались, так и разойдутся. Оставьте пару ребят, пусть опросят свидетелей, а потом порвите протоколы. И поживее, мы движение перегородили. Доставите меня домой — получите еще две тысячи. Не тяните время, капитан. Я вам никаких наводок не дам. Сами колупаться будете.

— Ладно. Садитесь в машину, сейчас подцепим.

Капитан отошел и подозвал к себе подчиненных. Гурьев сел на свое место и достал мобильник. Только сейчас он заметил, как трясутся его руки. Он с трудом набрал домашний номер телефона. Трубку сняла дочь.

— Ирина?!

— А кого ты еще хотел услышать?

— Не кривляйся. Меня только что пытались застрелить. Не получилось. Машину изрешетили. Через час буду дома. Посмотри, сколько денег в письменном столе, надо дать менту пару тысяч.

Дочь молчала.

— Ты меня слышишь?

— Хочешь меня напугать? — спросила она сквозь слезы.

— Не паникуй! Убивать меня еще рано. Пугают. Хотели бы убить — убили. Дома поговорим.

Гурьев убрал телефон в карман, а дочь нажала на рычаг и набрала другой номер.

В кармане Германа раздался звонок. В этот момент он находился в темном, пропахшем мочой подъезде и прятал автомат Калашникова под лестницей, где никто никогда не делал уборку.

— У тебя все в порядке? — спросил женский голос.

— Никаких проблем.

— Что мне делать дальше?

— Нанять частного детектива. Ну, скажем, по рекомендации Алины. Она часто использует сыщиков для проверки клиентов. Иногда Печерникову приносят ворованные бриллианты и заказывают ювелирные изделия. Таких заказчиков надо проверять. Этим занимаются опытные люди.

— Я все поняла.

— Отлично. Я приеду следом за твоим мужем... Извини, за папочкой.

Герман убрал телефон, присыпал автомат песком, накрыл грязной тряпкой, затем снял перчатки и вышел из черного хода во двор. Машина была на улице, теперь ее следовало отогнать на место. Она принадлежала одному из охранников банка, который сегодня уехал на рыбалку на машине приятеля. Эту машину Герман выбрал не случайно. Некий Седов, работающий в хранилище банка «Юнисфер», напрямую подчинялся Фельдману. Это во-первых. Во-вторых, летом он жил один (жена с детьми была на даче) и оставлял машину на улице под окнами дома, где стояла сотня автомобилей. В-третьих, рыбалка была только поводом на случай неожиданного появления жены. Они с дружком ездили на природу с проститутками. Приятель Седова жил в Москве нелегально. К чему столько условий? Все очень просто. У Седова нет и не будет алиби. Шлюх, снятых на шоссе, он не найдет, а приятель в милиции светиться не станет. Герман ничего и никогда не делал, предварительно не просчитав варианты. Он придерживался принципа «Семь раз отмерь, один раз отрежь».

В подъезде дома, где жил Гурьев, его остановили трое молодцев с мордами бывших ментов. Это тебе не консьержка, бабушка божий одуванчик.

Герман предъявил удостоверение сотрудника ФСБ, давно уже просроченное.

— Я к Гурьевым по вызову.

Удостоверение не впечатлило старшего охранника, и он позвонил в квартиру.

— Анна Каземировна, тут к вам пришел некий Герман Карлович Лацис. Вы ждете такого?

Выслушав ответ, охранник положил трубку.

— Проходите. Шестой этаж.

— Хорошо, спасибо, я знаю.

— Удостоверение заберите, оно уже недействительно.

— Могу оставить паспорт.

— Не обязательно. Вас ждут.

Дверь ему открыла Анна. Она громко спросила:

— Вы от Алины Борисовны?

— Да. Работаю по принципу «скорой помощи».

— Заметно. Проходите.

Савелий Георгиевич сидел за столом в рубашке, с распущенным галстуком и расстегнутой верхней пуговицей. Перед ним стояла бутылка и винный фужер.

— Я Герман. Отчество необязательно. Работаю конфиденциально, без посредников. Мои рекомендации вы, вероятно, уже получили. Вызов сделала Алина Борисовна.

— Да, да. Дочь разъяснила, кто вы. Я Гурьев, а это Ирина. Но я не знаю, чем вы можете мне помочь.

— Два часа назад на моего отца было совершено покушение. В Токмаковом переулке, — сказала молодая красивая женщина, не похожая на своего отца. — Дело возбуждать не стали. Тут был капитан милиции Челкин. Он оставил протокол опроса свидетелей. Так, для проформы. Свидетели запомнили машину, из которой стреляли, и даже ее номер. Но машину могли угнать. Мы знаем, кто мог покушаться на жизнь моего отца. Присаживайтесь, разговор будет долгим.

Частный сыщик присел за стол, открыл портфель и достал папку.

— Маленькая формальность. В таких сложных делах мне придется совать свой нос куда не следует, и нам нужно заключить договор о найме меня для услуг. Он нигде фигурировать не будет, но я как частный предприниматель честно плачу налоги, и договор мне нужен для отчетности. Своя бухгалтерия.

— Давайте, — раздраженно произнес Гурьев, скорчив недовольную мину. — Где подписать?

Разговор длился до часа ночи, после чего сыщик захотел осмотреть машину с пулевыми отверстиям. Он оставил о себе благоприятное впечатление делового человека, ни разу не перебив рассказчиков и только делал заметки в блокноте.

— Что скажете? — спросила Ирина, когда сыщик собрался уходить.

— Не думаю, что Фельдман и Шпаликов получили ожерелье. Возможно, у них есть предположение, где находятся бриллианты. Я слышал эту историю, все газеты пишут об этом. Надо изменить мнение обывателей и убедить банкиров в том, что они торопятся со своими выводами. Я видел гарнитур в салоне Алины Борисовны. Речь идет о муляже, разумеется. Год назад я занимался проверкой алмазов, привезенных заказчиком для создания оригинала. Думаю, что Алина Борисовна может дать вам муляж напрокат. В конце концов, она, как и вы, заинтересована найти оригинал. Ваша дочь, Савелий Георгиевич, должна появиться на публике в этом украшении. Можно даже пригласить парочку журналистов на вечеринку в безопасном, но открытом месте. В ресторане, например. Тогда Фельдман и Шпаликов будут сбиты с толку. Бриллианты у вас! А значит, акции все еще находятся в залоге. Такие снимки в прессе заткнут рот грязным репортерам. Сплетни прекратятся. И вы правильно сделали, не позволив открыть уголовное дело. Протокол я заберу, на всякий случай, но банкиры поймут главное — вы их не боитесь и презираете. Продолжайте вести себя с достоинством. Полагаю, мы решим ваши проблемы.

Гурьев улыбнулся:

— Кажется, завтра у тебя именины, Ирочка?

— Не помню... Я закажу столик в ресторане на завтра и дам утечку для репортеров желтой прессы. Думаю, Алина нам не откажет. Мы пригласим ее на вечеринку, и ожерелье будет у нее на глазах.

— Хорошая идея! — обрадовался Гурьев, встал, пожал руку сыщику и сам проводил его до двери.

— Можете звонить мне в любое время суток. Мне нравится ваш подход к делу. Представьте счет за услуги, я удвою ваш гонорар.

Встреча удалась, все остались довольны.

Глава 3

1

Шикарный «Бентли» Рашида Мамедова припарковался у ресторана «Маяк». За рулем сидел Эдди Нечаев, правая рука руководителя отеля «Континенталь» и его главный советник по чрезвычайным вопросам.

Мамедов брезгливо бросил взгляд на вывеску ресторана.

— Ты втягиваешь меня в авантюру, Эдик. Не нравится мне вся эта кутерьма.

— Успокойся, Рашид. Местечко здесь неприметное. Я не хотел, чтобы этот тип приходил в отель. Будь с ним предельно откровенным. Он умеет держать язык за зубами и раскрывал дела, которые другим были не по зубам. К тому же он экстрасенс. Лучше всего, если ты ему выпишешь чек, не надо давать ему наличные.

— Ты уверен, что мы не делаем глупости?

— Я когда-нибудь тебя подводил? Всегда исправлял твои ошибки. Закончив свою работу, он исчезнет. Поверь, я знаю, как делаются такие дела.

Мамедов фыркнул и вышел из машины.

В дневное время ресторан пустовал. Особого гостя у дверей поджидал официант.

— У меня назначена встреча с господином из агентства, — осматривая полупустой зал, сказал Мамедов.

— Меня предупредили. Пройдите за мной.

Официант провел гостя через зал и усадил за небольшой столик у окна, на котором стояли фрукты и коньяк. Столик был накрыт на две персоны.

— Ну и где он? — раздраженно спросил Рашид.

— Он никогда не приходит первым, таково его правило. Вам не придется долго ждать. Пять-семь минут от силы.

Общение Мамедова с официантом длилось минуту-другую, но Герман успел сделать несколько фотографий из-за занавески на двери, ведущей в кухню. На его плече висела сумка, так что, когда к нему подошел официант, он уже успел убрать аппарат.

— Так, Сема, а теперь иди, встречай фокусника. Через минуту он появится.

Семен Желтков никогда не задумывался, для чего Герман проворачивает свои странные штучки. Зачем, например, заставил его жить за городом у какой-то бабы. Она была неплохой женщиной, но вдруг неожиданно умерла. Почему велел ему выпросить у нее подарок, обычный мобильный телефон. Ну да черт с ним, дело старое и незачем о нем вспоминать. Семен отправился встречать фокусника.

Он каждый день виделся с Геннадием Бартошевичем, известным больше как Валентин Валентино, — возил ему обеды на дом, выполнял разные поручения, тот оплачивал услуги, машину подарил — отличный «жук», правда, бабьего цвета и по доверенности, но какая разница, машина-то новая и дорогая.

Бартошевич появился, как всегда, элегантный, подтянутый, но без парика, усов и трости.

— Пришел? — коротко спросил он, будто не видел, как клиент заходил в ресторан.

— Ждет.

Фокусник прошел к столику и представился.

— Меня зовут Геннадий. О себе можете ничего не говорить. Я работаю конфиденциально, так что будем строить наши отношения на доверии.

— Мне об этом говорили.

— В таком случае достаньте диктофон из правого внутреннего кармана пиджака и выключите его.

Рашид немного растерялся, но выполнил указание. После этого Бартошевич сел за стол и тут же налил себе коньяку.

— Рассказывайте все, что считаете нужным. Потом я задам вопросы, если они возникнут, и вам придется на них ответить, иначе я не смогу взяться за работу.

Мамедов подробно рассказал все, что знал. Минут пять сыщик думал, попивая коньяк, затем спросил:

— Отключение сигнализации было вашей личной инициативой?

— Никто, кроме меня, ее отключить не может, кнопка находится в моем кабинете и закодирована. К тому же с шести часов вечера до начала торжеств я не отлучался из офиса. В девятнадцать сорок пять включил сигнализацию и отправился прямо на сцену произносить речь. В нескольких номерах жили эксперты высшего класса, приглашенные мною специально. Я хотел, чтобы весь мир знал о том, что в апартаментах отеля висят подлинники.

— Сейчас гости уже разъехались?

— Да. Торжества закончены. Осталась пара особо любопытных журналистов, которые сами ничего не предпринимают. Они отслеживают желтую прессу, где печатают сплетни о пропаже бриллиантов в тот же вечер. К ним попал снимок, который доказывает, что дама выходила из отеля с голой шеей, в то время как в фойе все видели на ней бриллианты. Но это отдельная тема, ею занимаются компетентные люди. Меня беспокоят картины. Я отдал за них залог в сто миллионов долларов, и мне не вернут деньги.

— А вы не вернете картины, если я их найду?

Мамедов пристально посмотрел на собеседника.

— Этот вопрос не входит в вашу компетенцию. Вы их найдете, а я решу, что с ними делать.

Рашид достал чековую книжку.

— Сколько?

— Десять тысяч за пробу пера. Мне нужен каталог картин. С закладками. Вечером к вам приедет мой паренек, его зовут Семен. Он нас обслуживает за этим столиком. Я должен детально изучить полотна и знать их историю.

— Без проблем.

Мамедов хотел встать.

— Секундочку, — остановил его сыщик. — У меня есть к вам предложение. Вы человек с большими связями и возможностями. Я могу провернуть один фокус. Вы отдали под залог настоящие деньги?

— Глупый вопрос. Я имею дело со своими партнерами и не намерен мухлевать. Мы собираемся открывать аукционный дом и продолжать сотрудничество.

— Достаньте мне фургончик, набитый фальшивыми долларами высокого качества. Сумма должна быть приближенной к залоговой. Тогда картины будут вашими.

Мамедов от растерянности сел на место.

— Вы в своем уме? — спросил он после паузы.

— Вполне. Вам не смогут вернуть залог.

— Потому что я подсунул своим партнерам фальшивки?

— Об этом никто не узнает. Что будет с настоящими деньгами, вас не касается. Вы их заплатили. А фальшивки сгорят при пожаре.

— Вы хоть представляете себе, где они хранят деньги? В центральное хранилище Центробанка залезть проще, чем к ним. Я лично отвозил туда деньги и видел эти катакомбы.

— Это мои проблемы. Вам надо выполнить пустяковую работу. Закажите доллары, и вам их напечатают. Они мне нужны не позднее пятницы. Оставите машину в условленном месте и забудьте о ней. Это все, что от вас требуется. Никто не предлагает вам даже прикасаться к фальшивкам. Я не тороплю вас с ответом. Подумайте. Вечером дадите ответ, когда мой курьер придет за каталогом. Сделайте пометку в книге, и я пойму, согласны вы или нет.

Мамедов ничего не ответил, оставил на столе чек и ушел.

О предложении Геннадия, как ему представился сыщик, Рашид тут же рассказал Нечаеву.

— Сумасшедшая идея, — пробормотал Эдди. — Но я знаю способности этого типа. Он может творить чудеса. Главное в другом, Рашид. Я знаю, как и где его можно найти. Если он вытащит из хранилища твой залог, забрать у него твои деньги не составит труда.

— Я не верю в чудеса.

— Можно верить или нет, но ты же ничем не рискуешь.

— Ста тысячами.

— Это как? — не понял Нечаев.

— За такой тираж фальшивых долларов с меня возьмут один процент плюс стоимость дорогой бумаги, работа, краска, доставка и страховка.

— Дело твое. Я ведь не одержим бесом. Это вы сходите с ума по дурацким картинам. Мне плевать. Тебе дали шанс, ты и думай.

— Угости сигареткой.

— Ты же бросил.

— Тут бросишь! Голова идет кругом. Я уже ничего не понимаю. Такое впечатление, будто меня затягивают в болото, а я, точно слепец, не вижу под ногами трясины.

— Не так страшен черт, как его малюют. Я не хочу навязывать тебе своего мнения, хозяин — барин.

* * *

Через сорок минут Бартошевич уже был на своей съемной квартире на Кутузовском проспекте, в том же доме, где жил банкир Гурьев, но в другом подъезде. Его поджидала Анна, жена Гурьева. Впрочем, он знал ее как Ирину и знал много лет, еще с Хабаровска, когда Ирочка встречалась с сыном фокусника, но у них так и не сложилось. Бартошевич уже тогда был знаменитостью, но громкой карьеры сделать не смог. Три года за мошенничество, проведенные в зоне, не позволяли ему выйти на большую арену. Эта проклятая судимость не давала возможности вырваться за рамки периферии. Когда Ирочка, теперь уже светская столичная дама с большими возможностями, вновь дала о себе знать, он приехал в Москву по первому ее зову. Аферы его не пугали, он любил играть и на сцене, и в быту. Человек-маска, чрезмерно азартный, в душе был очень добрым, любил тайны и мистику, часто пользовался своим даром и уверял друзей, будто сам Вольф Мессинг прочил ему большое будущее.

— Как прошел спектакль? — спросила Ирина, попивая коктейль перед телевизором.

— Я тут же его ошарашил. Нечаев меня предупредил о диктофоне в его кармане. Этот придурок решил подстраховаться. Пришлось охладить его пыл. Однако свой диктофон я не выключил, ты можешь прослушать всю беседу, чтобы не утомлять меня пересказом.

Бартошевич достал диктофончик и положил девушке на колени.

— Послушаю потом. Меня интересует ваше визуальное впечатление, Геннадий Василич. Вы человек проницательный. Слова — одно, а психологическая оценка — совсем другое.

— Я думаю, он клюнет. Видела бы ты, как я играл. Смоктуновский отдыхает. К тому же я работал над его сознанием. Крепкий мужик, стойкий, но подкорку я ему вскрыл.

— Самоуверенный вы тип, Геннадий Василич, сын в вас пошел.

— Я всегда проверяю свою работу. Вот доказательство.

Фокусник достал из кармана чек и подал его Ирине.

— Почитай.

— Чек на пятьдесят тысяч долларов, выписан на имя Бартошевича Геннадия Васильевича. Молодец! Облапошил такого жлоба.

— Ты ничего не поняла, Ириша. Я не говорил ему своей фамилии, а сумма оговаривалась в десять тысяч. Выписан чек под мою «диктовку», причем я молчал. Сейчас он уже забыл о чеке, помнит только о моем предложении, и ни о чем больше.

— Была бы я мужчиной, сняла бы перед вами шляпу. Проявите себя еще разок. Так, чтобы я это видела.

Бартошевич широко улыбнулся.

— Превратить тебя в лягушку?

— Дело намного проще. Все квартиры арендую я, мой отец только перечисляет деньги в Академию наук. Они проходят через их бухгалтерию. В Академии работает мой приятель, который живет несколькими этажами ниже. Эдакий сексуально озабоченный тип. Время от времени я давала ему ключи от этой квартиры, и он водил сюда девок, пока не наткнулся в лифте на собственную жену.

— И что ты хочешь?

— Он должен считать, что ключи ему давала не я, а мой отец, который пользуется похожей квартирой в моем подъезде. Два бабника нашли общий язык.

— Говоришь, он здесь живет? Отлично. Звони ему, пусть поднимается к нам. Пятиминутная беседа, и задача выполнена.

2

Квартира покойного генерала Слободского походила на антикварный магазин. Сева Дербенев прекрасно разбирался в живописи и антиквариате. У него самого имелись антикварные магазины, он знал толк в раритетах.

Перед тем как войти в квартиру, Дербенев и Иван надели перчатки, на ноги — бахилы. С замком справились легко. То, что они увидели, поражало.

— Дочь генерала — сумасшедшая, — озирался по сторонам Дербенев. — Сдавать квартиру, в которой добра на миллионы!

— Неделю будешь вывозить, — усмехнулся Иван. — Дочь в последние годы с отцом не общалась. Мы с Лерой нашли бывшего шофера генерала и поговорили с ним, представившись сотрудниками милиции. Выяснилось, что Слободской умер скоропостижно, и шофер считает — он умер не своей смертью. Слишком много знал. В последние месяцы жизни часто встречался с другими генералами из Генштаба. Зачем? Он же в отставке. Может быть, торговал военными тайнами? Чтобы накупить себе столько барахла, надо иметь немало денег.

Сева указал на стену:

— Гоген, Моне, Сислей. Это подлинники. Мы их заберем, но сначала надо добыть копии. Я знаю, кто их может сделать. Нам нужны размеры холстов, а срисовать их можно с репродукций. Качество тут не имеет особого значения. Никто же не знает, что у генерала на стенах висят оригиналы, иначе он укрепил бы свою берлогу как полагается.

Они расхаживали по огромной четырехкомнатной квартире и осматривались.

— Тут ты не прав, Сева. Берлога была укреплена надежно. По словам шофера, первое, что сделала дочка покойного, так это сняла уникальные замки с входной двери и врезала дешевое дерьмо, а настоящие повесила на своей даче. Это все, что заинтересовало мадам из наследства отца. Ее муж владеет бензоколонками в Москве, а она интересуется только тряпками. Из дома забрала три сберкнижки на предъявителя и деньги.

— Как она сюда попала?

— У шофера были ключи от квартиры. Он был когда-то личным адъютантом генерала, денщиком. После отставки стал его нянькой. Ходил по магазинам, готовил обеды, возил хозяина на машине. Однажды утром пришел и увидел генерала мертвым. К делу подключилась военная прокуратура. Но следов насилия не было и вскрытие делать не стали. Старика кремировали и захоронили урну в стене на Новодевичьем кладбище. Все! Вопрос закрыт.

Они вошли в кабинет. Высокие книжные шкафы из красного дерева с резьбой, тяжелый письменный стол, лампа с зеленым абажуром сталинских времен. Как аппендикс выглядел современный компьютер, не вписывающийся в интерьер. В углу — старый сейф.

— Такую библиотеку за год не соберешь, — покачал головой Дербенев.

— Было интересно пролистать странички. Наверняка нашли бы чего-то интересное. Сейф отвлекает внимание, о книгах никто уже не думает.

— Чтобы пролистать эту библиотеку, Ваня, понадобится месяц беспрерывной работы. Судя по пыли на книгах, никому такая идея в голову не приходила.

Дербенев указал на компьютер.

— Садись, пора заняться делом, пока не вернулся Левша.

— Лера предупредит.

— Нам надо дело сделать, все остальное потом.

Иван сел за письменный стол и включил технику.

— Странно, все работает. И Интернет подключен.

— Ничего удивительного. У ветеранов безлимитный доступ, а о том, что генерал умер, провайдеру не сообщили. Даже некролога в газетах не было. Чем-то он насолил военным, тут ты прав. Избавились от него тихо и быстро. Так, диктую письмо, Нечаев должен его получить через час. Мамедов ждет полковника Кулешова. И содержание письма должно дойти до сыщика. На этом вся игра строится.

— Я готов. Диктуй.

— «Хотите получить свои картины назад — готовьте пятьдесят миллионов долларов или заплатите бриллиантами, весом по пять карат. Свяжетесь с ментами — сделка не состоится. Если согласны, дайте в газете "Из рук в руки" объявление следующего содержания: "Продается уникальный столовый сервиз из серебра на пять персон". И помните. Картины предложены не только вам. Я объявил конкурс. Кто первый подсуетится, тот их и получит. Всем известно, что я прошу полцены». Точка. Отправляй.

Иван усмехнулся.

— Бред сивой кобылы.

— Почему? — спросил Дербенев.

— Ну, во-первых, сервизы на пять персон не делают. На шесть или двенадцать. Во-вторых, он сразу же объявляет себя одиночкой: «Я объявил конкурс». В-третьих, конкурс означает утечку информации и связь с людьми. О торгах будет знать вся Москва. У нас найдется не больше десятка человек, которых легко вычислить. Я говорю о тех, кто может купить ворованную живопись. Грабитель — полный идиот. Идея с бриллиантами мне понравилась, остальное чушь.

— Молодец, Ваня. Надо чем-то занять полковника, пусть думает. Мы же не даем ему работать, он занимается чем угодно, но не делом. Психологический трюк. Вспомни Ильфа и Петрова. Какие телеграммы они писали подпольному миллионеру Корейко? «Грузите апельсины бочками!» А? Это игра, Иван. Но как бы глупо она ни выглядела, Мамедов задумается, где ему достать бриллианты на сумму в пятьдесят миллионов. Деньги для него не проблема. На строительстве сэкономлено больше трехсот миллионов. Согласно заявлению, отель обошелся хозяевам в миллиард, на деле — значительно меньше. На стройке работали гастарбайтеры и нелегалы.

— Где он купит бриллианты на такую сумму?

— Алина достанет. Она их возьмет по бросовой цене в Анголе. Тут очень сложная комбинация, Ваня. Акции теперь принадлежат дочери Гурьева. Она хозяйка. Ты думаешь, Алина участвовала в афере с ожерельем от нечего делать? Нет. Они делят акции пополам. Учитывая их сегодняшнюю стоимость, обе получают по двести пятьдесят миллионов вместо ста затраченных Гурьевым. Анна, или точнее, Ирина Гурьева, как владелица акций может их подарить, продать или разорвать. Она «продает» часть акций Алине и вводит ее в совет директоров синдиката. Алина такое количество бриллиантов может обменять на часть акций. Они ей обойдутся по внутренним ценам, а Мамедову она их продаст по полной стоимости. На эти деньги можно вернуть свои акции, да еще останется. Плюс ко всему она заработает авторитет в синдикате. Не успела вступить в совет директоров, а уже провернула такую крупную сделку. Бриллианты — не мандарины, чтобы их продавать оптом. Но нам с тобой, Ваня, до этого нет дела. Мы работаем за проценты. Хорошие проценты плюс премиальные, которые выписали себе сами.

Раздался звонок мобильного телефона. Иван достал трубку и ответил, потом убрал аппарат.

— Левша вошел в подъезд.

— Очень хорошо. Заждались.

Беглый зек Тарас Тишко по кличке Левша не находил себе места. Все его попытки разыскать Оксану ни к чему не привели. Девчонка как сквозь землю провалилась. Он не верил в то, что она его испугалась. Должна бы радоваться его появлению, такие профессионалы на улице не валяются. Он не сомневался в планах Оксаны. Она не зря устроилась горничной в дом банкира. Подвал банка — настоящий клондайк: три тысячи ячеек, открытых людьми безымянно. Левша просидел два дня возле банка и видел клиентов. Наблюдал внимательно. В ячейках хранят свою добычу и общаки звезды криминального мира России, и ни один из них не пойдет в ментуру с заявлением о пропаже награбленного. Такое дело — мечта всей жизни Левши:

крупный куш и — за кордон, где его уже никто не достанет. За такое будущее можно попотеть.

Тарас вошел в свою квартиру в раздумье и сразу направился на кухню, к холодильнику. Проголодался после тщетных поисков. Не успел он сесть за стол, как появились двое мужиков солидного возраста, у одного из них в руке был пистолет. Левша был хорошим физиономистом и тут же понял, что перед ним не сыскари, а деловые ребята, с которыми лучше не спорить. Сам он никогда не носил с собой оружие, в Москве это очень опасно. Людей почем зря останавливают на улице для проверки документов, а его рожа внушает мало доверия.

Один из мужиков остался стоять в дверях, другой, более солидный, с умным хитрым взглядом подсел к его столу.

— Оксана работает на меня, красавчик. Ты со своей шпаной появился не вовремя. Мешаешься под ногами. Мне ничего не стоит всех вас размазать по асфальту. Мы не в Киеве и не в Жмеринке. Здесь Москва, и разрешение на приезд сюда даю я. Оксана тебя пожалела. По старой дружбе. Могу взять в долю в качестве чернорабочего. Уберешь нескольких придурков — получишь ключ от ячейки. Опустошишь ее и еще парочку. Тебя будут страховать. В итоге получишь счет на Кипре и загранпаспорт с билетами. Это все. С компьютером обращаться умеешь?

— Соображаю, — пробурчал Левша, так и не проглотив кусок хлеба, застрявший во рту.

— Инструкции будешь получать по электронной почте. Твое мнение меня не интересует. Если не согласен, даю тебе два часа, чтобы ты успел добежать до вокзала. А твоих придурков, что окопались в Марьино, мы в грязной луже утопим. И помни, Левша, тебя я жалею только из-за Оксаны. Забудь ее настоящее имя. Вероники Кутько больше не существует, есть Оксана Мартынчук, порядочная девушка из Одессы. Она сумела это доказать двухлетней работой на банкира. Такие операции с ходу не проводят, мы работаем чисто и интеллигентно, без брака и следов.

— Я понял, — с трудом проглотив кусок, закивал Левша.

— Компьютер должен быть постоянно включенным, следи за почтой. И не слоняйся по городу, тебе светиться ни к чему. Соблюдай инструкции и получишь то, о чем мечтаешь.

3

У Мамедова пробежал мороз по коже, когда неизменная секретарша Люси Каплан доложила о появлении в приемной Юлии Баскаковой. Настырная баба. Она уже встречалась с Эдди Нечаевым, теперь добралась до него самого. Не принять ее он не мог, показать картины — тоже. Их украли. Сознаться в этом невозможно. Скандал неизбежен. Может быть, Юлия не станет поднимать шум, она деловая женщина и пойдет на компромисс, но ее муж, самый известный и уважаемый галерейщик Москвы, устроит настоящее землетрясение в столице. Полковник Кулешов топчется на месте, следствие не продвигается. Надо что-то делать. Весь мир уже знает о подлинниках, висящих в его отеле, он показывал купчую экспертам. Что теперь делать? Купчую оформили настоящую, по всем законам и правилам. И этот документ имеет юридическую силу. Но надо понимать, что Илья Данилович Баскаков не сумасшедший, чтобы подписывать купчие. Тут Рашид предложил компромисс, и он всех устроил. Составили не один документ, а два. Первым и главным стала купчая на приобретение отелем «Континенталь» тридцати картин у галереи Баскакова. Во втором документе говорилось, что купчая под номером таким-то считается недействительной ввиду несогласования сторонами общей цены товара. Второй документ был оформлен днем позже и ставил жирный крест на купчей. Подписали бумаги обе стороны одновременно, однако о втором документе знали только те, кто его подписал. Он давал Баскакову гарантии, что картины к нему вернутся, а купчую можно выбросить в унитаз. Если Баскаков раскроет эту авантюру перед общественностью, то отель из самого шикарного в мире сооружения превратится в притон аферистов. А уж конкуренты постараются раздуть эту историю с таким размахом... Мамедова передернуло от одной лишь мысли о последствиях.

Люси пригласила гостью в кабинет.

— Рад тебя видеть, Юлия. Прекрасно выглядишь.

Рашид пытался уловить настроение галерейщицы. У него вспотели ладони, бегали глазки. Он никак не мог взять себя в руки.

— Нечаев мне показал первый этаж правого крыла, где мы собираемся открывать аукционный дом. Я поражена, Рашид. Там до сих пор ничего не сделано.

Мамедов облегченно вздохнул, встал из-за стола, поцеловал даме ручку. Усадив ее в кресло, предложил выпивку.

— Сухой мартини и немного джина. Так что ты скажешь? Я получаю кучу предложений. У меня есть возможности достать Гогена, Моне, Сезанна — импрессионисты всегда в моде. Мы можем открыть торги хоть завтра, а на вырученные деньги покупать русскую живопись.

— Юлечка! Официальное открытие «Континенталя» намечено на Рождество. Точнее, на двадцатое декабря. У нас еще полгода в запасе. Все будет сделано в лучшем виде. Торги состоятся в дни открытия. Даю гарантию.

— Гости разъехались? — спросила она, принимая бокал.

— Не все. Погода хорошая, гуляют по Кремлю, катаются на речных трамвайчиках.

— Следующий вторник — последний день. Илья хочет получить свои картины назад.

— Но на их место надо повесить копии.

— Для кого? Ты не закончил отделочные работы на десяти этажах, не говоря уже о крыльях. К Рождеству копии будут готовы. К официальному открытию. Ты знаешь, как трудно найти хорошего копииста? Я уже забраковала три кандидатуры. Мы с мужем никогда не имели дел с теми, кто занимается подделками, мы их презирали, а теперь мне приходится искать этих прохвостов и входить в их круг. Они пугливы, недоверчивы и очень тщеславны. Мне нужно время. И тут еще одна загвоздка. От них придется както избавляться. Зачем нам слухи, я же говорю, они тщеславны, хвастливы.

— Доверь эту проблему мне. Сначала надо найти достойных мастеров, а потом я позабочусь о мастерской для них, где они получат все необходимое для работы. Вот только выхода из этой мастерской не найдут.

Юлия сделала два глотка.

— Хочешь построить новый замок Иф?

— Они будут жить как короли, но соблюдать определенные условия.

— Мне нравится твоя идея. Но сейчас удели особое внимание аукционному дому. К Рождеству я подготовлю десятка два шикарных лотов. Мир ахнет. Тебе это нужно не меньше, чем мне.

Рашид отпил из своего стакана глоток сока и заговорил вполголоса:

— Знаешь, Юлия, о чем я мечтаю?

— Догадываюсь.

— Да?

— Ты хочешь всю галерею моего мужа развесить в апартаментах отеля.

Он поднял брови:

— Почему бы не помечтать? Тогда нам и копиисты не понадобятся.

— Сумасшедший.

— Я предлагаю великолепную сделку. Ты останешься собственницей картин, они твои. И аукционный дом будет принадлежать тебе, но это мы не будем афишировать. Ничего, по сути, не произойдет, просто поменяется место экспозиции.

Юлия допила напиток и поставила бокал на стол.

— Ты забываешь, Рашид, что галерея принадлежит моему мужу. Лично я могла бы пойти на такую сделку, я предпочитаю западное искусство, а отелю нужно только русское — это соответствует его имиджу. Правда, я к твоему предложению добавила бы еще один пункт. Здание галереи принадлежит городу, земля под ним тоже. Убери из здания галерею, и мэрия заберет помещение под свои нужды. Если выкупить его вместе с землей и записать на меня, тогда другое дело, при таких условиях все остались бы в выигрыше.

— Я подумаю, что можно сделать в этом направлении. Наша идея может воплотиться в жизнь.

— Конечно. Если мой муж умрет.

Рашид ухмыльнулся:

— Мне нужно лишь твое согласие.

— А вот его ты не получишь, Рашид. Илья будет жить до тех пор, пока я не найду его последнее завещание. В нем сказано совершенно определенно: галерея переходит по наследству городу. Мы оба останемся с носом, если завещание сработает. Найти его непросто, Илья даже своему адвокату не доверяет. Так что придется повременить и пока выполнять прежние договоренности. Во вторник ты сдаешь картины в галерею и забираешь свой залог. Наберись терпения.

После ухода Юлии Мамедов задумался. Он догадывался, где Баскаков хранит свое завещание, знал о маленьком сейфе в хранилище, куда отвозил деньги. Именно в этот сейф Илья Данилыч положил документы и расписки. Но туда невозможно подобраться. Стоп! А как же сыщик Геннадий? Тот тип, с которым он встречался. Ведь он хотел заменить настоящие деньги фальшивыми, а потом устроить пожар, значит, он знает, как попасть в хранилище.

Мамедов вызвал Эдди Нечаева. Тот появился через пять минут с листком бумаги в руках и тут же воскликнул:

— Новое письмо от шантажиста!

Мамедов не сразу понял, о ком идет речь.

— От кого?

— От того самого, который требует бриллианты за картины. Мы же дали объявление в газету, как он просил.

— Читай.

Нечаев уткнулся в лист бумаги:

— «Если вы согласны, то ищите камешки. Обмен произведем на улице, при всем честном народе. Если вы захотите устроить мне ловушку, то картин вам не видать. Перед обменом я должен увидеть бриллианты. Как? Скажу потом. Получите камешки — дайте то же объявление в газету».

Мамедов старался сосредоточиться. У него голова шла кругом от череды событий, к которым он не был готов.

— Еще раз.

Нечаев прочитал письмо второй раз.

— Он не боится, что его письма можно отследить? — спросил хозяин.

— Я подключил лучших специалистов к розыску компьютера, с которого они идут. Мы его вычислим.

— Ты веришь, Эдди, что картины у него?

— Думаю, да. Чтобы убедиться, можем потребовать описания задней стороны холста. У нас есть особые приметы полотен, о которых никто не знает, кроме Баскакова. Юлия передала нам копию реестров, по ним братья Леблан определили подлинность полотен. Вор может их описать, если картины в его руках.

— Это верно. Продолжай поддерживать с ним связь, мы не должны упускать парня из виду.

— Если ты хочешь идти на обмен, то вор прав. Где ты возьмешь такое количество бриллиантов?

— Мне нужно повидаться с Алиной Малаховой. Лучшего специалиста в этой области мы не найдем.

— Даже она не сможет найти столько бриллиантов. Речь идет о пятидесяти миллионах.

— Ты не рассуждай, а делай. Или у тебя есть другие идеи?

— Нет.

— А теперь найди сыщика, с которым мы встречались в ресторане «Маяк», мне нужно с ним поговорить. Это срочно.

4

Банковский менеджер ввел данные девушки в компьютер и подал ей ключ с брелоком, на котором стоял номер 839.

— Теперь вы можете пользоваться своей ячейкой.

— И что я должна делать? — наивно спросила Дина.

Молодой человек улыбнулся. Девушка ему очень понравилась. Впрочем, ничего удивительного, Дина покоряла сердца многих мужчин. Она знала о своей привлекательности и умела ею пользоваться. Но яркая внешность имела свои недостатки — Дина не могла остаться незамеченной, даже если этого пожелает.

Молодой человек едва не высунул голову из окошка.

— Вы пересечете операционный зал, спуститесь по лестнице и упретесь в решетчатую дверь. За дверью сидит дежурный. Покажете ему ключ, дверь откроется. Зайдете в хранилище, назовете свой номер ячейки. Вам дадут карточку, на которой вы распишетесь. Охранник сравнит вашу подпись с электронным образцом, и вы пройдете к своей ячейке. Ничего сложного.

— Моему преподавателю по электромеханике тоже все было понятно, и он всегда удивлялся, почему у него такие тупые студенты.

— А вы веселая! — еще шире улыбнулся молодой человек.

— С чего бы мне плакать? Я в полном порядке. Чао! Еще увидимся.

Это прозвучало как обещание. Дина всегда оставляла надежду мужчинам. Никогда не знаешь, кто тебе будет полезен в будущем, жизнь такая непредсказуемая штука.

Глотая слюнки, парень смотрел вслед виляющей округлой попкой высокой красавице и не мог оторваться, пока она не скрылась, спустившись вниз.

Девушка подошла к решетке, постучала ключиком по стальному пруту. Дежурный взглянул на нее, нажал какую-то кнопку, и решетчатая дверь уползла в потолок.

Дина показала брелок с номером, похожий на медаль или старинную золотую монету, получила листок бумаги и расписалась на нем. Пока клерк сравнивал ее подпись, девушка осмотрелась. Перед ней была никелированная стена со множеством проходов. Пол, выложенный плиткой из толстого матового стекла с медными прожилками, разделяющими плитку на квадраты, выглядел очень хрупким. Дине показалось, что она расколет стекло своими каблучками-шпильками.

— Можете проходить, — сказал клерк, возвращая ключ.

— Куда?

Это был не вопрос, а возмущение.

Клерк набрал на клавиатуре номер ее ячейки, и под плиткой загорелись лампочки. Высветилась дорожка.

— Идите по светящемуся кафелю, он приведет вас к вашему сейфу.

Дина взяла ключ и пошла. Веня просил ее запомнить дорогу. Девушка обладала хорошей зрительной памятью, но тут нечего было запоминать, кроме поворотов. В дремучем лесу легче сориентироваться, все деревья разные, можно и зарубки оставить, а тут? Вдоль стен только одинаковые ячейки. Светящаяся дорожка все время петляла. Дина была уверена, что есть прямой путь или более легкий, а ее специально запутывают. Она прошла коридор с ячейками, номера которых начинались с тройки, в соседнем переулке они начинались с семерки. Нумерация была сбита умышленно и носила хаотический характер, так что не могла стать ориентиром. Дорожка сделала восемь поворотов налево и пять направо. Ее гоняли по кругу, но по разным переулкам, и она ни разу не попала в одно и то же место. Если светящиеся плитки погаснут, самостоятельно из лабиринта не выберешься.

В одном из проулков дорожка оборвалась. Девушка встала на последнюю из светящихся плиток и осмотрелась. Сейф с ее номером находился по правую руку. Она вставила ключ в скважину и повернула его. Толстая дверца открылась. На обратной стороне дверцы висела стальная пластинка с вытесненным текстом: «При открытой дверце наберите десятизначный код и запомните его. После того как вы захлопните дверцу, сработает электронный замок. В следующий раз, чтобы дверца сейфа открылась, после поворота ключа вам придется набирать установленный вами код. Вы можете менять его после каждого своего визита в банк. Желаем удачи!»

Дина выдвинула ящик, подняла крышку, затем открыла свой дипломат, достала коробку и положила в сейф. Потом набрала код с внутренней стороны дверцы: 0,1,2,3, 4,5,6,7,8,9 и захлопнула ее. Провернув ключ, выдернула его. Прозвучал тихий зуммер, что-то щелкнуло — система сработала.

Иметь свой сейф в банке было давней мечтой девушки, но ей пока нечего хранить в нем. Она знала, что недалек тот день, когда ее ящик наполнится деньгами и она станет богатой. Ей стукнуло двадцать четыре года, жизнь только начиналась. Девушка верила в себя и свою судьбу. Девизом ее стали слова, прочитанные в какой-то книжке: «Никого не бойся, никому не верь и ничего не проси!» Но это на будущее. Сегодня приходилось просить, если не сказать — клянчить. И бояться было кого. Что касается веры, то как без нее обойтись? Она верила, и это придавало ей силы. А вот с любовью дело обстояло плохо. Кроме себя, она никого не любила. Ей очень хотелось влюбиться, но принц на белом коне встречается только в сказках. Главным своим достоинством Дина считала не внешность, а решительность, смелость и стойкость. Была убеждена — важно иметь цель, а каким образом ты к ней придешь — не имеет значения.

Взяв свой чемоданчик, Дина перешла к ячейке номер 824, вставила ключ и повернула его. Из кармана жакета достала бумажку, на которой был написан код, набрала его. Раздался щелчок, дверца открылась. Оказывается, сейфы не так надежны, как кажется на первый взгляд. В ящике она увидела коробку, похожую на ту, что принесла, приоткрыла ее. Тысячи огоньков засверкали в ярком свете ламп. Девушка тут же захлопнула коробку и переложила в дипломат. Задание выполнено.

Дина вернулась на светящуюся дорожку. Она хорошо помнила, что свернула в отсек с правой стороны, но тропинка сворачивала влево — ей высветили новый путь, который должен был окончательно сбить ее с толку. Светящаяся дорожка вывела девушку к железной двери. Вместо охранника возле двери стояла красивая брюнетка в дымчатых очках, в черном облегающем платье.

— За кражу получишь лет семь. Взлом сейфа и грабеж в особо крупном размере.

Дина растерялась. Она понимала, что оказалась в ловушке и бежать ей некуда.

— Меня попросили забрать вещь, я забрала. Вот и все.

— Тебе только что выдали ключ от одной ячейки, а ты залезла в чужую. Все это зафиксировано видеокамерами. Но не будем терять времени, Скуратов заждался. Герман тебя предупреждал, не так ли? Скуратову крышка. А теперь слушай внимательно, девочка. Отдай ожерелье Скуратову и попроси отвезти тебя домой. Выйдешь из машины Вени, но домой не пойдешь, пересядешь в синий джип, он будет стоять возле дома. В нем тебя ждет Герман. Остальные инструкции получишь от него.

— Я все поняла.

— На Скуратове галстук с видеокамерой, встроенной в узел?

— Он его не снимает.

— Отлично. А теперь можешь идти. Делай, что тебе говорят, и ты уцелеешь. В отличие от своего приятеля.

Женщина нажала кнопку, и железная дверь открылась.

— Эта лестница ведет в операционный зал. Не дергайся, веди себя достойно. Ты только что совершила кражу века.

Веня Скуратов сидел в своей машине и ерзал на сиденье. Он заметно нервничал, лоб покрывали капельки пота. В способностях Дины Скуратов не сомневался, но он не знал всех банковских секретов и возможных ловушек. Дина пошла на разведку. Она предупреждена об опасности, но может выкинуть любой фортель — сначала делает, потом думает, а это чревато непредсказуемыми последствиями.

Дина вышла из банка через пятьдесят три минуты после того, как вошла в него. Выглядела она уверенно и была, как всегда, прекрасна. Неторопливой походкой супермодели подошла к машине, села на переднее сиденье.

— Я получила ключ от ячейки 839. Ключ и код подошли к 824-й. Коробку с камнями забрала. Бриллианты в дипломате. У меня даже не попросили паспорта при оформлении.

Скуратов не верил своим ушам. У него пересохло горло и прилип язык к небу. Он смотрел на Дину, хлопая глазами, и не мог проронить ни слова.

Девушка повысила голос:

— Трогай, болван, пока нас не взяли за жопу!

Оба серьезно нервничали. Дина попросила отвезти ее домой, и Скуратов не возражал, сейчас ему не до нее. Он получил в свои руки то, чего никто получить не мог. Он гений!

Девушка вышла на углу рядом с домом, где Веня снимал ей квартиру, и как только его машина скрылась за углом, тут же села в джип.

— Говори, как ехать на дачу, мы должны его опередить минут на десять, — резко приказал Герман.

— Выезжай на Киевское шоссе.

Машина сорвалась с места.

— Что я должна делать? Он же меня увидит!

— Надо сделать так, чтобы не увидел, детка. Мы его обгоним. Перемахнешь через забор, спрячешься в кустах и будешь ждать. Он въедет на свой участок, войдет в дом, ты сядешь в его машину и включишь все оборудование. Мне нужна запись. Он тут же полезет в свой тайник прятать бриллианты. Через видеокамеру мы сможем не только понять, где находится этот тайник, но и увидеть цифры кодов, которые он будет набирать на замках. Больше нам ничего не надо. Заберешь кассету с записью и уйдешь с участка. Я буду ждать на опушке, а потом, деточка, познакомлю тебя с настоящим продюсером и редактором журнала. На несколько дней ты исчезнешь. Квартирка тебе уже подготовлена, жить будешь припеваючи.

— А Веня?

— Забудь о нем. Он ничтожество и свое получит.

Дина сделала все, как ей сказали. Они приехали на дачу раньше Скуратова, она спряталась на участке, а потом воспользовалась студией на колесах и отсняла весь нужный материал.

У опушки ее поджидал Герман.

— Я все сделала. Ты прав, он отнес коробку с бриллиантами в подвал. Вход за зеркалом.

— Подождем. Сейчас он уедет, и я заберу камешки. Завтра в этом ожерелье одна дама будет отмечать свои именины в ресторане.

— Думаешь, он сегодня куда-нибудь поедет?

— Обязательно. Он назначил свидание той даме, с которой ты встретилась в банковском хранилище. Этот придурок решил, что теперь прижмет ее к стенке. Бриллианты принадлежат ей, он хочет получить за них выкуп. Только этот идиот не будет знать, когда придет на свидание, что его сейф уже пуст. Торги кончатся ничем.

— Господи! Какие же вы все умные! — покачала головой Дина.

5

Частного сыщика Геннадия найти ничего не стоило, он ни от кого не прятался и опять назначил встречу Рашиду Мамедову в ресторане «Маяк». На этот раз фокусник не опоздал, а наоборот, пришел раньше.

— Я вижу, вы на взводе, Рашид. Сядьте, успокойтесь, а потом мы с вами поговорим.

Мамедов понимал, что сыщик прав. Он редко доверял людям, но этот тип внушал ему доверие.

— Меня интересует главный вопрос. Вы можете проникнуть в хранилище галереи Баскакова?

— Конечно, могу. Я никогда не делаю предложений, если у меня нет стопроцентной уверенности в том, что они осуществимы.

— Вы просили приготовить вам фургон, набитый долларами. Я понимаю, что деньги должны сгореть, и не требую вернуть мне часть суммы. Но я хочу знать, как вы сможете загрузить в хранилище фальшивки, а вывезти из него настоящие деньги. Вы должны знать десятизначные коды, чтобы открыть сейфовую дверь весом в несколько десятков тонн. Это же сказка. Если вы сумеете объяснить схему действий, я предоставлю вам фальшивку высокого качества.

Сейчас они напоминали удава и кролика. Сыщик не сводил глаз с заказчика. Возможно, гипнотизировал своего собеседника, а может, и нет. Как хороший психолог, Бартошевич уже понял, что Мамедов клюнул на приманку. На него давили письма, посылаемые Дербеневым по электронной почте от имени вора картин. На него подействовал последний визит Юлии Баскаковой. Практически Мамедов уже стал сообщником.

— Я могу расписать вам ход операции, но мне нужны гарантии, что вы меня не сдадите своему приятелю полковнику Кулешову. Или не перехватите деньги при вывозе из хранилища.

— Я заинтересован в вашей работе.

— Не сомневаюсь. Но когда я выполню задание, вы уже не будете во мне нуждаться. Подпишите одну бумагу, и тогда мы сможем доверять друг другу полностью.

Бартошевич положил перед хозяином отеля лист бумаги. Тот прочитал его, шевеля губами, будто первоклашка, читающий букварь:

«Я, Рашид Мамедов, извещен о намеченном на ближайшие дни ограблении хранилища художественной галереи Ильи Баскакова, но не намерен раскрывать секрет операции. Любое мое действие, препятствующее намеченному плану, можно считать корыстным, работающим в мою пользу. Число, подпись».

Мамедов подписал бумагу и положил под свою тарелку.

— Я вам ее отдам, если вы убедите меня в реальности своего плана. Теперь я ваш сообщник и рисковать уже не могу.

Сыщик довольно улыбнулся. Самая сложная задача была решена. Теперь он мог рассказать историю Дербенева, то, что происходило на самом деле, стоит лишь поставить себя на место великого комбинатора.

Эта история случилась год назад. К Дербеню обратилась Юлия Баскакова. Сева для нее доставал картины, а точнее, воровал их по ее наводке. Таких специалистов, как он, ценили очень высоко, его услугами пользовались и Алина Малахова, когда требовалось подменить хорошие бриллианты на стандартные, и Анна Гурьева, когда требовалось заглянуть в чужой сейф в банке мужа. Он был и оставался великим мастером, за что получал большое вознаграждение.

На этот раз Юлия была по-настоящему напугана.

— Сева, фирма «Секрет-сервис» установила в нашем хранилище бронированную круглую дверь диаметром в два метра, толщиной в метр и два кодовых замка. По десять цифр на каждый код. Мне нужно знать коды. Эти же ребята делали сейф для банка Гурьева, ты их хорошо знаешь. Договорись с ними, я заплачу любые деньги.

Дербенев рассмеялся:

— Ничего из этого не получится, Юлечка. Ребята устанавливают коды, объясняют клиенту, как ими пользоваться, но хозяин всегда меняет их коды на свои. Иначе любой код можно было бы продать или самому им воспользоваться. Я говорю об установщиках.

— Все я знаю. Но Илья слишком далек от электроники, чтобы заниматься такими делами. Он до сих пор не может управиться с мобильными телефонами, какие уж тут кодовые замки. Он переписал все коды, сложил запись в конверт, залепил красным сургучом и куда-то унес. Я была уверена, что он отдаст конверт Роману Лурье, нашему адвокату, которого ты прекрасно знаешь. Лурье для меня не проблема, он сделает то, что ему скажут. У Анны Гурьевой на него серьезный компромат. Лурье — соучастник убийства, тому есть тому доказательства. Но он не получал от моего мужа никакого пакета, значит, у Ильи есть другое доверенное лицо, о котором я ничего не знаю. Я верю Лурье, он не врет. Илья не отдал ему последнее завещание, где он согласно последней воле передает галерею городу, а мне шиш с маслом. И это после всего, что я для него сделала. Теперь я могу попасть в хранилище только вместе с Ильей, а там лежат самые лучшие полотна. Может, и завещание там.

— Зачем ему передавать кому-то ключи от хранилища? Я говорю о кодах.

— Я внушила Илье, что у него очень больное сердце и он может умереть в любую минуту. Разумеется, не я сама это говорила, а купленные мною врачи. Он им поверил. Раз записал номера шифра и кому-то их отдал, то менять их уже не будет, иначе в случае его смерти придется взрывать подвал. Но скорее здание рухнет, чем дверь, она останется на месте.

— А по старому завещанию галерея передается тебе?

— Именно. О новом завещании практически никто не знает. Отдать галерею государству — значит, ни одна картина впоследствии не попадет в частные руки, а смысл собирательства заключается в обменах и перепродажах. Вот почему Илья помалкивает о новом завещании. Ведь если коллекционеры и собиратели узнают, они перестанут иметь с ним дело.

— Мне необходимо видеть хранилище. Чтобы попасть туда, нужен повод. Илья так просто меня туда не пригласит.

— У меня в загашнике две картины Серова с сертификатами. Илья о них не знает. Предложи ему обмен. В хранилище есть Дега и Сислей. Он их держит для обмена. Сделай выгодное предложение и попроси показать подлинники.

— Хорошая идея. Какими способами можно добраться до стальной двери?

— Двумя. Один — через вход на первом этаже. В конце зала с кубистами есть дверь, скрытая за панелями. Через нее завозят и вывозят полотна. На двери обычный замок, но ключа нет даже у охранников музея. Через эту дверь ты входишь в коридор. Широкий, десятиметровый коридор, похожий на тоннель в метро. В конце коридора находится стальной монстр — вход в хранилище. Второй вход в этот тоннель из кабинета мужа на третьем этаже. Там есть лифт.

— Хорошо. Завтра передашь мне картины с сертификатами. Я что-нибудь придумаю.

В этот же вечер Дербенев встретился с установщиками из фирмы «Секрет-сервис». Он всегда платил за информацию хорошие деньги и никогда никого не подводил. Ему удалось узнать, что в договоре на установку был пункт, на который заказчики никогда не обращали внимания. В нем говорилось, что в случае невозможности воспользоваться кодом сам хозяин или правоохранительные органы после внезапной кончины владельца сейфа по постановлению суда могут обратиться за помощью к производителю. Нормальный пункт, вполне рациональный. К кому же еще обращаться за помощью? Дело в том, что замки имели дополнительные коды-секреты и один код-универсал. Дербенев получил от ребят три установленных ими кода при сдаче объекта в эксплуатацию и два универсальных шифра.

— Почему три? — спросил Сева.

— Два от главной двери в хранилище, а один от сейфа, установленного внутри, небольшого, неприметного, но не поднимешь. Он изнутри прикручен четырьмя болтами к бетонному полу. Каждый штырь по двадцать сантиметров. Похоже, самое ценное хранится в нем.

— Сейф в сейфе. Любопытно.

— Денег туда много не войдет, — сказал один из ребят, — наверное, он для важных документов.

Это прозвучало как подтверждение слов Юлии. Возможно, Баскаков боялся жену и подстраховался. В случае его гибели милиция получит постановление суда, сейфы будут открыты в присутствии понятных, и в соответствии с последним завещанием Баскаковой достанется лишь квартира с мебелью.

Дербенев получил от Юлии картины и позвонил ее мужу. Реакция Баскакова была мгновенной:

— Приезжай срочно, Сева. Я в галерее. Жду!

И Дербенев приехал. Расчет оказался верным. Хозяин встретил гостя в своем просторном кабинете, где стояло не менее десятка старинных книжных шкафов с книгами по искусству и каталогами. Сева заметил дверь, вероятнее всего ведущую в соседнюю комнату. Посередине кабинета стоял огромный стол, заваленный репродукциями.

— Привез? — нетерпеливо спросил Баскаков.

— Разумеется.

Сева открыл тубус и извлек из него два свернутых холста.

Баскаков изучал их минут тридцать с лупой в руках.

— Не суетись, Илья, — усмехнулся Дербенев. — Картины имеют сертификаты подлинности от центра Грабаря и спецов из Третьяковки.

— Я их беру!

— Нет, дорогой. Сначала предложи мне достойный обмен. Ты знаешь, я к русскому искусству равнодушен.

— Дега! У меня есть Дега. «Репетиция» пойдет? По цене эквивалентны.

— Мне нужно видеть состояние полотна.

— Идем. Сейчас все увидишь.

Баскаков достал ключи и открыл дверь, ведущую предположительно в соседнюю комнату, но перед ними оказалась кабина лифта. Они спустились на три этажа вниз и очутились в полутемном коридоре с дежурным освещением. Пол, потолок и стены — из бетона. Один конец коридора упирался в обычную дверь, второй — во что-то несусветное. Круглое сооружение сверкало полированной сталью даже при слабом освещении и выглядело неприступным. Действительно монстр. Рулевое колесо в центре, напоминающее штурвал, светящиеся цифры...

Баскаков остановился.

— Стой здесь. Ближе не подходи.

Он подошел к двери, загородил своим телом цифры и минут пять колдовал над номерным замком, периодически покручивая штурвал. В конце концов гигантская дверь начала открываться, автоматически и очень медленно.

— Теперь можешь подходить.

Они вошли в хранилище — святая святых галерейщика. Тут хранились главные его сокровища. Все было продумано до мелочей. Стеллажи, выдвижные панели с картинами, огромное количество рам из дорогого багета, легкие подрамники. Но гостя интересовали совсем другие детали: небольшой сейф в углу у стены, четыре вентиляционных отверстия, прикрытых решеткой, обычный тумблер у входа, который Баскаков опустил вниз, когда пересек порог, и прочее.

Хозяин снял картину с одного из выдвижных стеллажей, поставил ее к стене и отошел.

— Вот он. Настоящий Дега. У меня его без конца выпрашивают, но пока не находились достойные эквиваленты для обмена.

Картина была в великолепном состоянии. Пока шел торг, Дербенев сумел обшарить карманы галерейщика, изъять ключи, сделать с них слепки и вернуть на место.

Наконец галерейщик сдался:

— Договорились. Забирай.

— Сертификат, — коротко сказал Дербенев.

— Секундочку.

Баскаков подошел к маленькому сейфу и опять долго возился с замком. Сева стоял на почтительном расстоянии и даже не смотрел в сторону сейфа. Он и без того все уже понял.

Вернувшись в кабинет, отметили сделку бутылкой шампанского.

В тот же вечер Дербенев встретился с Юлей.

— Ну что? — спросила она, когда они устроились за столиком милого уютного кафе.

— Ты бываешь в его кабинете? — спросил Дербенев.

— Но не в подвале. Ключи от кабинета у меня есть. Вся документация, переписка и бухгалтерия на моих плечах. Я там работаю чаще, чем Илья.

— Как часто он бывает в галере и в хранилище?

— Раза три в неделю появляется в рабочем кабинете, ну а вниз спускается раз или два в месяц.

— Завтра я продолжу разведку, но он не должен появляться в галерее. И тебе там делать нечего. Думаю, что завещание лежит в сейфе хранилища. Там он держит все сертификаты. Но код сейфа мне неизвестен. Он купил его на стороне, и это главная проблема.

— Севочка, дорогуша, ну сделай что-нибудь. Вся надежда только на тебя.

— Ты меня слышала? Завтра Илья должен заболеть и не выходить из дома.

— Пустяки. У меня полно отравы. Будет валяться с сердечным приступом.

— Надеюсь, выживет. Умирать ему еще рано.

— Это я понимаю.

— Береги мужа, Юля. Он нам еще пригодится. С этим хранилищем можно сыграть злую шутку. У меня в голове бродит одна безумная идея. Если ее осуществить, то можно хорошо заработать, ничего не потеряв. Вот тогда у Ильи может случиться настоящий приступ. На сегодня все. Мне надо подумать и подготовиться к завтрашнему дню.

В этот же вечер Дербенев сделал ключи по слепкам и очень долго разговаривал со своей женой. Катя была очень умной женщиной с прекрасным чутьем. Они с первых встреч поняли друг друга и стали единомышленниками. Вклад Кати во все аферы мужа был неоценимым.

На следующий день они отправились на «культурное мероприятие». Посещение музеев для них не было редкостью, они умели ценить искусство, но цели не всегда соотносились с культурной программой. Пара очень внимательно осмотрела здание галереи — каждый этаж, эксплозию, вентиляцию, окна, туалеты и даже комнаты уборщиков. Запомнила место расположения охранников, камер видеонаблюдения и «мертвые точки».

Сегодня проводилась экскурсия для детей, и на втором этаже образовалась толчея. Все взоры охраны были устремлены на шалунов, которых не интересовала мазня на стенах. Супружеская чета Дербеневых поднялась на третий этаж, немного прогулялась и внезапно исчезла.

Один из ключей подошел к кабинету директора, второй — к лифту.

— Вот главный просчет Баскакова. Хранилище никем не охраняется, у сторожей нет допуска даже в коридор. Там можно прожить неделю и остаться незамеченным, — сказал глава семьи.

— Надо найти чертежи здания, узнать, что под ним, — неторопливо давала подсказки Катя. — На тротуаре возле дома цепочкой проходят колодцы.

— И все-то ты у меня замечаешь!

— Со всех сторон дома полно вентиляционных отверстий.

— Знаю. Пятьдесят на пятьдесят. Только для форточников.

Катя усмехнулась.

— Те же колодцы, но горизонтальные. Лебедка может тащить груз и по прямой плоскости, особенно по ровной скользкой жести, из которой делают вентиляционные коробы.

— Я тебя понял, Катюша. Может сработать, если снаружи будет много шума и неразберихи.

Они подошли к гигантской стальной двери.

— Ну, с Богом! — произнес Сева и начал набирать первый код.

Через пять минут непреодолимое препятствие исчезло. Дверь открылась без всяких проблем. Они вошли в хранилище. Сева опустил рубильник у входа и только потом разобрался, какую функцию он выполняет. Сначала он решил, будто отключает сигнализацию, но потом понял: рубильник держит дверь открытой, если его не опускать, она автоматически закроется — дверь можно открывать и закрывать, находясь внутри хранилища.

— Здесь нет никакой сигнализации, — удивился Дербенев.

— А зачем она нужна? — улыбнулась жена. — Охрана не имеет сюда допуска. Что толку от сигнализации, если на нее невозможно отреагировать? Кто будет хватать за руку грабителей? Баскаков до такой степени уверен в неприступности своей кладовки, что сигнализация показалась ему излишеством.

— Будем считать его самоуверенность и жадность второй ошибкой.

— Жадность? — спросила Катя.

— Именно. Сигнализация стоит больших денег. А главной ошибкой надо признать его небрежность и недальновидность. Он не сменил заводские коды на свои. Ребята из «Секрет-сервиса» мне не поверили и дали коды разблокировки замков, но они нам не понадобятся. Готовь фотоаппарат, Катя, приступаем к главному.

Дербенев открыл маленький сейф, поставил на крышку диктофон и включил его. Катя начала снимать. У нее был профессиональный фотоаппарат со вспышкой. (В галерею разрешалось проходить с фото- и кинотехникой и делать снимки в залах. Владелец гордился своей коллекцией и приветствовал бесплатную рекламу. Люди увидят фотографии и захотят взглянуть на оригиналы.)

В сейфе лежали папки из обычной черной кожи с тиснением инициалов владельца. Их сфотографировали. Толстый фолиант, похожий на Библию, в хорошем кожаном переплете с серебряной застежкой и уголками сам по себе был ценностью. Оказалось — это полный каталог коллекции с подробным описанием картин, их истории, у кого куплены или украдены.

— За такую книжку Баскакову могут влепить лет десять, — сказал Дербенев. — Кражи в особо крупных размерах. И доказывать ничего не придется. Не список, а самодонос. Все записи сделаны его рукой.

Отсняли каждую страницу. По подпольному каталогу Баскаков владел четырьмястами шестьюдесятью семью картинами.

— Это на сто семь полотен больше, чем значится в официальном каталоге галереи, — прокомментировала Катя.

Две полные папки с сертификатами копировать не стали. В третьей лежали важные документы. Среди них и последнее завещание владельца галереи, где была прописана вся процедура передачи коллекции городу и имена ответственных чиновников, которым доверено следить за процедурой. Имя Юлии Баскаковой в завещании не упоминалось.

— Надо проверить этих типов из мэрии. Думаю, у них рыльце в пушку. Возможно, кто-то поймал Баскакова на афере и прижал к стенке. «Либо тюрьма, либо ты отдашь галерею городу». Случайно эти фамилии в завещание попасть не могли.

Катя, продолжая фотографировать, выдвинула свою версию:

— Есть другой вариант. Они наводчики, и Баскаков должен с ними поделиться. Если они будут контролировать передачу имущества, то все, что не зарегистрировано в официальных документах, можно поделить между собой. Тут три фамилии. Эти ребята — старожилы мэрии, сидят там крепко.

— И почему Баскаков решил, что они проживут дольше?..

— Ты же знаешь, Юлия внушила ему, что у него больное сердце. Меня другое настораживает. У этих людей может находиться копия завещания. Как гарантия на случай подмены. Вряд ли чиновники поверили на слово такому аферисту, как Баскаков.

— Нет, — возразил Сева. — Дай им копию — Баскакова прирежут в собственном подъезде завтра же. И потом, если существуют копии, то зачем прятать оригинал за семью замками? Он отдал бы завещание адвокату и ни о чем не беспокоился.

— Тоже верно, — согласилась Катя. — Ты расскажешь о находках Юлии?

— Она не должна знать о том, что я имею доступ к малому сейфу. Только так я смогу держать ее на коротком поводке. Иначе она осуществит свою идею без моего участия.

— Хранилище имеет свою Ахиллесову пяту.

Катя указала на вентиляционные отверстия под потолком. Их было четыре.

— Две трубы закачивают воздух, они оснащены вентиляторами, а две служат для оттока воздуха и выходят непосредственно на улицу. Нам нужна схема.

— Схему можно найти, труднее отыскать человека, способного пролезть в такую щель.

— Можно обойтись без человека, — пожала плечами Катя. — Один подает, другой принимает товар на улице. Нужен трос и лебедка, вот и весь фокус. Ты теперь знаешь, как сюда войти, а тому, кто будет принимать груз, здесь делать нечего.

— Умница! И что бы я без тебя делал, дорогая?!

Тем же вечером Дербенев встретился с Юлей.

— Ну, выкладывай, — нетерпеливо сказала она.

— Ты права. Есть у меня одна идейка, но ее можно осуществить в том случае, если в хранилище будет лежать что-то кроме сотни незарегистрированных картин и гнусного завещания.

— О чем ты? — наморщила лоб Баскакова.

— Картинами вора не соблазнишь, с ними много мороки. На такое дело обычные домушники не пойдут. К тому же тебе нельзя попадать в категорию подозреваемых. Нам нужно организовать налет, а на это пойдут только ради большого куша. Нужны деньги. Наличные. Валюта. В огромном количестве. Тогда я выложу тебе такую партию — комар носа не подточит, а ты из подозреваемых превратишься в жертву. Что скажешь?

Юля задумалась.

— Есть вариант... Но придется долго ждать.

— Как долго?

— Год.

— Пустяки. За это время можно довести план до совершенства. В чем идея?

— Мы договорились с владельцем строящегося отеля о создании аукционного дома.

— Что они хотят взамен?

— Мамедов, самый умытый и прилизанный среди банды будущих хозяев, уже назначен генеральным директором. Он помешан на искусстве. Отель в центре столицы и должен представлять отечественное искусство. Только шедевры. Рашид просит нас предоставить ему тридцать лучших картин на день открытия, чтобы развесить их в апартаментах. Другими словами — пустить пыль в глаза. Однажды он побывал в одном знаменитом казино в Монте-Карло. По сути, оно не лучше других, но в игровых залах висят подлинники Пикассо, Ван Гога и Дали. Казино стало знаменитым на весь мир, и Мамедов заразился этой бациллой.

— Но вы же ему не продадите картины?

— Конечно, нет. Дадим напрокат под залог. Он хочет пригласить на открытие мировых экспертов по русской живописи, чтобы весь мир узнал о том, что в апартаментах висят подлинники. Когда гости разъедутся, подлинники заменят копиями, а мы получим свои полотна назад.

— И каков залог?

— Пока мы не определились. Но у нас есть полотна, стоящие на сегодняшний день дороже двадцати миллионов долларов. Так что в любом случае залог не покроет стоимость картин.

— Ты сама не понимаешь, какую идею только что толкнула. В своем деле ты мастак, Юля, но есть высоты, до которых тебе не допрыгнуть. Залог должен составлять сумму не менее ста миллионов, на такой куш клюнет кто угодно. И у тебя их украдут.

— Тогда я потеряю картины.

— А картины украдут из отеля.

— И мы все проиграем.

— Неверно, Юлечка. Тут все зависит от того, кто будет быстрее и ловчее. Если Мамедов тебя опередит, то ты проиграла. А если Мамедова опередишь ты, то он потеряет все. Дело в том, что картины и деньги должна украсть ты.

— Ты сумасшедший, Сева!

— Во время ограбления хранилища пропадет и завещание. Но кто же обратит внимание на бумажки, когда исчезло целое состояние?!

— А как же мой муж?

— Ты думаешь, человек с больным сердцем выдержит такой удар? Тут и со здоровым сердцем жди кондрашки.

— Теперь я поняла...

— У тебя есть время подумать, Юля. Но если я возьмусь за это дело — куш пополам. Расходы на операцию из твоего кармана. В конце концов, тебя интересовало только завещание. Ты его получишь и бросишь в камин. Мой план — твое финансирование.

— Я согласна!

Конечно, сидящий перед Мамедовым фокусник Бартошевич и половины не знал из этой истории, а то, что знал, поделил на четыре четверти и лишь одну выложил на стол. О том, что Юлия замешана в деле, не упоминалось. Мамедов понял из рассказа главное — частный детектив имеет возможность проникать в хранилище с такой же легкостью, как входить в метро. План Дербенева выполнялся на все сто. Он сделал Мамедова участником сговора, но поздно. После того как план Баскаковой сработал наполовину, в игру вступать уже поздно. Однако Рашид Мамедов, прижатый к стенке, готов был согласиться на любой способ выйти сухим из воды. Верил он фокуснику или нет — большого значения не имело. Он вынужден верить от безысходности.

Рашид нарушил свою традицию и выпил рюмку коньяка.

— Вы мне не сказали, как вы собираетесь заменить деньги фальшивыми?

— Очень просто. В один прекрасный день супруги Баскаковы идут в гости к друзьям. Я знаю, когда и к кому. В эту же ночь я и мои друзья остаются в кабинете Баскакова. Мы выгружаем из книжных шкафов, а их там десять, все книги, из хранилища поднимаем деньги и запираем в шкафы. При этом оставляем пачку денег в центре хранилища, настоящие купюры. Вроде как обронили. Делаем так, чтобы до них не добрался огонь. К девяти часам утра Баскаковых увезут в больницу с тяжелым пищевым отравлением — съели что-то несвежее в гостях. И не только они отравятся, всякое случается. В это время в галерею приезжает машина с мебелью. Все документы в порядке. Задача грузчиков — занести новые шкафы в кабинет директора, а старые вывезти. К картинам, которые находятся на сигнализации, операция не имеет никакого отношения. За кабинет директора охрана не отвечает. Даже если начальник охраны решит проверить достоверность заказа, ему никто не сможет этого подтвердить — хозяева будут недоступны. Мальчики поднимут шкафы с фальшивкой в кабинет, а те, что набиты деньгами, загрузят в машину и уедут. Мы же спрячемся в лифте, дождемся, когда все затихнет, спустим фальшивки в подвал и разложим по стеллажам, а потом установим пластид с таймером. Поднимемся в кабинет, расставим книги по полкам и выйдем в зал галереи незамеченными. После чего спокойно уйдем как обычные посетители галереи. Таймер сработает ночью, деньги попросту сгорят. За исключением тех, что остались на полу.

— Так могут сгореть и картины.

— Нет. Стеллажи металлические и находятся на расстоянии от выдвижных стендов. Бетонные стены, полы и потолки не горят.

— Звучит убедительно, но смахивает на сказку.

— Я делаю свою работу. И разумеется, не за гроши. Я нашел ваши картины.

Мамедов очень внимательно посмотрел на собеседника:

— Тогда кто же мне присылает эти письма?

Рашид положил перед сыщиком компьютерные распечатки.

Бартошевич их внимательно прочитал.

— Дурачка из себя разыгрывает. Отлично. Дело в том, что эти картины лежат в хранилище Баскакова. Это он их у вас украл, чтобы не возвращать залог. Но ему показалось мало. Теперь он требует бриллианты. Прекрасно. Заплатите ему. Пусть радуется. А бриллианты я вам верну. Кроме как в хранилище, ему их спрятать негде. Груз небольшой, в кармане поместится. И чем быстрее вы это сделаете, тем быстрее мы проведем операцию. Картины я вывезу заранее.

— Юлия тоже участвует в афере мужа?

— Нет. Я в этом уверен. Он ее давно уже не допускает к хранилищу и не доверяет ей важных сделок. В чем-то подозревает. Думаю, если она в ближайшее время не избавится от него, это сделает он.

— Мне тоже так кажется. Я ей доверяю. У нее грандиозные планы, и они меня устраивают. С ней можно иметь дело.

Мамедов вынул расписку из-под тарелки и отдал сыщику.

— А документы не могут сгореть вместе с деньгами? — неожиданно спросил он.

— Они лежат в надежном сейфе, пожар им не страшен. Но они могут исчезнуть. Я знаю, как вскрыть сейф.

— Меня интересует только одна бумага. Приложение № 1 к купчей. В ней говорится, что купчая теряет свою законную силу. Можете принести эту бумагу? Другие меня не интересуют.

— Без проблем. За такой гонорар я готов черта лысого достать из пекла.

Мамедов встал.

— Деньги будут готовы к завтрашнему вечеру. Где оставить фургон?

— Шофер должен оставить ключи в зажигании и выйти у дома пятнадцать по улице Жуковского. Это все.

— Удачи! — сказал Мамедов и ушел.

Его место занял Герман, появившись из-за занавески служебного входа.

— Как прошла встреча?

Бартошевич протянул ему расписку. Герман убрал ее в карман.

— А теперь, Геннадий Васильевич, съездите в банк «Юнисфер», — сказал он, выкладывая на стол ключ с брелоком в виде золотой медальки с номером 127. — Предъявите ключ, поставите электронную роспись.

— Чью?

— Ничью. Пять цифр: 79979. Все. Положите в ящик тубус с ватманским листом и поедете домой. Там вас ждет новый спектакль. Познакомитесь с девушкой. Зовут ее Дина. Вы должны сыграть роль иностранца. Главного редактора какого-нибудь глянцевого журнала. Ваша задача — внушить девушке мысль о том, что вы можете содействовать росту ее карьеры на поприще модельного бизнеса. Семен ждет вас на улице в своем желтом «Фольксвагене».

— Кто меня познакомит с девушкой?

— Семен познакомит. Сейчас она живет в том же доме, но в соседнем подъезде. Семен переведет вас в соседний подъезд через чердак. Охрана не должна знать, что вы бываете в других подъездах дома. Уйдете к себе тем же путем. И позвоните мне, у нас сегодня плотный график.

— Послушайте, у меня точно такой же ключ в кармане.

— Нет. Брелоки одинаковые, а ключи разные. Я вам дал банковский ключ, а у вас в кармане ключ от квартиры. Обычное совпадение, на них одинаковые номера. Не потеряйте банковский ключ. Он нам еще пригодится.

— Приеду домой и оставлю его в кармане. Мне же придется переодеться. Я не хожу в одном и том же.

— Как вам будет удобно. Тубус лежит в машине. Вперед.

Фокусник выполнил все поручения. Девушка из соседнего подъезда ему очень понравилась. Из нее действительно может получиться настоящая звезда подиума. Получасовая беседа так обнадежила ее, что она парила в небесах. Конечно, Дина не узнала в солидном мужчине того типа, что однажды ночью уже приходил к ней вместе с Германом, а потом снимал их на видеокамеру в постели Скуратова в студии на Тверской. Та ночь была недоступна воспоминаниям, даже в качестве кошмарного сна.

Бартошевич вернулся в свою квартиру через чердак и позвонил Герману.

— Все задания выполнены.

— А теперь спускайтесь вниз. Выйдете на улицу и сверните направо. Метрах в двадцати стоит белый фургончик. Ключи в зажигании. Поедите на Волхонку и остановитесь у хозяйственного магазина рядом с пельменной. Там ждите. Возьмите с собой сумку с гримом, париком, усами. Сегодня вы должны перевоплотиться в Константинеса.

— С близкого расстояния меня узнают. Точнее, не признают во мне грека.

— Маскарад нужен для съемки. Мелочь. Объясню при встрече. Я вас жду.

Геннадий Васильевич Бартошевич работал очень усердно, выполнил множество поручений и узнал слишком много подробностей аферы. Его участь была решена. Не дай бог такой человек попадет в руки следователей, где умеют выкручивать руки самым стойким рецидивистам, а не только утонченным интеллигентам и аферистам.

В кармане Германа лежал пистолет, изъятый из генеральской квартиры на Фрунзенской набережной. И этот пистолет впервые выстрелил. Пуля попала Бартошевичу в сердце, когда он мечтал о своей будущей карьере в столице. Вся команда знала о том, чем кончится история фокусника. Кроме Анны. Точнее, Ирины Гурьевой. Она очень тепло относилась к талантливому доброму артисту и, приглашая его в Москву, не думала о таком печальном конце. Но нельзя же быть такой наивной. Каждый участник аферы получал то, о чем даже миллионеры не мечтают, а тут фокусник, которому обещали сцену в столице. Несуразица. Слабое звено. В масштабах глобальной аферы, где ставки не поддаются воображению, человеческая жизнь ничего не стоит. В сегодняшнем мире за кошелек с мелочью убивают.

Когда частный сыщик Геннадий был уже мертв, его наниматель Рашид Мамедов, поверивший всему, что ему наплел покойный, встречался с Алиной Малаховой. Сейчас от этой женщины зависело очень многое, если не все.

6

Мамедов приехал в ювелирный салон Печерникова. Алина сама его пригласила, так как место это было тихое, здесь им никто не мог помешать.

Алина повесила на двери табличку «Закрыто» и пропустила гостя в зал, где стояли голые манекены на фоне черных бархатных стен и витрин с пуленепробиваемыми стеклами, в которых сверкали изумительным многоцветьем украшения.

— Я готовлю осеннюю коллекцию, скоро этим манекенам будут завидовать больше, чем живым красоткам.

— Да уж, Алина Борисовна, вы умеете удивлять.

— У вас ко мне какое-то дело, Рашид? Такой человек не тратит время на пустяки. Не стесняйтесь, говорите напрямую, чем я могу вам помочь? Всегда рада сделать что-то полезное для делового человека. Мы все связаны незримыми нитями, сегодня я для вас, завтра вы для меня.

— Всегда готов. У меня вопрос непростой и даже обескураживающий в чем-то, но для меня он первостепенной важности.

Алина с любопытством посмотрела на гостя.

— Пахнет выгодной сделкой? Вы же знаете, ювелиры — народ корыстный, когда речь идет о бизнесе.

— Пожалуй, для вас сделка может стать выгодной. Я готов на компромисс, если вы способны претворить мой замысел в жизнь.

— Я вся внимание.

— К сожалению, ваш бизнес мне совсем не знаком, чувствую себя школьником, начиная этот разговор. Мне нужна ваша консультация, а возможно и помощь. Я хочу сделать крупную покупку, речь идет о бриллиантах.

Он замолк, пытаясь уловить реакцию Алины. Она слушала его спокойно, будто ждала этого разговора.

— Не вижу проблем. Теперь я вхожу в совет директоров ангольского синдиката по добыче алмазов.

— Я знаю, о чем вы говорите, до меня доходили слухи. Но ведь чтобы войти в состав учредителей, нужно внести большие деньги.

— Или купить акции на крупную сумму. Все так. Я этот вопрос решила. Теперь я имею привилегии и могу покупать камни по себестоимости. Ангольские алмазы мне обойдутся на порядок дешевле якутских, и по качеству они превосходят «якутов». Вы же понимаете, что это значит для ювелира.

— Догадываюсь.

Снежная королева принялась протирать губкой манекены, изредка поглядывая на гостя, который застыл в центре зала и не отрывал от нее глаз.

— Сколько вам нужно? — спросила она.

— На пятьдесят миллионов долларов. Вы можете рассчитывать цену камней по полной их стоимости, разницу возьмете себе. У меня два условия: все камни должны быть по пять карат и доставлены в Москву в течение двух-трех дней.

Алина долго молчала, потом тихо сказала:

— Чтобы купить камни по себестоимости, деньги на счета концерна должны прийти от моего имени и уже сегодня.

— Нет проблем. У нас есть свои счета в офшорных зонах. Деньги будут переправлены сегодня же на указанный вами счет, где в качестве отправителя будет фигурировать ваше имя. Что еще?

— Я жду приезда своего заказчика, он должен появиться на днях. У него дипломатический паспорт. Я могу выслать ему доверенность на получение бриллиантов, он ради меня готов сделать крюк и прибыть в Москву через Анголу. Это упростит доставку. Вы правы, предложение выгодное. Я получу за свою услугу две сотни камней. Вы же расчетливый бизнесмен, Рашид, мне очень трудно поверить, что вы идете на сделку, ничего с нее не имея. Получив бриллианты, вы не сможете продать их дороже, чем заплатили. Я отдам вам их по рыночной цене.

— Я слишком далеко зашел и не имею возможности остановиться. Приходится терпеть убытки. На кону стоит все. Либо я выиграю, либо стану банкротом и продам свою долю, вложенную в отель.

Алина рассмеялась:

— Это невозможно, партнеры вас не отпустят. У них нет другого кандидата на роль генерального директора, а вы не станете сидеть в кресле менеджера за зарплату. Думаю, они вытащат вас из любого болота.

— Надеюсь. Так мы договорились?

— Да. Нам нельзя терять времени, начнем действовать сейчас же.

Можно сказать, что сегодняшний день для Алины, прозванной Снежной королевой за свой ледяной нрав, стал судьбоносным. Вот только мало кто знал, что похожих результатов она ждала больше года. Нет, не ждала, трудилась в поте лица, ничего ей с неба не падало. Каждый шаг продумывался и просчитывался.

Это время было трудным для всех наших героинь. Ирина, дочь Гурьева, могла остаться ни с чем. Банкир все до гроша вложил в акции ангольского синдиката. В случае его смерти банк получит лишь акции в качестве погашения кредита. Стоит убрать Гурьева, как Фельдман со Шпаликовым будут торжествовать победу. Ему ничего не стоило погасить кредит, но азарт не позволил этого сделать. Савелий Георгиевич превратился в наркомана, денежного наркомана, и не мог остановиться. А это уже не бизнес, а диагноз. Его даже смерть не пугала.

Юлия Баскакова получила удар не легче, чем Ирина Гурьева. Она прожила с нелюбимым человеком пять лет, строила грандиозные планы, вкалывала день и ночь: вела переговоры, оформляла покупки, прибегала к воровству с помощью Дербенева, рисковала свободой. И чего добилась? Адвокат семьи Роман Лурье рассказал ей о новом завещании мужа — галерея перейдет в руки государства. Доигралась. Отблагодарили. Таких женщин обижать нельзя!

Ирина не могла простить отцу смерть матери, и вот теперь из-за собственного сумасбродства он может сделать ее нищей. Юлия никогда не любила своего второго мужа, Илью Баскакова, но она честно и преданно служила его делу. Она хотела добиться больших успехов и добилась. Благодаря ей, ее уму и усердию галерея получила международную известность. Первый муж, талантливый, но безалаберный человек, жил в нищете, своему сыну Юлия давала деньги тайком, так как Баскаков ненавидел пасынка. Скорее всего, он ненавидел всех, кроме себя любимого. Этот идиот воспринимал труд жены как должное и счел возможным лишить ее наследства.

У Алины в то время больших проблем не существовало. Конечно, бизнес шел не так, как хотелось бы, не хватало денег на сырье, приходилось покупать фирменные стекляшки Сваровски и выставлять их в оригинальной оправе на витрину. Когда заказчик сам предоставлял камни, их вставляли в понравившуюся ему оправу вместо стекляшек. Лишнее время, лишний труд и небольшие, сравнительно небольшие доходы, из которых добрая половина уходила на рекламу. Что касается взаимоотношений с мужем, годящимся ей в отцы, то она им восхищалась. Юлиан Печерников стал ее открытием. Она работала представителем компании «Де Бирс» в России и была на хорошем счету: образованная, знающая несколько языков, с хорошим вкусом. Алина была дочерью ювелира, ей с юности привили любовь к красоте и понимание материала. Ее эскизы высоко ценились. В конце концов она была приглашена в лондонский филиал компании «Де Бирс» в качестве консультанта, а потом и эксперта. Карьера быстро пошла вверх, вскоре Алина взяла под свое крыло и парижский филиал. Все шло вроде бы прекрасно, но не хватало творчества, она превращалась в чиновника. И вот однажды ей на глаза попался скромный гарнитур русского ювелира Печерникова. В нем было столько легкости, изящества, что девушка решила познакомиться с автором. Она практически уже не бывала в России, рабочий график был слишком плотный — Лондон, Париж, Амстердам, Нью-Йорк... Взяв недельный отпуск, Алина приехала в Москву: кто-то над ней подшутил, сказав, будто Печерников молодой красавец, русский самородок, и если его хорошенько раскрутить, то он станет вторым Фаберже.

Печерников оказался шестидесятилетним инвалидом с костылями. Работал в одиночку на даче, так как квартиры в Москве не имел. Больших капиталов не нажил. Это был истинный художник, напрочь лишенный коммерческой жилки. Их взаимоотношения выстроились сразу после нескольких фраз ювелира.

— Достаточно на вас посмотреть, и в душе вспыхивает вдохновение, — сказал он, увидев девушку. — Вы, как Галатея или муза, несете в себе неисчерпаемый заряд энергии. С вами можно творить чудеса.

— Вы и без меня чудотворец. Но если я помогу художнику творить, то могу в этом усмотреть свою миссию. Наконец от меня будет какая-то польза. Вы готовы жениться на мне?

Печерников потерял дар речи. Через три месяца был создан гарнитур знаменитого «Ока света». Алина сумела протолкнуть фотографии во все мировые каталоги, и о Печерникове заговорили в полный голос. Начался наплыв потенциальных покупателей. Приезжали со всего мира, но всем было отказано, так как речь шла о покупке авторских прав. И хотя предлагали большие деньги, Алина оставалась непреклонной. Печерников уже махнул рукой и готов был идти на компромисс, но молодая жена знала, что делает, а он не смел с ней спорить.

И вот однажды в их салоне, который открыла Алина на собственные сбережения, появились гости из Арабских Эмиратов. Шейх Абу Фат — крупный бизнесмен, миллиардер, политик, человек-легенда, его сын Абу Фат-младший и крупнейший дипломат королевства, к нему прислушивался весь Ближний Восток и страны Персидского залива, двоюродный брат шейха шейх Аургент Зеба. Они прибыли в Россию по вопросам торговли, но первый свой визит нанесли ювелиру. Разговор шел на английском языке, которым Алина владела свободно. Ювелир понимал, о чем шла речь, но сам говорить не решался. Впрочем, от его слов ничего не зависело.

Шейхи знают толк в ювелирных изделиях. Увидев гарнитур воочию, арабы открыли рты, не в силах скрыть восхищение.

— Через год мой сын женится, — начал Абу Фат-старший. — Я хочу, чтобы его жена, принцесса Амана, была на свадьбе в этом ожерелье. Ничего лучшего я не видел. Такой гарнитур достоин самой красивой девушки Востока.

— Нам льстит ваша оценка нашего скромного труда, — улыбаясь, сказала жена ювелира.

— Как я понимаю, вы показали нам образец? — спросил Аургент Зеба. — В нем нет бриллиантов. Впрочем, это не важно, камни мы предоставим свои. Коллекционные, индийские, особой огранки, их отбирали в семейную коллекцию столетиями. Наконец-то им найдется достойное применение.

— Конечно, — согласилась Алина. — Но мы должны официально оформить заказ, а камни вы обязаны занести в таможенную декларацию с полным описанием. Мы работаем легально.

— Безусловно, — кивнул Абу Фат. — Но есть маленькая деталь, о которой придется умолчать.

Он кивнул брату, Зеба достал из кармана замшевый мешочек и высыпал на стол, застеленный черным бархатом, семь крупных бриллиантов синего цвета.

— Эти мы декларировать не будем. Один камень в двадцать четыре карата пойдет в центр, а шесть по пятнадцать карат расположите вокруг. Что-то вроде русской ромашки. Должен получиться кулон, который мог бы легко присоединяться к ожерелью как завершающий аккорд и с легкостью сниматься. Надо продумать этот вариант, я лишь подал идею. Не хотелось бы, чтобы эти камни выглядели как инородное тело. Никто об этом не должен знать, камни я провез в дипломатическом багаже, так же их и вывезу в виде отдельной готовой детали.

Печерников и Алина едва сдерживали свои эмоции. Голубые бриллианты такой чистоты, огранки и размеров никто еще не видел. О них можно прочитать в приключенческих романах, фантастике или справочниках по ювелирному искусству, где упоминаются редкости, но вот так у себя на столе в таком количестве увидеть подлинники?

— С таким материалом работать одно удовольствие, — пробормотал Печерников по-русски.

Жена перевела его слова гостям.

— Остальное я привезу в следующий приезд, через две недели, — продолжил Зеба. — И как вы сказали, оформлю все как полагается.

— Будем ждать. Можно не придерживаться точных размеров, мы постараемся поиграть на разнице. В любом случае оправа будет делаться заново. К свадьбе успеем.

Оформив необходимые документы, гости ушли. Алина и ее муж взяли лупы и начали с восторгом рассматривать уникальные камни.

Наконец Алина пришла в себя, выпила вина, закурила и, прохаживаясь по комнате, сказала:

— Ты будешь делать две оправы. Точные копии нашего образца. Одну мы заполним «якутами».

— Зачем? Если мы продали эксклюзив, то не имеем права делать копии.

— Будешь делать то, что я сказала.

— Но где же мы наберем столько бриллиантов? У нас не хватит денег.

— Возьмем в долг. Под проценты. Плевать. У нас есть образец, мы должны сделать копию из натуральных бриллиантов и, наконец, сделать заказ с индийскими камешками. Представляю себе, что это за стекляшечки, отбираемые в коллекцию столетиями.

Печерников долго смотрел на жену, у которой горели щеки и блестели глаза, потом тихо сказал:

— Ты нас погубишь, Аля. Черт со мной, но тебе еще жить и жить.

— Вот и начнем. Я хочу открыть мастерскую. Наберем молодых, талантливых, не испорченных еще ребят, ты начнешь готовить мастеров. Нам пора выходить на мировой уровень, а не жить кустарями-одиночками. На следующей неделе я вылетаю в Париж.

* * *

В Париже Алина остановилась в отеле «Ритц». Она всегда жила там, иногда месяцами. «Де Бирс» оплачивал капризы самого молодого и красивого своего представителя. К тому же в «Ритце» работал директором-распорядителем ее любовник — Эдик Нечаев. Тоже талант в своем роде. Молодой человек очень серьезно относился к своей профессии, а главное — любил ее. У каждого свои заморочки и свой потолок возможностей. Эдик мог бы стать генеральным директором, но тут возникал барьер. Престижный отель Парижа должен возглавлять француз. Во Франции, как и везде, существуют негласные законы, и с ними приходилось мириться.

С месье Жераром Барто она договорилась встретиться в своем номере на следующее утро. Барто был лучшим знатоком драгметаллов в парижском филиале «Де Бирс». Жерар неровно дышал при виде Алины, но умел быть хорошим другом и наставником. Девушка многому у него научилась. Но завтра есть завтра, а сегодня Алина принимала в своей спальне Эдика. В Москве жена ювелира была слишком занята повседневными заботами о хлебе насущном, ей не хватало времени на личную жизнь. Здесь можно было расслабиться. Она соскучилась по Эдику, по Парижу, по его атмосфере и бургундскому вину.

Два часа страстей, а потом они голые сидели на ковре, пили вино и болтали ни о чем. Им легко было друг с другом, и они могли подурачиться как дети.

— Когда-нибудь ты разбогатеешь, Эдя? Тебе же за сорок, а ты на месте.

— Возможности есть, принципы не позволяют.

— Бог ты мой! Какая важная персона! Можешь позволить себе иметь принципы?

— Тут были ребята из Москвы. Кое-что кумекают в гостиничном бизнесе. Ты же знаешь, у вас строится суперотель.

— Да. Слышала и даже видела.

— В него вложен миллиард долларов. Бандюки России скинулись и решили отмыть свои денежки. Правительство их поддержало. Разгар кризиса, а Москва всему миру в морду плюет. Но одного желания мало, им нужны спецы, вот и мотаются по свету в поисках понимающих в деле людей. Мне предложили тепленькое местечко, но ехать надо прямо сейчас, поработать над планировкой, подкорректировать, проследить и тому подобное.

— И ты отказался.

— Меня в этом путешествии соблазнила не зарплата, а то, что ты будешь рядом.

— Не выдумывай, Эдди. Я не твоя судьба. Мы умеем вместе расслабляться, и не более того.

— Уже много. Я обещал подумать. Но за московскими эмиссарами следит тысяча глаз. Здесь меня пригласили на собеседование, собралась кучка говнюков. Кого там только не было! Предложение простое — вилла на берегу Лазурного Берега и яхта за провал премьеры. Им нужен хороший скандал мирового уровня, чтобы Москва больше никогда не высовывала своего носа на гостиничный рынок. К тому же все они закупили земли в России для строительства своих филиалов. Врубилась?

— Врубилась. Соглашайся. В Москве без скандала ничего не проходит. Ты можешь ни в чем не принимать участие, но виллу и яхту получишь. Главное — возьми с них гарантии, что они выполнят свои обещания. Я не верю в удачные российские проекты, если в них нет доли государства.

— Возможно, ты и права. Честно говоря, я начал уставать от французов. Порой хочется выйти в чисто поле и заорать благим матом во всю глотку. Там бы меня поняли, а здесь упекут в психушку.

— Начинать что-то с нуля, Эдик, дело очень интересное. Я тоже все бросила и начала с нуля. Теперь меня за уши не оттащишь от моего дела.

Они еще долго разглагольствовали, пока не напились и не заснули.

* * *

Жерар Барто прибыл вовремя. Деликатнейший эстет — цветы, шампанское, сувенирчики, поцелуйчики. С таким, голым, на ковре вина не попьешь. Пять минут на отвлеченные «Как дела?» — и к настоящему делу, ради которого Алина прилетела в Париж.

— Это только фотографии, Жерар. Сам понимаешь, оригиналы я привезти не могла.

Француз стал серьезен и наморщил лоб.

— Большой камень называется «Малый Кох-и-Нор», что переводится как «Гора света». А это шесть сателлитов. Камни уникальные. Когда-то эти бриллианты принадлежали шаху Буту. Во время войны за независимость Индии они пропали, их след появился в Англии, а потом в Саудовской Аравии. Камни украли из дворца шейха Махмед ибн Рашид аль Мактума в пятьдесят шестом году, с тех пор о них никто ничего не слышал. Знаю только, что шейх поклялся отрубить голову вору.

— Он еще жив?

— Живы восемь из его четырнадцать сыновей. Но это ничего не меняет. Никто с кланом аль Мактума связываться не станет. Мало того что они очень богаты, их называют стервятниками Ближнего Востока. Воины Аллаха и прочее.

— Однако Абу Фат-старший из Абу-Даби решился бросить ему вызов. Эти камни на свою шею наденет невеста его сына. Свадьба через год. Значит, Абу Фат имеет крепкие тылы.

— Абу Фат — вор, все свои войны строил как захватнические, когда еще Эмираты создавались. Сейчас он имеет поддержку на Западе и ведет прозападную политику, но во имя его спасения никто войну в Персидском заливе развязывать не станет. К арабской резне все уже привыкли и предпочитают наблюдать за ней со стороны.

— Спасибо, Жерар. Я услышала то, что хотела услышать. Значит, и я подвергаю себя опасности?

— Ты — нет. В Россию они не полезут. Но если камни вернутся в Эмираты, Абу Фат-старший недолго будет ими любоваться.

Алина в задумчивости походила по номеру, потом повернулась к Жерару и спросила:

— Ты можешь организовать утечку информации?

— Легко, но слова ничего не стоят.

— Возьми эту фотографию. Хозяин узнает свои камни.

— Ты лишишься заказчика.

— Возможно. Но свадьба из-за этого не отменится, заказ останется в силе.

— Зачем они тебе? Ни один сайтхолдер из компании дистрибьюторов их никогда не купит.

— Мой муж сделает мне корону, и я в ней буду полоть грядки на своем дачном участке.

— Мне вас, русских, не понять.

— Сделай милость, Жерар, не утруждай себя. Медведь, балалайка и водка — это все, что мир знает о России. А большего и знать не следует.

* * *

Спустя десять дней Аургент Зеба вновь появился в доме ювелира. Он сдержал свое обещание и привез индийские бриллианты, которые зарегистрировал по всей форме и вручил их Алине. И опять Печерников и его жена не могли скрыть своего восхищения. Каждый камешек был уникальным, без единого изъяна, чистейшей воды и безукоризненной ручной огранки.

— Я уверена, невеста вашего племянника затмит все королевские дома мира. Таких бриллиантов нет даже у Елизаветы Второй.

— Вы правы, — согласился араб. — Свадьба Абу Фата-младшего — событие политическое. По свадьбе определяется сила и могущество хозяина. Такие события продумываются и просчитываются заранее. Планируется все, любая мелочь, каждая деталь. В среду я уезжаю в Дубай и приеду через месяц. Во время визитов в Россию я обязательно буду навещать вас.

Они простились. Гостя сопровождала охрана из шести человек.

— Наверняка у него свой частный самолет, — задумчиво сказала Алина.

— Но это не спасает его от таможни, — пожал плечами муж.

— От таможни его спасает дипломатический паспорт. От нападений — охрана.

— О чем ты, детка?

О чем? О том, что она рассказала самому опытному аферисту Москвы Севе Дербеневу. Этот человек не давал плохих советов и не брал денег за консультации. Но если его просили включиться в игру, то он требовал долю.

— Как, говоришь, его зовут? — спросил он, проводив гостью в подсобку своего антикварного магазина.

— Шейх Аургент Зеба. Статус высокий. Уровень нашего заместителя министра иностранных дел. Меня мучает вопрос — на чем он летает? У него свой самолет или он пользуется рейсовым?

— Узнать — не проблема. Что ты хочешь?

— Чтобы он утратил свою самоуверенность. В среду он улетает. Его сопровождают шесть телохранителей. Парень чувствует себя защищенным со всех сторон, и вдруг у него пропадает портфель с документами. Не в России, а в Дубае. Потом он замечает, что в его чемоданах кто-то рылся, но при этом он не должен подозревать русских.

— Я могу организовать для тебя этот спектакль, но ребятам придется хорошо заплатить. Подобное могут делать только люди подготовленные, опытные. У меня есть такие на примете, но они берут за работу серьезные деньги.

— Я заплачу. Аургент Зеба должен засомневаться в своем могуществе и неуязвимости. Я знаю, кого он заподозрит. Не пройдет и месяца, как его брат получит черную метку от сыновей ограбленного Шаха. Тогда все встанет на свои места, арабы поймут, какую глупость совершили.

— И чего ты этим добьешься?

— Они побоятся ввозить в Арабские Эмираты бриллианты, переданные мне для выполнения заказа. Пока это все, что я хочу.

— Бедные женщины, — развел руками Дербенев. — Сплошные проблемы. Ваша логика мне недоступна. Ты хочешь подменить уникальные камни на стандартное сырье?

— Я хочу, чтобы эта идея исходила от заказчика, а не от меня.

Подсобка была заставлена антикварной мебелью. Дербенев сел в готическое кресло с высокой резной спинкой, а Алина — на мягкую кушетку времен Людовика XV.

— Ты знаешь Анну Гурьеву?

— Конечно, знаю.

— Ее проблемы связаны с теми же бриллиантами. Мне кажется, вы каким-то образом можете помочь друг другу.

Я не вникал в тонкости, но чувствую, если две женщины вашего склада ума объединят свои силы, то коктейль получится сногсшибательным. Я собираюсь устроить пикник в субботу на своей даче. Будет еще одна особа, Юлия Баскакова. И у этой дамочки проблем выше крыши. Почему бы нам всем вместе не пофилософствовать на природе под шашлычки?

— С радостью. Приглашение принимается.

7

Помахивая веером над мангалом, Алеша следил за шашлыками, жена Дербенева Катя и жена Ивана Ляля, которые теперь считались вдовами, склонились над схемой, расстеленной на столе в саду. Жена Алеши нарезала салат. Небольшой пикничок на природе, где совмещалось полезное с приятным.

Говорила только Катя, остальные слушали.

— Наконец-то Игумен понял и принял план Севы. Мешки они забрали и машинку для протаскивания троса через воздуховод тоже. Вопрос решен. Они будут действовать согласно нашему плану. Вот схема воздуховода. У них она есть, но не полная. Мешки должны проскользнуть двадцать два метра до выходного отверстия. На их схеме нет этой врезки. Здесь коридор имеет перекресток, то есть воздуховод пересекается с другим воздуховодом. Самая трудная работа предстоит Ляле. Игумен с подручными цепляют мешки карабинами один за другим, запихивают их в трубу, потом уходят через канализацию и люки на улицу. Дальше они меняют несколько машин и возвращаются к галерее с другой стороны здания, снимают решетку с вентиляционного отверстия, цепляют трос к лебедке и вытягивают мешки наружу. На все манипуляции у них уйдет не менее получаса. Все это время, Лялечка, тебе придется сидеть в трубе, но не в основной, а в той, что ее пересекает. Нежданчик за углом. Как только мешки будут загружены в короб и они закроют за собой решетку, ты начнешь подтягивать эшелон мешков к себе. Это нетрудно, они будут легко скользить по жести. Итак. Появился первый мешок, ты его пропихиваешь мимо себя, потом второй, третий, четвертый, а пятый и остальные отцепляешь от эшелона и затаскиваешь в свой короб, где находишься. За угол, другими словами. Мы знаем, что этот короб не имеет выхода на улицу, он идет параллельно залам галереи. Выносить свою долю мы будем через центральный вход. У всех на виду.

Алексей забыл про шашлык, а Уля про салат.

— Восемь мешков? Через охрану?

— Да. Но сначала надо дать возможность Игумену уехать. Мы знаем его гнездышко и знаем, куда он повезет добычу.

— А почему не дать ему вывезти все деньги по-тихому, а потом накрыть его берлогу? — спросил Алеша.

— Потому, Алешенька, — не задумываясь, ответила Катя, — что деньги для нас не главное. Ограбление галереи станет самым громким скандалом в городе за последние полвека. Мы поможем ментам найти грабителей. Банда Игумена угодит в сети уголовки, и все сволочи сядут за решетку. В этом и есть месть Игумену за смерть наших мужей. А сколько у него найдут денег, не имеет значения, отвечать он будет за все, что исчезнет из хранилища. То, что три четверти добычи достанется нам, об этом никто никогда не узнает. Конечно, полковник Кулешов разберется и в конце концов поймет, что в деле участвовали две банды. Но мы не оставим ему следов. Он не станет копать глубоко, если получит в свои руки козла отпущения, ведь речь идет о частных деньгах, а не о хранилище Центробанка и не о бюджете государства.

Ответ был исчерпывающим, и новых вопросов не возникло. Правда, шашлык успел немного подгореть.

* * *

Шедевр ювелирного искусства «Око света» опять сверкал под яркими лучами хрустальных люстр ресторана «Трапеза». Анна Гурьева отмечала свои именины, в ресторан пригласили самых близких друзей семьи. Репортеры желтой прессы также получили информацию о знаменательном событии.

В общем-то, именины жены банкира нельзя назвать событием, событием стал скандал, раздутый прессой вокруг ограбления. Вот уже несколько дней на страницах не очень уважаемых газет утверждалось, будто бриллиантовый гарнитур был снят с Анны Гурьевой во время торжественного открытия отеля «Континенталь». В Интернете даже появилась фотография Анны и ее мужа в момент выхода с вечеринки. На шее Анны ничего не было. Скандал начал разгораться, как костер, в который подбросили сухих дров. Больше всего обывателя поражал тот факт, что милиция пожимала плечами, что никаких заявлений в правоохранительные органы не поступало и, соответственно, никакого расследования не проводилось.

Гурьевы на газетные сплетни никак не реагировали, хотя могли опротестовать раздутый поклеп и подать на газетчиков в суд. Однако они поступили умнее, использовали именины Анны для того, чтобы утереть всем нос. Молодая красавица вновь появилась на публике усыпанная бриллиантами.

Веня Скуратов, пожалуй, один из немногих знал о том, что Анна надела на себя копию из стекляшек Сваровски, образец. Об этом ему рассказала Алина, с которой он имел приватную беседу в тихом ресторанчике. Оригинал гарнитура лежит в его сейфе на даче. Он приехал посмотреть на стекляшки. В ресторан заходить не стал, картина прекрасно просматривалась с улицы через окна. Веня вел свое расследование и давно уже не был на даче. Он не догадывался, что с помощью Дины выкрал из банка тот самый муляж, в котором блистает сейчас Анна, а его сейф на даче пуст. Ему и в голову не приходила мысль о том, что если все его действия соединить в одну цепочку, он становится главным подозреваемым в ограблении.

Скуратов считал себя умным и ловким парнем, отлично разбирающимся в светских интригах, имеющим прекрасное чутье, и был уверен, что всегда останется в выигрыше. На самом деле он походил на Неуловимого Джо из анекдота. А почему он неуловимый? Да потому, что никому не нужен! Ничего этого Веня пока не знал, а потому, как всегда, был собой доволен, разглядывая через окно нарядную толпу.

Через час Скуратов впал в транс: вернувшись на дачу, он обнаружил сейф пустым. Дина бесследно исчезла. Девушку он ни в чем не подозревал, был уверен — ее похитили вместе с бриллиантами. Часовая истерика не помогла. Скуратов схватил пистолет и отправился к Фельдману. Не то чтобы у него были серьезные улики против банкира, но он чувствовал — ему что-то недоговаривают. Поездка к старику мало что изменила. Он лишь получил фотографию женщины из архива Фельдмана. Именно она положила ожерелье в сейф банка. В этой женщине Веня узнал Оксану Мартынчук. Горничная Гурьевых уже попадала в его поле зрения и значилась в списке подозреваемых. Веня давно искал ее. По словам консьержки, она уехала в Одессу, но этому верить нельзя. Надо действовать. Фельдман и Шпаликов выпали из категории подозреваемых. Фельдман предложил ему миллион долларов, если они сумеют получить акции Гурьева. Все встало на свои места.

Конечно, содержание двухчасовой беседы со Скуратовым Фельдман тут же сообщил Алине. Дальнейшие действия Вени были предсказуемы. Скуратов прибыл к дому Оксаны в полночь, в час ночи сумел войти в дом с помощью жильца с нижнего этажа. Дежуривший у дома Герман это видел. Ну что ж, скатертью дорожка. В квартире Веню уже давно поджидает труп Оксаны. Герман вызвал милицию, назвавшись прохожим. Минут через семь послышались сирены. Герман сел в машину и уехал.

Каково же было его удивление, когда на следующее утро Скуратов появился в его ресторане «Маяк». Значит, он сумел выскользнуть из рук оперативников. Тем лучше. Это затянет его еще глубже в болото. К счастью, Семен находился под рукой. Он продолжал выполнять поручения Германа и даже в выходные торчал в ресторане.

На кухню зашел метрдотель с фотографией в руках.

— Там один тип интересуется женщиной. Может, кто-то из вас ее видел?

Фотографию взял Герман, взглянул на нее и тут же передал Семену.

— Ты ее видел в субботу. В восемь вечера она встречалась с Дербеневым. Нет, в восемь пятнадцать. Короткая деловая встреча. Тебе наверняка покажут фото Дербеня. Ты его узнаешь. Иди. А я пока выпишу счет за субботу. Подаришь ему на память.

Сема был парнем сообразительным и исполнительным. Он сделал все так, как ему приказали, а Герман просчитывал дальнейшие действия Скуратова. По его мнению, Веня должен искать подтверждений в банке. К тому же он нашел у Оксаны ключ от ячейки.

Герман доложил ситуацию Алине, а Алина связалась с Фельдманом.

Через час ей позвонил адвокат Лурье:

– Только что в Английском клубе был Скуратов. Он слишком далеко зашел, пора его остановить.

Алина позвонила Герману:

– На Скуратове ставим точку. Он уже набрал достаточно очков, может выбывать из игры. Мы наметили серьезный акт, а он мешает как бельмо в глазу.

Герман сразу отправился на дачу к Скуратову и опередил хозяина на полчаса. Ключ от дома, переданный Диной, постоянно находился при нем. Оставив машину на опушке, он взял из бардачка флакон духов и направился к дому. Герман приехал на приметном желтом «Фольксвагене» Семена, который подменил его на работе. Пригодились и ботинки сменщика. Почва оставалась сырой после ночного дождя, а следы от обуви всегда остаются. Неизбежно останутся в глинистой почве у леса и отпечатки колес.

Герман вошел в дом, достал флакон с духами и, поставив его на окно, снял пробку. Задвинул шторы, после чего выкрутил лампочку из-под абажура. Оставалось только ждать. Он встал посреди комнаты, достал пистолет и передернул затвор. Из этого пистолета он убил фокусника.

Наконец щелкнул замок, в дверном проеме появился черный силуэт Скуратова. Комната была наполнена ароматом духов. Хозяин попытался включить свет, не получилось.

— Кто здесь? — спросил он.

Герман ответил двумя выстрелами и тут же ушел. Он был уверен, что выстрелы не смертельные. Убивать Скуратова не входило ни в чьи планы. Парень увяз по уши, у него нет шансов на оправдание.

8

Сколько Юлия ни старалась, к копиям, изготовленным Томилиным, она придраться не могла.

— Ты волшебник, Петя! Настоящий волшебник!

— Я старался. Посмотри обратную сторону. Я нашел метку парижского аукциона и повторил ее. Вот это было действительно трудно.

— У меня нет слов. Оригиналы пока останутся у тебя, тут самое безопасное место.

— Заходил твой приятель Сева Дербенев, принес репродукции. На столе лежат. Указал натуральные размеры оригиналов, можно подумать, я их не знаю. Просил не очень стараться. Мол, эксперты мои полотна изучать не будут. Я обещал ему сделать копии за три дня. Одна уже готова.

Юлия подошла к огромному столу.

— Черт! Гоген, Дега, Сислей... Где он их видел?

— Думаю, там, куда хочет повесить мои копии вместо оригиналов. Возможно, они висят у какого-то лоха и тот не заметит подмены.

— Ты веришь в такую удачу, Петя?

— Я же увидел у алкаша подлинник Шишкина, который теперь в твоих запасниках. Купил у него за бутылку. Он даже не помнил, откуда взялась картина, с бабкиных времен висела.

— Ну да. А Рублевской Божьей Матерью накрывали бочку с соленьями в погребе. Таких случаев один на миллион, и они не для ловкачей вроде Севы, — зло проговорила Юлия.

Бывший муж Юлии Баскаковой был бессребреником, никому никогда не завидовал, а оттого и чувствовал себя хорошо.

— Оставь Севу в покое, Юля, — мирным тоном сказал Томилин. — Всех денег не заработаешь, всех шедевров не соберешь...

— Заткнись, Петя! Оригиналы он все равно продаст мне, и за бешеные деньги. Почему он обращается к тебе через мою голову, напрямую, а ты ему помогаешь? В итоге все расходы лягут на мою шею! Это справедливо? — вышла из себя Юлия.

Петр тихо усмехнулся, попивая пиво из горлышка.

— Ты очень быстро забываешь добро, которое для тебя делают. Разве Дербень брал с тебя деньги за деловые советы? Он вас всех научил, как можно выживать в волчьей стае, мог разорить на одних советах, если бы брал мзду. Да вы ему по гроб жизни обязаны. Курицы неблагодарные...

Юлия схватила тубус с копиями и бросилась из комнаты. Раздался громкий хлопок двери и звон висящей цепочки.

— Пауки, — пробурчал Томилин.

9

Дина по-прежнему жила в доме Гурьева, в квартире на десятом этаже. По инструкции, данной ей Германом, девушка могла делать все что угодно, ей даже денег оставили для развлечений, но должна всегда оставаться на связи и уметь быть неузнаваемой для охранников подъезда, используя парики, очки, косынки, косметику. Она не знала, что ее фотографировали при входе и выходе из дома, за ней наблюдали, фиксируя места, где она бывала. Ничего не замечая, Дина радовалась жизни, она верила в свою звезду, верила, что ее ждет большое будущее.

Звонок Германа застал ее дома.

— Сегодня тебе предстоит разыграть небольшой спектакль, детка, — сказал он. — Одевайся и выходи, я жду у соседнего дома в черном «Форд-Фокусе».

Через десять минут девушка села в машину.

— Хочешь меня еще кому-то показать? Мне очень понравился редактор. Настоящий аристократ.

— С ним ты скоро увидишься в Сочи, там намечается крупный кастинг, съедутся представители мировых агентств, он будет проталкивать твою кандидатуру. Но сначала мы должны покончить с московскими делами. Со Скуратовым уже покончено.

Дина вздрогнула.

— Спокойно, девочка, ведь я тебя предупреждал. Ты выбрала правильный путь, поэтому жива и здорова. Такие люди, как Веня, обречены. Их терпят до поры до времени, потом от них избавляются. Так и случилось. Но я не хочу, чтобы он сгнил на даче. Его исчезновением никто не заинтересуется.

— Его убили на даче?

— Думаю, он жив. Его должна обнаружить ты, больше некому. Дверь дома открыта. Он упал у порога. А теперь подумай, как тебе туда попасть так, чтобы в дороге тебя видел кто-то из соседей.

Дина глянула на часы.

— Автобус от станции до поселка отходит через два часа. Пешком — двенадцать километров, а автобус ходит только три раза. Соседи по даче всегда приезжают днем, там не ночуют, уезжают в Москву.

— Значит, ты попадешь с ними в один автобус.

— Может быть, и в одну электричку, если мы поторопимся.

Герман включил двигатель и помчался на вокзал.

— Слушай меня внимательно и запоминай. Ты должна вызвать милицию и «скорую помощь». На даче тебя не было три дня, жила у подруги. Той пришлось уехать к больной матери в другой город, и она не стала брать с собой ребенка, попросила тебя посидеть с сыном. Ты согласилась. Веню предупредить не сумела, его телефон был недоступен. Жила в районе Чистых прудов. Улица Жуковского, дом пять, квартира три. Подругу зовут Люба. Если тебя будут проверять, она все подтвердит, это наша девушка. И еще. В доме воняет духами, какими пользуются шлюхи. Упомяни имя Инессы. Помнишь такую?

— Да. Хозяйка притона. Это она устроила мне кастинг, где отбирались порнозвезды. Она работает на Веню время от времени. У нее на него тоже компромата хватает.

— Значит, сообразишь, что сказать. В остальном ты полная дура. Ни бе ни ме. Побольше плача. Они тебя отпустят. Скажешь им, что вернешься к подруге на Чистые пруды.

— Я все поняла.

— Молодец, а потом в Сочи!

На вокзале Дине повезло. Она встретила соседей по даче, и они сели в одну электричку.

10

В знаменитом ювелирном салоне Печерникова Алина Борисовна Малахова опять ждала гостя. Без золота и блеска самоцветов салон напоминал похоронное бюро. Голые манекены, пустые витрины, утопающий в черном бархате зал. Да и хозяйка во всем черном походила бы на вдову, если бы не выделяющиеся яркими пятнами огненно-рыжие волосы, зеленые глаза и алые губы. А главное — довольный вид, никак не подходящий для убитой горем женщины.

У салона остановилось две иномарки представительского класса. Из одной вышел смуглый мужчина в характерном арабском наряде с дипломатом в руке. Впустив его, Алина заперла дверь на засов.

— Нам не обязательно скрываться, визит можно считать официальным, не так ли? — спросил гость по-английски.

Араб поцеловал руку хозяйки. Это никак не вязалось с обычаями Ближнего Востока, но шейх Аургент Зеба был человеком светским, большую часть времени жил в Европе.

— Вы очень обязательный человек, ваше превосходительство.

— А вы прекрасный предприниматель, мадам. Я получил по вашей доверенности все бриллианты. Вы правы, ангольские камни превосходят по качеству якутские, а огранка, выполненная израильскими мастерами, не хуже индийской. Я не ожидал.

— Я член совета директоров концерна, к моим заказам относятся с особой щепетильностью. Из лучших выбирали лучшие. Мне понадобится неделя, чтобы вставить алмазы в оправу. Те, что останутся, вы заберете в качестве компенсации. Только теперь вам не придется их прятать, вы можете выставлять их напоказ.

Шейх положил дипломат на стол и открыл его. Он был заполнен замшевыми мешочками размером чуть больше спичечной коробки. Один из них Алина открыла и высыпала на ладонь десяток сверкающих камней.

— Все по пять карат. Они должны подойти к оправе, — сказал шейх. — До свадьбы осталось десять дней.

— Можете не напоминать мне об этом, мой салон не нарушает сроков договора.

— Я остаюсь в России и буду ждать. Без гарнитура «Око света» мне нечего делать в своей стране.

Они улыбнулись друг другу. Милая идиллия, полное взаимопонимание. Год назад этот человек привез уникальные индийские бриллианты и семь именных голубого цвета для подвески. Сейчас о них не вспоминали. Что же произошло? Ничего. Просто велась правильная политика, прошли десятки переговоров на разных уровнях. И все благодаря связям Алины в нужных кругах. Год назад Алина начала плести свою паутину в Париже на встрече с известным экспертом компании «Де Бирс» господином Жераром Барто. Произошла утечка информации в нужном направлении. Семь голубых бриллиантов такого веса не могли оставаться неизвестными специалистам. Абу Фат-старший допустил непростительную ошибку — решил выставить ворованные бриллианты напоказ. Слишком самонадеянно, слишком дерзко! Возомнил себя всесильным и неуязвимым, за что и поплатился. Через месяц его личный самолет был взорван над Красным морем, а сын получил предупреждение: если камни, принадлежащие шаху Аль Мактуму, будут выставлены напоказ, все поколения Абу Фата будут вырезаны.

План Алины сработал. Спустя неделю после авиакатастрофы в Москве появился брат Абу Фата Аургент Зеба. Он готов был снять заказ и отказаться от выплаченного ювелирам аванса, только бы прекратить начатый сыновьями шаха террор. Его паническое настроение вполне объяснимо. Если добрались до шкуры самого Абу Фата, то о безопасности семьи не может идти речи, ее судьба предрешена. К тому же в высших кругах восточного мира считают, что потерять лицо хуже, чем перейти в другую веру.

Увидев полную растерянность Аургента, Алина поняла, что даже не рассчитывала на такой эффект.

— Вы хотите забрать камни? — спросила она.

— Когда я от вас уезжал, в аэропорту Абу-Даби у меня украли портфель с документами, а дома я заметил, что кто-то копался в моих чемоданах, несмотря на мой дипломатический статус. Я не могу гарантировать сохранность ценностей.

Алине пришлось отойти к окну, чтобы скрыть улыбку. Сева Дербенев сдержал слово, но ничего ей не сказал. Так, пустячок! Ты просила — я сделал, стоит ли об этом вспоминать? Бриллианты остаются у нее, Зеба просто не знает, что с ними делать.

Помолчав, Алина спросила:

— От каких источников шла информация к террористам?

— Это могла быть Голландия, Бельгия или Франция. В последнее время мой брат возомнил себя наместником Аллаха на земле. Думаю, он сам стал источником слухов. Но уверяю вас, Россия нигде не упоминалась, указывать пальцем на место, где лежит клад, никто не будет.

— Уже хорошо. Скажите, пожалуйста, если слухи имели место, то они не могли не разлетаться со скоростью света. В таком случае они дошли и до черных риелтеров, и до серых сайтхолдеров.

— Да, конечно. Было несколько предложений. Так, Фрэнк Креймер предлагал большие деньги за синие алмазы, но ему было отказано. Он их видел и знал им цену. Даже охотился за ними во время войны в Персидском заливе. Но неудачно.

— Видеть он их мог только когда они находились в собственности самого Шаха. Но они пропали в пятьдесят четвертом году. Не так ли?

— А что это меняет? Креймеру за семьдесят. Он всю жизнь воевал наемником, пока не получил сумасшедшее наследство от умершего дяди.

Алина закурила, продолжая стоять у окна.

— Он и сейчас готов купить синие алмазы?

— Не сомневаюсь. Ему наплевать на арабов, он живет в Америке. Но если я выйду с ним на связь, это тут же станет известно террористам. Креймер постоянно находится в их поле зрения.

— Самым правильным будет повесить вину за кражу алмазов на Фрэнка Креймера. Таким образом, вы сможете обелить себя, а сыновей шаха обвинить в убийстве вашего брата. В умышленном убийстве без всяких оснований и опубликовать их послание с угрозой семье. Тогда халифат примет вашу сторону.

Лицо шейха стало очень серьезным.

— Как я смогу доказать такие бредовые обвинения?

— Начнем с того, что вы не снимите свой заказ. Жена вашего племянника появится на свадьбе в гарнитуре «Око света», но на нем не будет ни одного индийского бриллианта. Мы найдем им достойную замену, я позабочусь об этом. Фрэнка Креймера интересуют камни, а не источник. Так почему эти камни не могу продать ему я? Сделка будет носить скрытый характер. Важно доказать, что синие алмазы находятся у Креймера. Давно ли? На этот вопрос никто не найдет ответа, а значит, обвинение Абу Фата было ошибочным. И кому-то за это придется ответить. Что касается заказа гарнитура в Москве, об этом скоро узнают все. Главное — доказать общественности, что вы заказали украшения из материалов ювелира. И если вокруг вашего заказа начнутся разговоры, а возможно, возникнет и мелкий скандальчик, мир узнает о том, что Абу Фат искренне поверил в талант русского ювелира и сделал ему заказ на свадьбу своего сына. Однако враги все поняли по-своему и убили честного порядочного человека. Что мы имеем в итоге? Вы возвращаете себе честное имя, получаете гарнитур «Око света», но теряете на качестве бриллиантов. Однако честное имя стоит дороже. Главным обвиняемым становится Фрэнк Креймер, и пусть сыновья шаха разбираются с ним. Если арабы способны врезаться на пассажирских самолетах в небоскребы Нью-Йорка, то уж с Креймером какнибудь разберутся. И я не останусь внакладе, получу всемирную рекламу своим изделиям. Невеста богатейшего шейха Востока выходит замуж в украшениях, сделанных русским ювелиром Печерниковым! На свадьбу сбегутся все мировые СМИ, если ожерелье будет окружено загадками и скандалами. Оно станет знаменитым еще до свадьбы.

Гость слушал женщину затаив дыхание. После того как Алина замолкла, в комнате повисла долгая пауза. Наконец Аургент Зеба тихо сказал:

— Ваша речь не похожа на экспромт, это хорошо продуманный план. Когда вы успели?

— Я живу не в замкнутом пространстве, ваше превосходительство. О гибели вашего брата мне стало известно в день катастрофы. Я связалась с аналитиками из института Востока и выслушала их мнение, а потом сделала собственные умозаключения. Вас чем-то не устраивает мой план?

— Он слишком хорош, чтобы поверить в его реальность.

— У нас впереди год. Ваша задача — дать мне возможность выйти на Фрэнка Креймера. Напрямую и без посредников. Если помните, я вам говорила, сделка должна пройти нелегально. Что самое главное? Скрыть время покупки алмазов. Мы должны убедить арабов в том, что Креймер владеет уникальными камнями не первый год, только тогда всем станет ясно, что обвинения Абу Фата были беспочвенны и строились на домыслах.

— Сделаю все, что от меня зависит.

— Я не сомневаюсь в ваших талантах, возможностях и связях. Перед нами стоит непростая задача, но решаемая. Если объединить наши усилия.

С этой встречи прошло чуть меньше года. Заговорщики не раз встречались. Сегодня шейх Аургент Зеба передал ей ангольские бриллианты. Алина тут же привезла их Рашиду Мамедову. Он запер кабинет изнутри.

— Я восхищаюсь вами, Алина Борисовна. Вы всемогущи!

— Я прежде всего бизнесмен, — сказала дама. — Это количество получено с моей скидкой. Теперь я забираю четыреста семьдесят четыре камня, то самое количество, которое поможет мне восстановить украденный гарнитур «Око света». В итоге вам остается столько камней, сколько можно купить на пятьдесят миллионов по коммерческой цене без скидок. Если прибавить к этому скорость, с которой проведена операция, вы остаетесь моим должником, но не будем мелочиться. Думаю, это не последняя наша сделка.

Когда Алина, забрав свою долю, ушла, Мамедов вызвал Нечаева.

— Эдик, срочно свяжись с вором картин, пусть диктует условия обмена товара на товар. Я готов!

Глава 3

1

Встреча состоялась на смотровой площадке в Лужниках. Анна Гурьева привезла мужа на своей машине: изрешеченный пулями «Мерседес» Савелия Георгиевича так и стоял на платной парковке, накрытый брезентовым чехлом, чтобы не привлекать к себе внимание.

Герман уже поджидал их у парапета смотровой площадки. Накрапывал мелкий дождик, а потому туристов собралось не очень много. Выходить из машины под дождь они не стали, Герман подсел к ним в машину. Нанятый Гурьевым сыщик начал разговор без всяких вступлений:

— Фельдман и Шпаликов готовят новое покушение на вас. Я уже знаю схему. В подробности вдаваться не буду. Хочу, чтобы вы не дергались лишний раз, а подыграли убийцам. Мы загоним их в капкан.

На лице банкира выступили капельки пота.

— А если у них получится? — спросил он тихим голосом.

— Не получится, если будете выполнять мои инструкции. Вы должны им подыграть. С чего мы начнем? Первое. У вас очень хорошие отношения с неким доктором Чваркиным. Он был вашим психологом. Когда-то вы вытащили его из провинции, помогли обустроиться, дали кредит на постройку уникального лечебно-оздоровительного комплекса под Москвой, элитарной психушки для олигархов.

— Он до сих пор не погасил кредит.

— Тем более. Он вам обязан. Чваркин должен приехать к вам ночью с бригадой врачей и носилками. Анну заберут в его лечебницу. Алкогольный психоз или что-то в этом роде, я плохо разбираюсь. На самом же деле увезут другую женщину в блондинистом парике. Важно, чтобы ваши заместители знали, что вы остались в доме один. Утром как ни в чем не бывало поедете на работу. В одиннадцать почувствуете себя плохо, решите отдохнуть дома. Пригласите с собой Шпаликова. Найдите повод. Ну, скажем, хотите передать ему документы особой важности, которые храните дома. Нам нужно, чтобы он убедился в том, что вы остались в квартире один и собираетесь лечь в постель. Долго он у вас не задержится. Сидите и ждите. Анна будет с вами. Я же буду поджидать убийцу у дома. Когда он появится, я вам позвоню. Нам надо дать ему возможность войти в квартиру. Было бы идеально зафиксировать его приход на видеокамеру.

— У нас видеоглазок. Он как автоответчик может записывать всех, кто звонит в дверь.

— Отлично. Улика — лучше не придумаешь.

— Но убийца не может войти в дом незамеченным, — возразила Анна. — У нас строгая охрана.

— Значит, ее надо предупредить, что вы ждете гостей и не нужно вам перезванивать каждый раз. На самом деле вы ждете меня. Так вы потом скажете сыщикам, когда мы схватим киллера.

— Слишком рискованно, — возразил Гурьев.

— Я сама открою киллеру, — сказала Анна. — У меня есть пистолет, и я сумею дать отпор в случае необходимости.

— Этого не потребуется, — усмехнулся Герман. — Я не допущу.

— Откуда у тебя пистолет? — удивился Гурьев, взглянув на жену.

— Твой. Тот, что мы неоднократно зарывали в землю. Я знала, что он может еще пригодиться.

— Ну хорошо, — согласился Герман. — Если вам так спокойнее, возьмите пистолет, но не доставайте его. Соблюдайте все инструкции, и наш капкан сработает.

Герман вышел из машины и, открыв зонтик, направился в сторону университета.

— Поедем к Чваркину, папочка, — сказала Анна. — Пора тебе на него надавить, он совсем от рук отбился. Заодно и проинструктируем его.

2

Перед Печерниковым лежали два ожерелья из гарнитура «Око света». Одно было рекламным образцом, другое — настоящее. Первое, со стекляшками, выглядело даже ярче, но от второго, с индийскими бриллиантами, невозможно было оторвать глаз, будто оно заколдовано. Словами разницу не объяснишь. Ювелир с тоской смотрел на свое творение.

Алина высыпала на стол из мешочков камни, привезенные из Анголы арабским шейхом.

— Не расстраивайся, Юлик, теперь у тебя будет настоящий материал для нового шедевра. Снимай индийские алмазы и складывай сюда.

Она положила перед мужем титановый футляр с магнитным замком, сделанным на заказ.

— Господи, Аля, неужто ты хочешь подвергнуть риску бесценный товар? У меня голова идет кругом.

— Кто не рискует, Юлик, тот не пьет шампанское. Ты же видишь, моя задумка сработала. Многоступенчатая операция подходит к завершению, остался последний шажок.

— Мне страшно.

— Даю тебе час, у меня нет времени на твои охи-вздохи! — повысила голос Алина, но тут же погладила старика по голове. — Работай, милый. Все будет хорошо, я знаю.

Ювелир взял в руки пинцет и вынул первый индийский бриллиант из золотого гнездышка.

* * *

Дербенев велел Левше исполнять все приказы своего помощника. Левша уже понял, что попал не в простую банду мелких воришек, а к людям серьезным, с большими возможностями. Понять или разгадать их планы не представлялось возможным, и он даже не вникал в их дела. Задания получал безобидные, но был уверен, что эти люди разыгрывают крупную карту. Его дружки бесследно исчезли, помощи ждать неоткуда. Бежать? Куда? Его держали на мушке, и он смирился. Левша старался показать себя полезным, надеясь, что тогда его не шлепнут, а может, даже сдержат обещание и возьмут в долю.

— Официант посадит тебя за нужный столик, — инструктировал его Герман. — Остальное ты помнишь. Машина стоит у входа в ресторан. Желтый «Фольксваген-жук». Официант даст ключи.

Он протянул Левше пистолет, маленький, никелированный, с перламутровой ручкой.

— Стрелять тебе не придется. Положишь его в портфель, который передаст тебе Мамедов, и сдашь хозяину. Он ждет тебя в галерее.

— Я все помню. Всю ночь ваш текст наизусть учил. Слишком мудреный для моего понимания.

— Мамедов должен видеть перед собой умного человека, а не лоха. Действуй, Тарас.

Левша вышел из машины и направился к ресторану «Маяк». Рашид уже поджидал вора. Конечно, он догадывался, что сам вор не придет, пошлет курьера. Не так он глуп, чтобы рисковать своей шкурой.

Левша подсел за столик и спокойно спросил:

— Товар принесли?

— В кейсе под столом. А где картины?

— Не будьте таким наивным, Рашид. Мы встретились в открытую. Где гарантии, что половина официантов не переодетые оперативники?

— Ресторан — ваша точка, я о нем никогда не слышал. Это вы назначили мне здесь встречу.

Левша налил в фужер водки и выпил залпом.

— Я лишь курьер, Рашид. Ваш товар должны проверить компетентные люди, взвесить, оценить, и если все будет в порядке, вы получите свои картины. Они никому кроме вас не нужны. Считайте, что вам отдают их даром. По нынешним оценкам они тянут на сто восемьдесят миллионов долларов.

— Какая осведомленность. Когда я их получу и как?

— Вы же задействовали ментов для поисков. Даже премию им обещали. Мы решили, что ваши картины найдут менты и возвратят их вам. Так будет справедливо по отношению ко всем. А главное, вам не придется доказывать, что вы их нашли случайно на помойке. И уж тем более не выставлять себя идиотом, рассказывая полковнику Кулешову, будто вам пришлось заплатить за них выкуп. Надеюсь, милиция ничего не знает о бриллиантах?

— Нет. Но они читали ваши письма.

— Очень хорошо. Теперь им будет чем гордиться, они же выполнили свою задачу. Нас никто искать не станет. Без надобности, ведь официального уголовного дела никто не открывал.

— Вы меня наказываете еще на один миллион, который я обещал сыщику.

— И это хорошо. Вам нужны друзья в главном управлении. Только не думайте, что Кулешов весь миллион положит в свой карман. Без помощи генералов он не смог бы мобилизовать лучших оперативников города для неофициального расследования. На вас работает половина управления, вы должны отблагодарить ребят за труд. И нам, и вам нужно, чтобы эта суета побыстрее закончилась и все о ней забыли.

— Я вижу, вы люди опытные, все рассчитали. А если бы я вас сдал?

— Мы сочли бы вас сумасшедшим. Все очень просто. Нас ловят. Нам должны предъявить официальное обвинение, придется к делу подключать прокуратуру. Что делают преступники в таких случаях? Вызывают адвокатов, журналистов, присяжных и ждут большого резонанса. Еще не факт, что кому-то удалось бы доказать нашу причастность к ограблению, но о том, что из апартаментов отеля в день открытия были похищены оригиналы живописных полотен стоимостью свыше ста миллионов, знал бы весь мир. Кстати, Рашид. Ограбление было снято на видеопленку. Если нас будут преследовать, мы обнародуем запись. Тогда уже будет неважно, нашли картины или нет. Важен факт ограбления и то, что это возможно в новом, самом престижном отеле мира, каковым вы хотите его представить. Забудьте о нас, и мы забудем о вас. А картины вы получите в ближайшие дни, на этот счет можете не беспокоиться.

Левша достал портфель из-под стола и направился к выходу. Официант незаметно бросил ему в карман ключи от машины. От напряжения у Левши взмокла рубаха, но он справился с задачей, ничего не забыл, а ему было куда легче ограбить супермаркет, чем произносить непонятные слова.

Мамедов не смог оставаться на месте. Он выскочил на улицу, едва желтый «жук» Левши отъехал от тротуара. Нырнув в машину, за рулем которой сидел Нечаев, торопливо бросил:

— За ним, Эдик!

— Он может нас заметить.

— Плевать. Я хочу проверить теорию нашего сыщика.

Нечаев догнал яркую машину, но держался от нее на безопасном расстоянии.

— Похоже, он нас не видит, — сказал Нечаев.

— Ему плевать. Они все рассчитали верно, комар носа не подточит. Я догадывался, что дилетанты за такую работу не возьмутся. Тут нужны такие вывихнутые мозги, как у Ильи Баскакова.

— Ты думаешь, он замешан в краже собственных картин?

— Не сомневаюсь. Геннадий его раскусил. Смотри. Вот тебе подтверждение: «жук» остановился у входа в галерею.

* * *

Сева Дербенев позвонил Баскаковой и задал только один вопрос:

— Как себя чувствует твой муж?

— Лежит в постели. Сердце прихватило. В ближайшие два дня на ноги не встанет.

— Уверена? Не дай бог! Я иду работать с кодами, и мне нужны гарантии.

— Я отвечаю за свои слова. Сколько времени тебе понадобится?

— Даже предположить не могу. Возможно, до завтрашнего утра.

— На утро намечен завоз мебели. Шкафы уже забиты бумажками, присланными Мамедовым, и загружены в машину.

— К утру все будет готово. Не нервничай и будь на виду. Пригласи на вечер гостей, пусть друзья навестят больного. И повнимательней относись к мужу. Он очень тебе дорог.

— Конечно. Ну что я без него? В нем вся моя жизнь.

Сева звонил Юлии из галереи. Теперь, получив зеленый свет, поднялся на третий этаж, прошелся по залу, всматриваясь в экспозицию, и незаметно прошмыгнул в кабинет директора.

Минут через пятнадцать пришел Левша с дипломатом в руках.

— Работа выполнена, хозяин. Все прошло точно по сценарию. Слово в слово.

— Мамедов следил за тобой?

— Сидел на хвосте до самой галереи.

— Надеюсь, остался доволен увиденным. Ладно. Завтра вечером прокатишься на поезде до Курска и вернешься назад, после чего получишь ключ от ячейки, где лежат деньги и загранпаспорт. Ты неплохо поработал, Левша, заслужил свободу и обеспечил себе старость. Если, конечно, черт тебя не дернет обчистить банк на Кипре. Там тебя уже никто не выручит.

— Хватит. Пора на покой.

Левша положил портфель на стол и вынул из кармана пистолет.

— Красивая штучка. Одно удовольствие в руках держать. Герман дал.

— Я знаю. Оставь. Он попадет в нужные руки. Иди и завтра жди сигнала. Герман тебя проинструктирует. Работа непыльная и безопасная, но потребует аккуратности.

— Не сомневайтесь, я умею работать чисто, если на меня не давят. Суета моих бывших подельников и приводила нас к провалам, а у вас тут все чин-чинарем. Красиво работаете. Загляденье.

Левша ушел, а еще через десять минут пришла Алина. Сева чувствовал себя настоящим хозяином в кабинете. Попивал винцо из бокала, забросив ноги в бахилах на стол, на руках были тонкие хирургические перчатки.

— У тебя все в порядке? — спросил Дербенев.

— Тяжелая, зараза! — раздраженно произнесла женщина, доставая титановую коробку.

— Все камни должны соответствовать декларации и описи, а также сертификатам.

— Тютелька в тютельку. Любая экспертиза это подтвердит. Индийские бриллианты особой огранки невозможно спутать ни с чем.

— Замок надежен?

— Он открыт. Запор сработает после того, как коробку захлопнут. Но ты хотел, чтобы сначала ее открыли?

– Конечно. Иначе Игумен ее не возьмет. У него и без того груза больше, чем сможет унести, весь расчет на его жадную натуру. По сути, он как был дешевым фраером, так им и остался. Горбатого могила исправит. Ангольские камешки тебе привезли? – Дербенев кивнул на кейс, стоящий на столе. – Руки чешутся, хочется забрать?

Алина налила себе вина и отрицательно покачала головой:

– Я свою долю взяла, остальное твое. До самого конца не верила, что Мамедова можно раскрутить еще на пятьдесят миллионов. Была уверена, что мне придется продавать акции, чтобы купить камни для заполнения оправы гарнитура, но ты сумел меня избавить от ненужных трат и заставил раскошелиться Мамедова. До сих пор не пойму, как он клюнул...

– Он верит, что все затраты к нему вернутся. И по логике вещей прав. Но в нашу жизнь слишком часто вмешивается господин случай, как всегда, в самый неподходящий момент. С Ириной Гурьевой все прошло гладко?

– Мы с ней нашли общий язык очень быстро. В тот же день, когда папочка переписал акции на ее имя, она приехала ко мне с Лурье и оформила дарственную на мое имя на пятьдесят процентов всех акций, а потом послала телеграмму в Анголу с предложением включить меня в совет директоров концерна как соучредителя и надежного партнера. Я не замедлила подтвердить свою полезность концерну, тут же от своего имени сделала оптовую покупку бриллиантов на сумму в пятьдесят миллионов. Как ты понимаешь, оплатил покупку Мамедов, но деньги перечислены от моего имени. Теперь мы с Анной, а точнее с Ириной Гурьевой, входим в совет директоров и имеем два полноценных голоса из семи решающих.

— Недалек тот день, когда вы все прииски приберете к своим рукам.

— Не исключено. Если я сумею договориться с «Де Бирс» об оптовых поставках, то так оно и будет. А я сумею с ними договориться. В итоге русская «Алросса» получит тридцать процентов мирового рынка вместо пяти имеющихся. Нам еще памятник поставят.

— Что ж, удачи. Я так далеко не заглядываю. Но все ваши планы рухнут, если о них узнает Гурьев.

— Не успеет. Ирина с ним разберется раньше, чем он получит отчет из Анголы.

— Он же ее отец!

— Этот ублюдок убил ее мать ради дешевой шлюхи, которая пыталась его облапошить. Такое не прощается, Сева.

В кабинет вошли Иван Шатилов и Валерий Волков, вечные сателлиты Дербенева.

Алина взяла свою сумочку.

— Ладно, пора за работу, мне еще Фельдмана надо обрабатывать. Этот придурок до сих пор считает себя умнее всех... Да, Сева, сполосни мой стакан, я без перчаток.

Дербенев улыбнулся.

— Оставлю его на память полковнику Кулешову.

Алина ушла.

— Так, мальчики, а теперь аккуратненько вынимаем все книги из шкафов и складываем посреди комнаты в одну большую пирамиду. Я спускаюсь в хранилище и готовлю деньги к подъему. Работенка предстоит нелегкая.

Дербенев взял свой кейс, спустился на лифте в подвал и уже без всяких проблем проник в хранилище. Столько затрат, ухищрений придумано Ильей Баскаковым, чтобы сделать свои сокровища недоступными, и все кошке под хвост. Перемудрил старик.

Сева не до конца был откровенен с женой галерейщика. Он так ей и не рассказал о том, что знает код маленького сейфа. Дербенев доверял Алине, Анне, или теперь Ирине Гурьевой, но Юлию считал менее надежным человеком. Она могла не отдать ему половину залога, оставленного в хранилище. И не потому, что не ценила Севу, который спасал ей жизнь, как она сама выражалась, а потому, что была собирательницей, коллекционершей. Как только Юлия представит себе, сколько картин она сможет купить на его долю, у нее екнет сердце. Тогда от нее можно ждать чего угодно. Конечно, Сева мог подвести ее под монастырь, сдать, но он никогда не делал пакостей из-за угла. У него были свои принципы. Сева не хотел осложнять отношений с галерейщицей и решил подстраховаться.

Он открыл маленький сейф, а потом свой чемоданчик, в котором лежала точная копия книги с серебряными застежками, хранившейся в сейфе. Еще он принес с собой папки, точно такие же, как в сейфе. Оставалось поменять содержимое сейфа и портфеля местами, что он и сделал. В дополнение ко всему Дербенев положил в сейф пистолет, из которого Герман застрелил фокусника и стрелял в Скуратова на даче. Туда же, на нижнюю полку, он положил титановую коробку с индийскими бриллиантами. Теперь все в порядке, оставалось лишь сменить код. Тот, что сын Баскаковой передал Игумену, был выдуман, настоящий давать Баскаковой было нельзя. Получив его, она давно бы забрала из сейфа последнее завещание и полный каталог галереи вместе с нелегальным списком картин. Сейчас Сева должен выставить код, по которому сейф откроет Игумен, тогда Юлии содержимое не достанется.

Захлопнув дверцу, Дербенев подошел к стеллажам. За всю свою жизнь он не видел столько денег. Уму непостижимо. Усмехнувшись, Сева принялся за работу.

3

Алина встретилась с банкирами в том же кафе на втором этаже ГУМа.

— У меня к вам такой вопрос, господа. Охранник в хранилище имеет оружие?

— Да, конечно. Он охраняет не дрова, а мировые ценности клиентов, за которые банк несет ответственность.

— И он может применить оружие?

— Может, если грабители будут вооружены и откроют стрельбу на поражение. Речь может идти о самозащите, но не иначе.

— Очень хорошо. Вы принесли мне универсальный ключ?

Фельдман положил ключ на стол. Они ждали совсем другого разговора, но не смели прерывать даму, от которой зависело их будущее.

— Последний штрих. Этим ключом воспользуется грабитель, — продолжила она. — Я предупрежу о его появлении. На него мы повесим все нераскрытые дела. Обычный бандюга, отморозок, на нем висит не одно убийство. Его надо убрать. Это может сделать ваш охранник, ему ничего за совершенное убийство не сделают. Вас устраивает мое условие?

У банкиров не оставалось другого выхода, и они согласились.

— А теперь поговорим о втором условии. Завтра я приеду на дачу к вам, Саул Яковлевич, с акциями Гурьева. Вы подготовите один миллион долларов наличными и чек на предъявителя еще на четыре миллиона долларов, заверенный по всей форме. Чек должен быть бессрочным. Итого вы мне платите за акции пять процентов от номинальной стоимости акций. Не слышу оваций.

Банкиры были обескуражены. Они рассчитывали расстаться с двадцатью процентами и даже согласились бы на четверть, а тут с них требуют всего пять.

— Мы согласны на ваши условия, — поспешно ответил Шпаликов.

— Это не все, господа. Я вам не очень-то доверяю, мне нужны гарантии. У вас, Саул Яковлевич, молодая красивая жена, она станет моей заложницей на сутки. Когда я буду уверена, что мне ничего не грозит, Анну отпустят. Кажется, ее Анной зовут. Я видела ее в отеле на банкете.

Повисла пауза.

— Как вы себе это представляете? — откашлявшись, спросил Фельдман.

Алина выложила на стол мобильный телефон.

— Она будет получать инструкции по этому телефону. Завтра в три часа дня она выйдет из дома, сядет в свою машину и поедет с дачи в город. Дальше будет все выполнять, не задавая вопросов. Постарайтесь объяснить ей важность соблюдения условий.

— Анна человек дисциплинированный.

— Очень хорошо. Через сутки или раньше она вернется. К тому моменту акции будут в ваших руках, останется лишь избавиться от козла отпущения — грабителя, который объявится в банке на сутки или двое позже.

— Мы все поняли, Алина Борисовна...

— Приятно иметь дело с достойными партнерами.

Она встала и легкой походкой направилась к выходу.

— Стерва! — бросил ей вслед Шпаликов.

4

Чтобы обеспечить себе алиби, Юлия Михайловна Баскакова должна была сидеть возле больного мужа, а значит, не выходить из дома, не появляться на людях и уж тем более, в галерее, а ей очень хотелось попасть в хранилище и осмотреть сейф с документами.

Из кабины грузовика, стоящего напротив дверей галереи, она наблюдала за происходящим со стороны. В кузове стояло десять шкафов, набитых фальшивыми долларами. В кабинете директора на третьем этаже находились другие десять шкафов с настоящими деньгами. Разгрузкой и погрузкой занимался ее сын Алеша с друзьями-студентами, которые, естественно, ни о чем не догадывались. Ребятам предложили подработать и пообещали по двести долларов каждому. От таких предложений студенты не отказываются. Алеша никогда не появлялся в галерее, они с матерью встречались тайком, а муж Юлии считал, что пасынок учится в Лондоне. Так думали все, не только Илья Баскаков.

Алексей подошел к старшему охраннику и предъявил накладные на мебель.

— Мы привезли новые шкафы для кабинета директора, а старые велено вывезти.

— Меня никто не предупреждал, — строго сказал начальник охраны.

— И что мне делать? Уезжать? Могу уехать, но по шее получите вы, а не я. Я доложу хозяину, что меня не пустили, ему придется оплачивать доставку по второму разу. Это удовольствие стоит недешево.

Начальник охраны позвонил домой хозяину. Баскаков крепко спал, накаченный снотворным, а жена сидела в машине в десятке метров от входа в галерею. У нее зазвонил мобильник.

— Юлия Михална, тут ребятишки какую-то мебель привезли. Что мне делать?

— Да, да, все правильно. У Ильи Данилыча опять сердце прихватило, и я совсем забыла о том, что он заказал себе новые шкафы. Проследите за погрузкой, голубчик. У вас же есть ключ от кабинета, там уже все готово. Книги выгружены из старых шкафов и лежат на полу. Приглядите за грузчиками.

— А что делать со старыми шкафами?

— Нам они больше не нужны, пусть вывезут.

Вопрос был решен. Начальник охраны лично открыл дверь кабинета и проследил за работой. Ребята работали добросовестно, уложились в полчаса. Старую мебель погрузили в фургон и уехали. Охранник закрыл кабинет и ушел к себе.

Из дверей лифта в кабинет вышли Дербенев, Шатилов и Воронов.

— Вторая смена, господа. Заполним пустые полки фантиками.

— Для чего ты оставил гору настоящих денег? — спросил Шатилов.

— Мы их запихнем в дальний угол. Нам привезли фальшивок столько, сколько влезет в двенадцать мешков, которые я приготовил для Игумена в гараже. Он понятия не имеет, какая сумма хранится в подвале. Те, что останутся, настоящие, некуда будет запихнуть. Когда в хранилище придут менты, они увидят живые деньги и смогут рассчитать, сколько увезли. Кулешов человек дотошный.

Волков раскрыл один из шкафов и вынул с нижней полки пачку купюр. Выдернув одну, он внимательно рассмотрел ее.

— Качественная работа. Такую можно в обменник нести безбоязненно.

— Где их делают, я не знаю, Лера, но арабы такими фантиками расплачиваются с боевиками на Северном Кавказе. У Мамедова есть на них выход, вот мы и решили, что кроме него качественный товар никто больше достать не сможет.

— Бедный Рашид. Раскрутили мужика на полную катушку.

— Он знает, что делает, — усмехнулся Дербенев.

— Уж кто и бедный, так это наши девочки, — покачал головой Иван. — Особенно Лялька. Ей придется лазить по трубам воздуховода ради фантиков.

— Не волнуйся, Ваня, нашим «вдовам» не мешает попрактиковаться. В любом случае надо оставить Кулешову второй след. Он никогда не поверит, будто Игумен может составить такой безукоризненный план. И будет прав. Результаты должны доказать, что Игумена использовали как рабочую силу, а потом от него избавились. Так что наши девочки делают очень важную работу и свое вознаграждение получат, можешь не сомневаться.

* * *

За рулем грузовика был Алексей, мать сидела рядом, а грузчики-студенты в кузове. Они ехали на старую дачу Томилина, первого мужа Юлии и отца Алеши. Сам Петр Томилин на даче не бывал, он не вылезал из своей квартиры-мастерской в Измайлово. Но сын и бывшая жена бывали там нередко. Дачка так себе, ничего особенного, строили ее давно, когда Баскакова еще была Томилиной и денег в семье не хватало. Теперь у Юлии Михайловны появились настоящие хоромы, дворец, но старая дачка ей нужна была под склад, своего рода тайник. Сделали скрытый вход в подвал, оборудовали его кондиционерами, а на виду у соседей Алеша и его жена Уля занимались садом и огородом, как все смертные. Зимой приезжали редко. Местные жители топили печки дровами, воду брали из колодцев. Деревня была неприметная, а главное, никак не связанная с именем Юлии Баскаковой.

Сын подал матери листок, свернутый вчетверо.

— Дербень оставил тебе. Лежало на шкафу.

Юлия развернула записку.

— Коды! Мерзавец! До последней минуты молчал.

— Значит, он тебе не доверяет, мамочка. Запечатай их в конверт и залей красным сургучом мужа. Конверт передай адвокату. Помни, ты к хранилищу не имеешь никакого отношения. Коды и вся документация должны храниться только у адвоката. Он в свою очередь передаст конверт полковнику Кулешову, если у того будет ордер на обыск. Так все будет выглядеть убедительно.

— Лурье не подведет. Он умеет быть убедительным.

— А ты не думаешь, что твой убедительный адвокат Лурье за подмену завещания разденет тебя догола? Он же не дурак и понимает, какие деньги на кону.

— Лурье будет счастлив остаться моим адвокатом. Я повышу ему жалованье в связи с новыми условиями работы и большей нагрузкой. Большего он не получит. Лурье замешан в убийстве Анны Гурьевой, настоящей, а не той, которую все знают. У Ирины есть неопровержимые доказательства. Так что Лурье будет нам с ней служить верой и правдой до конца своих дней. Меня больше беспокоит Дербень.

— Сева? Чем же? Это самый порядочный вор из всех существующих на свете.

— Его мозги и порядочность слишком дорого стоят. Половину из того, что мы везем, придется отдать ему.

Алеша рассмеялся:

— Очень порядочно с его стороны. Я бы потребовал все. Ты получаешь галерею со всеми потрохами, а «потроха» эти меряются другими деньгами. Мало того, он вернул тебе подлинники, отданные в прокат отелю, а бедолага Мамедов будет без ума от счастья, любуясь копиями. Чтобы вы делали без Севы? Ты, Анна, Алина. Он же вас озолотил.

— Я не спорю. Алина расплатилась с ним бриллиантами, с Анны он вообще ничего не взял, так почему же я должна выкладывать пятьдесят миллионов?

— Анна отдала Алине пятьдесят процентов акций за операцию. Чего же с нее еще брать?

— Именно. Они разбогатели, а я? Картины и галерея мои, я в них жизнь вложила и должна платить за то, чтобы мое осталось моим?

Алеша начал раздражаться:

— Ты не права, мама. Речь идет не о твоих вещах, а о залоге, выданном тебе из кармана Мамедова. Ты получила свои картины назад, тогда отдай залог, он тебе не принадлежит.

— Я вернула себе четыре картины из тридцати, остальные остались у Мамедова.

— Они не стоят и половины залога, который ты оставишь себе. Считай, что ты продала их с выгодой. Тем более что тебя не интересует русская живопись. Ты хочешь перепрофилировать галерееseparately, а все, что в ней висит, продать тому же Мамедову. В придачу он выкупает для тебя здание галереи, землю под зданием, делает тебя бессменным директором первого и самого крупного в России аукционного дома. Все это падает тебе с небес задарма! А кто это придумал? Ты?

До самой дачи мать с сыном не обмолвись больше ни единым словом.

5

Анна Фельдман — дама очень интересная, эффектная, своеобразной внешности, — была хорошей женой, прекрасной хозяйкой и заботливой матерью. Как ей удавалось сочетать в себе столько качеств — одному богу известно. В ее прошлом имелись темные пятна, о которых она старалась забыть. После замужества ее жизнь резко изменилась, она стала образцом для многих жен крупных бизнесменов. Самуил Яковлевич знал о прошлом своей супруги, но никогда ни словом не попрекнул ее. Он по-настоящему ее любил и за десять лет супружества ни разу не пожалел о своем выборе.

Анна с большим уважением относилась к мужу, ценила его ум и дальновидность, никогда и ни в чем не перечила своему избраннику. Сегодня она получила необычное задание. Муж был очень серьезен, и его слова, вызвавшие поначалу улыбку, встревожили ее.

— Мы можем разориться в любую минуту и стать нищими. Ты способна исправить это положение, но тебе придется испытать некоторые неудобства. Я отдаю тебя в качестве заложницы. В течение суток ты будешь получать и исполнять все инструкции, которые получишь по этому телефону.

Муж положил на стол дешевый мобильный телефон.

— Это шутка? — подняла брови Анна.

— Сейчас сядешь в свою машину и поедешь в город. Наверняка за тобой будут наблюдать. Тебе позвонят. Делай все, что прикажут. — Он на секунду замолк, глянул на часы и продолжил: — Оденься поприличней. Я хочу, чтобы моя жена выглядела достойно.

— Ты сказал «заложница», Саул? Если меня берут в заложницы, значит, тебе грозит опасность? С тебя что-то требуют?

— Да. Другая женщина требует собственной безопасности. Она рискует, а не я. Мы должны с ней встретиться и обменяться очень важными бумагами. Я ничем не рискую, но она имеет право на безопасность.

— Теперь понятно. Ради бога, я готова, если это так для тебя важно.

— Не то слово, Аня. Мы на грани банкротства, и эта женщина может нас спасти от падения в пропасть. Если она заподозрит неладное, сделка сорвется.

— Ты же знаешь, Саул, я сделаю все, чтобы не подвести тебя.

— Тогда переодевайся и в дорогу.

Через полчаса Анна выехала с участка и свернула в сторону шоссе, положив мобильный телефон рядом на сиденье. Первый звонок раздался, когда она подъезжала к Окружной дороге. В трубке звучал мужской голос:

— Поезжайте на Кутузовский проспект через центр. Остановитесь у магазина «Игрушки» возле автобусной остановки. Дом восемнадцать. Пока все.

— Хорошо, я еду.

Женщине звонил Левша. Он сидел в машине Германа, стоящей метрах в десяти от той самой остановки.

— Послушная девочка, — хмыкнул Левша.

Герман глянул на часы. Сейчас пробок в городе нет, минут за сорок она доедет.

Они не ошиблись. «Вольво» Анны остановился неподалеку через тридцать пять минут.

— Бери пакет и сядь на лавочке возле остановки, — сказал Герман. — Пакет поставь так, чтобы я хорошо его видел. Читай газеты и на женщину не обращай внимания. Когда она уедет, вернешься в машину.

— Все понял.

Левша вышел из машины и направился к остановке. Герман надел перчатки, достал фотоаппарат и сделал несколько снимков. В кадр попал сидящий на лавочке Левша и стоящая у обочины машина, четко просматривался номерной знак. Затем Герман взял сотовый телефон, лежавший на приборной панели, и набрал номер Анны.

— Рядом с вами на остановке сидит мужчина. По левую сторону от него белый пакет с ручками. Заберите его и вернитесь к машине, поезжайте к дому номер двадцать три. Вам перезвонят. Выполняйте.

Герман вновь зафиксировал на пленку все действия Анны, после чего убрал камеру в сумку.

Левша вернулся к машине.

— Все, Тарас. До вечера ты мне не понадобишься. Свободен.

Левша остался на обочине, а Герман поехал следом за женщиной. Когда она остановилась, он позвонил ей вновь.

— В сумке лежат ключи с брелоком и флакон духов. Пройдете по ходу вперед до следующего дома, войдете во второй подъезд. Охранникам ничего не говорите, просто покажите им ключ. На лифте подниметесь на десятый этажи и этим ключом откроете девяносто вторую квартиру. Там будете находиться, пока не получите следующие инструкции. Духи можете подарить хозяйке за гостеприимство. Пока все.

Анна выполняла приказы беспрекословно. Герман ее фотографировал до тех пор, пока она не скрылась в подъезде.

Женщина благополучно миновала охрану и добралась до квартиры. Ее встретила молоденькая хорошенькая девушка.

— Привет, ты Анна? А меня зовут Дина. Проходи, располагайся, а я сварю нам кофе. И не смотри на меня как на врага народа, я ничего плохого тебе не сделаю.

Анна достала духи и подала девушке.

— Очевидно, это тебе.

— Спасибочко. Правда, я не пользуюсь духами.

Дина взяла флакон и поставила его на трюмо, где хватало косметики.

— Отдыхай, Анна. Расслабься. Раньше завтрашнего утра тебя не отпустят.

— Но тут только одна постель.

— Я ночевать здесь не буду. За мной приедут, но не знаю когда.

— А домой я могу позвонить?

— Можешь. Но только после одиннадцати вечера по городскому телефону. И не называй место своего нахождения, а то какая же ты заложница, если все будут знать, где тебя прячут? Это, конечно, игра, не более того. Из нас не получится настоящих похитителей. Просто моя подруга боится за свою жизнь. Я не верю, что от вашего мужа могут исходить угрозы, но если нас просят о чем-то ради нужного дела, то почему бы не подыграть?

Женщины направились на кухню пить кофе.

Анна успокоилась, напряжение спало. У нее была нелегкая жизнь, она много повидала, плохого больше, чем хорошего. Ей приходилось попадать в настоящие передряги.

* * *

Алина приехала на дачу к Фельдману в начале десятого, когда уже стемнело. Хозяин встречал ее на крыльце, Шпаликов ждал в гостиной, где был накрыт скромный стол — вино, шампанское, фрукты, шоколад.

Алина поставила портфель на диван.

— Здесь все акции алмазодобывающего концерна, переданные мне Гурьевым под залог гарнитура «Око света».

Фельдман поставил рядом портфель, больше похожий на чемодан, и сказал:

— Миллион долларов.

Шпаликов достал из кармана чек.

— И еще четыре. Деньги может снять любой человек в любом филиале Внешторгбанка. Мы не можем заблокировать этот чек. К нашему банку он не имеет никакого отношения, что дает вам стопроцентную гарантию.

Алина убрала чек в сумочку и принялась пересчитывать деньги. Банкиры проверяли акции. Документально акт обмена никак не оформлялся. Кому-то это было на руку, а кто-то этой мелочи не учел. Потом все сели за стол.

— За успешную сделку! — предложил тост Шпаликов.

Алина улыбнулась.

— Сделка не действительна, пока жив Гурьев. Ведь вы не можете продать его акции, пока их официально не унаследуете.

— Важно то, что сам Гурьев ничего не сможет с ними сделать. У него их нет. И в отличие от вас, мы их ему не отдадим ни при каких условиях. Лучше бросим в камин у него на глазах. Наша задача — вынудить Гурьева вернуть долг банку и заплатить проценты. Если он отдаст банку двести миллионов и добровольно оставит свой пост, может вернуть остальные акции. В любом случае останется в выигрыше. Сейчас общая стоимость этого чемоданчика подбирается к цифре полмиллиарда. Гурьеву есть над чем задуматься.

* * *

Без четверти два ночи Дине позвонили. Девушка спешно собралась и ушла. Они очень мило посидели, Дина рассказывала Анне о модельном бизнесе, о том, какие перспективы ее ждут впереди. Анна уже клевала носом, она привыкла рано ложиться спать, а тут ей еще подсыпали снотворного, о чем она, конечно, не догадывалась, так что, как только за девушкой закрылась дверь, Анна тут же выключилась, растянувшись на постели в одежде.

Дина спустилась на шестой этаж пешком и позвонила в квартиру. Ей открыла дверь Ирина Гурьева. Дина не знала, что многие знают хозяйку как Анну, впрочем, чужие дела девушку не интересовали. Они прошли в спальню. Проходя мимо гостиной, девушка видела немолодого мужчину, сидящего за пасьянсом.

В спальне началось перевоплощение гостьи, ее начали гримировать под хозяйку. Блондинистый парик, макияж, ночная сорочка. Одежду пришлось снять.

Через пятнадцать минут зазвонил телефон. Трубку снял мужчина. Дина слышала его голос.

— Приехали? Очень хорошо, пусть поднимаются.

Прошло еще немного времени, в квартире появились санитары с носилками и серьезный дяденька в белом халате. Дину уложили на носилки, накрыли простыней. Повернув голову набок, она спрятала лицо под волосами парика.

Ее вынесли на улицу, погрузили в «скорую помощь» и увезли. Ехали минут двадцать. Девушка за это время успела одеться.

Она вышла из машины в незнакомом месте, где ее поджидал Герман.

— Ну все, деточка, твои мучения закончились.

Он отвел ее в маленькую скромную квартирку и положил на стол железнодорожные билеты.

— Завтра в восемь вечера отходит поезд в Сочи. За тобой зайдет молодой паренек, он будет тебя сопровождать. Можешь ему доверять, с него кожу сдерут, если тебя кто-нибудь обидит. Ты же понимаешь, рядом с красавицами вроде тебя всегда крутятся альфонсы, аферисты и сутенеры. Одну тебя отпускать опасно.

— Отлично. Да вдвоем и веселее.

— На улицу не выходи, не забывай, что тебя ищут менты. По делу об убийстве Скуратова не нашли свидетелей, ты единственная. Свяжешься с ментами — забудь о карьере, из их когтей не так просто вырваться.

— Не дура, все понятно.

— Я знаю, что ты не дура, но предупредить должен. Парня зовут Семен. Семен Желтков. Ждать осталось недолго.

На прощание Герман нежно поцеловал девушку.

6

План, предложенный Германом, выполнялся Гурьевым точно. Утром он поехал в банк, провел совещание, потом почувствовал себя плохо и попросил Шпаликова проводить его домой, чтобы заодно передать папку с квартальным отчетом. На удивление Гурьева, Шпаликов и Фельдман сегодня были необычайно любезны и даже заботливы. Гурьев понял: вопрос о его уничтожении решен и расчеты Германа верны. Вызвали машину. Шпаликов приехал к руководителю домой и даже попил с ним чаю.

— Где же ваша жена, Савелий Георгич? Вас нельзя в таком состоянии оставлять одного.

— Анну этой ночью увезли в больницу. Сказали, ничего серьезного, через пару дней вернется.

Шпаликов догадался, что значит «ничего серьезного» — у красавицы очередной запой, но уточнять не стал. У него язык чесался сказать Гурьеву, мол, все, ваша песенка спета, Савелий Георгич. С вас двести миллионов и заявление об отставке по состоянию здоровья. Но он промолчал. Всему свое время.

В то же время Герман передал Семену Желткову тубус, с которым он частенько ездил к фокуснику:

— Тут четыре картины, Сема. Садись в машину и езжай на Кутузовский. Вот тебе ключ. Твои столики пока будет обслуживать Катя. Да чего там обслуживать, ресторан пустой.

— Но Геннадий Васильевич уехал, — удивился Семен.

— Я знаю. Туда придет человек за этими картинами. Предупреждаю, полотна ворованные, а подставлять тебя я не хочу. Сделаешь так. Покажешь ключ, и тебя пропустят без вопросов. Зайдешь в квартиру, достанешь холсты и прикрепишь их кнопками за плакатами, висящими на стене. Никто ни о чем не догадается. Сядешь и будешь ждать покупателя. Когда придет клиент, он спросит: «Где картины?» Ответишь очень просто: «Ждите. Узнаете через десять минут после моего ухода». Отъедешь от дома квартала на два-три и позвонишь ему по телефону, тогда и скажешь, где спрятаны картины. Так безопасней.

— Он может быть опером?

— Может, Сема. Так что рисковать не будем. Жди его до половины второго. Не придет — тут же возвращайся. Иди переодевайся и вперед.

Как только желтый «жук» Семена тронулся с места, Герман поехал за ним. Дорога не заняла много времени. Машина Семена остановилась рядом с машиной Анны Фельдман, и обе они попали в объектив фотоаппарата Германа. Теперь ему оставалось только ждать.

В четверть второго раздался звонок мобильного. Герман ответил.

— Это я.

Он узнал голос Ирины.

— Кажется, Савва заснул. Лучшего момента не придумаешь.

— Действуй, я звоню на десятый этаж.

Ирина достала пистолет и прошла в спальню отца. Гурьев спал на кровати, не раздеваясь. Он перенервничал, устал и, выпив валокордин, уснул. Девушка подошла к постели, ее взгляд был полон ненависти. Она приставила ствол к правому виску отца, выстрелила и на минуту застыла. Потом, не глядя на размозженное лицо отца, сказала:

— Это тебе за мою мамочку, сволочь!

Оружие она вложила в руку покойника и отошла к окну.

В квартире на десятом этаже раздался телефонный звонок. Анна вздрогнула и проснулась. Она не сразу сообразила, где находится, спала как убитая. Стрелки настенных часов показывали половину второго, в окно заглядывало солнце.

Анна взяла трубку.

— Слушаю вас.

— Все позади. Ваше пленение закончено. Слушайте последние инструкции и делайте все так, как я говорю. Сейчас наберете номер с городского телефона, он стоит на тумбочке у кровати, и спросите хозяйку, можете ли занести ей ключи. Если она дома, пешком спуститесь на шестой этаж и позвоните в шестьдесят четвертую квартиру. Вам откроют, вы отдадите ключи. Уходя, не забудьте запереть дверь. И главное. Спускайтесь на первый этаж тоже пешком. Выйдя на улицу, выбросьте мобильный телефон, который у вас в руках, в урну, ту, что справа от подъезда, потом можете ехать домой. Вам все понятно?

— А чего тут сложного? Диктуйте телефон.

Ирина надела чепчик, лицо намазала густым слоем крема. Теперь и родная мать, будь она жива, не узнала бы ее. Зазвонил мобильный телефон Гурьева. Ирина ответила.

— Я могу занести вам ключи?

— Да, пожалуйста.

Она отнесла аппарат в спальню и положила его на тумбочку рядом с трупом.

В квартиру позвонили. Автоматически включился видеоглазок. Ирина подошла к двери. На экране была Анна Фельдман. Открывать Ирина не торопилась — шла видеозапись. Женщины плохо знали друг друга, виделись лишь несколько раз, да и то мельком. Вечные враги, Гурьев и Фельдман никогда не бывали в гостях друг у друга.

Когда дверь открылась, Анна даже вздрогнула. Перед ней стояла женщина в белой маске с целлофановым чепчиком на голове, в таких же перчатках — их надевают при окрашивании волос.

Ирина посторонилась. Анна в растерянности переступила порог, дверь захлопнулась. Камера, соответственно, выключилась.

— Я лишь ключи отдать...

— Спасибо.

Ирина забрала ключи и вновь открыла дверь.

— До свидания.

Герман продолжал сидеть в машине с фотоаппаратом в руках. Все складывалось как нельзя лучше. Сначала вышел Семен из третьего подъезда, сел в свой «Фольксваген» и уехал. Следом из второго подъезда вышла Анна Фельдман. Она осмотрелась по сторонам, что-то выбросила в урну, потом села в свою машину и уехала. Несколько коротких эпизодов — и полная пленка бесценных кадров. Герман подошел к урне и достал из нее сотовый телефон.

Через семь минут на улице появилась Ирина Гурьева в парике и темных очках. Герман открыл окно. Проходя мимо, девушка закинула в машину видеокассету, после чего стала ловить такси. Доктор Чваркин ждал Ирину в больнице, где она официально находилась еще с ночи, но до сих пор там не была.

Герман вернулся в ресторан, и как оказалось, вовремя. Следом за ним в зале появились полковник Кулешов и полковник Федоров.

— Ну наконец-то расшевелились. Плохо соображаете, ребята, — проворчал он себе под нос. — Такими темпами вы за год до сути не доберетесь.

Он подошел к Семену.

— Ну, мальчик, последний рывок...

— Слушай, Гера, за картинами так никто и не пришел. Я ждал, как ты мне велел, до половины второго.

— Черт с ними, забудь. Нас опять сыскари навестили. В зале с мэтром разговаривают. Сообразишь, что им сказать?

— Господи, я уже всю схему посещений наизусть знаю.

— Отлично. Расслабься, веди себя спокойно.

Герман остался за занавеской, а Семен отправился отвечать на очередные вопросы сыщиков. Их беседа длилась недолго. Полковники быстро ушли, а Семен вернулся.

— Ну что им еще надо?

— Показывали мне фотографию того типа, я его узнал якобы. Назвали его Дербеневым, тут я им и подбросил твой козырь. Мол, Скуратов здесь бывал с Оксаной. И когда сюда заходил с вопросами, его, мол, вовсе не этот Дербенев интересовал, а Оксана. Похоже, он ее ревновал. Они эту пилюлю проглотили.

— Молодец, Семка, лихо соображаешь. Значит, сейчас они поедут опять к Оксане, а потом направятся к Гурьеву. Других источников у них не осталось. Об Оксане им никто ничего сказать не сможет, опоздали ребята. Паршивая у них работенка, Семочка! Так. Ну, с тебя хватит, с сегодняшнего дня ты в отпуске. Пиши заявление и катись. Я приготовил тебе сюрприз. Поедешь в Сочи.

— В Сочи? К морю?

— В деловую командировку. В компании с ошеломительной красоткой. Билеты уже у нее. Можешь покадрить ее, если получится. У вас СВ, купе на двоих. Она едет на кастинг фотомоделей. Такую красотку одну отпускать нельзя, так что совмещай полезное с приятным. Ты малый симпатичный, может, она на тебя и клюнет. Только не наглей, не то тут же отошьет. Заедешь за ней на улицу Гастелло, дом восемь, квартира шестьдесят два. Не позже семи. Машину оставишь на платной стоянке Курского вокзала, я потом ее перегоню к твоему дому.

— У меня нет слов, Гера! Ты настоящий друг.

— Ты заслужил. В Сочи вас встретят, там и деньги получишь, будет на что погулять.

Семен расплылся в улыбке.

7

Левша вышел из дома и поискал взглядом описанную ему по телефону машину. Машину он не узнал, но увидел стоящего возле стареньких «Жигулей» мужчину. Это был Герман. Тарас помахал ему рукой и подошел.

— Идешь на мелочевку, Левша. Работа непыльная. — Он протянул ему железнодорожный билет. — Поезд в восемь, сочинский. У тебя последний вагон. Доедешь до Курска, вернешься обратно, а потом возьмешься за свое главное дело.

— Что нужно-то? — готовый ко всему, спросил Левша.

— Ничего сложного. На заднем сиденье машины лежит большая корзина и пакеты с продуктами. Жареная курица, бутерброды, пепси, фанта, коньячок, конфеты, фрукты. Там же белый халат. В кармашке несколько сотен для проводников. Они не любят, когда по их вагонам ходят торгаши, без смазки не обойтись. На подъезде к Курску наденешь прикид и вперед. Тебя интересует шестой вагон, третье купе. В нем едет милая парочка. Хоть в доску разбейся, но всучи им бутылку коньяка. Только никаких скидок. Парень ушлый, официант. Сбросишь цену — он поймет, что ты ему туфту впариваешь. Это все. Перед выходом на перрон еще раз загляни в купе и убедись, что ребята твой коньячок пьют.

— Все ясно. Только толкачи водку носят, а не коньяки.

— Водку он не пьет, дама тем более. А правила «железки» и ее коммерческие выгоды им неизвестны, они на поездах не ездят. Одним словом, сопляки на твоей шее висят. Сам разбирайся. Я тебе даю возможность сухим выйти из воды. Там в сумке есть очки, усы и прочая муть, можешь обклеиться, чтобы не признали. Ты же на российской территории в розыск попал.

— До Интерпола дело еще не дошло, а Украина и Россия общей базы не имеют. Во всяком случае, до Харькова я не собираюсь ехать.

— Харьков с Киевского вокзала, следопыт. Забери свой мобильник, ты забыл его вчера в моей машине. Сойдешь в Курске с поезда, позвони и доложи о результатах. Помни, тебя никто не страхует. Упустишь сладкую парочку — выбросим тебя из обоймы. Действуй.

Герман ушел, а Левша сел в «жигуленок».

* * *

Когда Левша вышел из квартиры, в нее вошли Дербенев и Иван. Как всегда эти чистоплюи были в бахилах и перчатках. Сегодня они выполняли приятную для них работу: со стены сняли четыре картины, подлинные холсты заменены копиями.

— Первая в моей жизни кража, которая никогда не будет обнаружена, — ухмыляясь, заявил Иван.

— Я бы даже не назвал наш визит кражей, Ваня. Это конфискация произведений искусства, которые могут оказаться на помойке, как и весь антиквариат. Генерал был умным человеком, но почему воспитал свою дочь такой дурой?

— Дура — это не воспитание, Сева, а диагноз. Зато теперь эти картины будут висеть в музее. Баскакова не устоит перед импрессионистами. Это ее конек.

— С этой стервой надо держать ухо востро. Она наше слабое звено.

— Зря ты с ней связался, — махнул рукой Иван.

— Не зря. Все женщины идут в одной связке, как альпинисты, страхуя друг друга. Одна упадет и других за собой потащит. Если бы я их тогда не объединил, ничего не получилось бы.

— Да, Сева, ты мастак плести паутину.

— Женскими узелками, Ванюша. Роковые женщины существуют только в романах. На самом деле женская логика поддается расшифровке. Они очень небрежны, проходя самые сложные участки, и слишком аккуратны там, где требуется легкость и скорость. Выслушай женщину и сделай все наоборот. Я их очень внимательно слушал, а потом ставил на свое место Кулешова. Нет, думал, вы ошибаетесь, милые дамочки. Я оставлял внешнюю оболочку, то, что называют женской логикой, а начинку менял полностью. Только в такой комплектации план стал приемлемым к осуществлению. И поверь мне, Ваня, это большой труд, за год я постарел лет на пять. Все! Выдохся. Теперь можно идти на покой.

Они свернули подлинные холсты в рулоны, картины повесили на прежние места.

— Ох, Сева! Больше всего я боюсь за наших девочек, — тяжело вздохнул Иван.

— А я спокоен. У Кати мужская логика, она много лет проработала со мной плечом к плечу.

— Лялька тоже не подведет. Она настырная. Пока своего не добьется, не успокоится.

Оба улыбнулись.

Глава 4

1

Погода в Москве стояла жаркая, все нормальные люди выехали на природу — суббота, другие отходили ко сну. В час ночи, когда улицы опустели, у тыльной стороны здания галереи, выходящей к парку, остановилась «Мазда». Из нее вышли две женщины. Катя Дербенева была одета в джинсы, ветровку и кроссовки. Ляля Шатилова вырядилась в униформу охраны галереи. Состав охранников баскаковского музея состоял из мужчин и женщин. Мужчины сидели в комнате на первом этаже и наблюдали за залами через мониторы. По ночам они, как правило, спали или играли в домино. Женщины, в основном молодые девушки, совмещали свои обязанности с обязанностями уборщиц. На три этажа шесть женщин, по пол-этажа на каждую. Всех такой расклад устраивал. Работали через ночь и плохо друг друга знали. На общение, в отличие от мужчин, у них времени не хватало. Этот факт учитывался при составлении плана.

Ляля достала с заднего сиденья раскладную лестницу, собрала ее и приставила к стене. На высоте двух метров над тротуаром находилось квадратное отверстие вентиляции, прикрытое решеткой. Ляля поднялась к решетке, подруга подала ей рюкзачок с инструментами. Через минуту решетка была вывинчена и опущена на землю.

— Трос на месте, — сказала Ляля, включив фонарик. — Значит, эти козлы поняли, как надо действовать.

— Ты все помнишь, девочка? — спросила Катя.

— Да, конечно. Проползаю по трубе пятнадцать метров, после поворота перекресток. Главную артерию пересекает такой же коридор. В схеме Игумена он не обозначен.

Я миную его, потом сдаю назад, чтобы залезть в боковой коридор вперед ногами, и освобождаю главный транспортный коридор, по которому Игумен будет вытаскивать мешки с помощью троса. Они проедут мимо меня.

— Все точно, дорогуша. Надевай присоски и вперед. Я буду держать трос, чтобы ты его не утащила вглубь. У тебя нет пространства для маневра. Включи передатчик. Батареек хватит на шесть часов, так что не экономь и не выключай его.

Ляля прикрепила рюкзак к ноге, на руки натянула перчатки с резиновыми присосками. Катя поражалась ловкости подруги. Хрупкая, изящная, как девочка, Ляля нырнула в трубу, словно кошка. Катя поднялась по лестнице, держа в одной руке решетку, а второй ухватилась за трос, чтобы Ляля не смогла подцепить его одеждой и утащить за собой. Через десять минут Катя услышала в наушниках голос подруги:

— Ставь решетку, я на месте. Все нормально, вот только воздух слишком горячий, не свариться бы.

— Это плохо. Тебе придется ждать не меньше двух часов. Игумен наметил операцию на три часа ночи.

— Ты в этом уверена?

— Да. Он студентов нанял. Ровно в три они должны пройти мимо окон галереи, разыгрывая свадебную гулянку с фейерверками и песнями. Ему нужен шум на улице, чтобы заглушить последний взрыв, иначе он не попадет в коридор подвала.

— Ничего, я потерплю.

— Только не усни.

Катя поставила решетку на место, прикрутила ее, положила в машину лестницу и уехала.

Возле парка вновь воцарилась тишина.

* * *

Ресторан «Трапеза» работал до семи часов утра. Тут никогда не было свободных мест, несмотря на то, что цены в меню очень смахивали на номера мобильных телефонов, а не на суммы в рублях. Столики заказывали заранее. Как правило, в залах собирались завсегдатаи, люди обеспеченные, любящие хорошую кухню, уют и тишину. Здесь не танцевали, не устраивали романтических свиданий, а вели деловые переговоры. Сюда приходили в смокингах и бабочках, здесь все здоровались и пожимали друг другу руки. Всеволод Николаевич Дербенев был одним из постоянных клиентов и часто бывал в престижном заведении, решая свои вопросы. По части торговли антиквариатом он не только преуспел, но считался самым лучшим специалистом.

Сегодня Сева пришел с красивой женщиной, но не женой. Его всегда окружали очаровательные дамы. В свои пятьдесят антиквар оставался подтянутым, невероятно обаятельным мужчиной с очень радушной, открытой улыбкой. Такие люди всегда вызывают симпатию, и не только у женщин.

Столик был заказан на четверых. Этим поздним вечером Сева встречался со своим постоянным покупателем, человеком с большими связями, занимающим высокий пост в министерстве финансов. Его звали Олег Николаевич, он тоже пришел с женщиной.

Не успели они сделать заказ, как Олег начал делиться новостями.

— Ты уже слышал про Гурьева?

Дербенев пожал плечами:

— Меня не было в Москве целую неделю, уезжал на рыбалку. С моей работой надо иногда отпускать поводья и уметь расслабляться.

— Оттого ты и выглядишь так шикарно, — сделала комплимент антиквару спутница приятеля.

— Не знаю, что и сказать, — продолжал Олег. — В наших кругах, я имею в виду финансистов и банкиров, уверены, что Гурьева убили. Он не собирался стреляться. У мужика акций на сто миллионов, которые поднимаются в цене, как тесто в печи. С какой стати ему пускать себе пулю в лоб?

— Я плохо знаю Гурьева, но слышал о нем. Кому же он наступил на мозоль?

— Фельдману и Шпаликову. У них ни гроша за душой, банк висит над пропастью. Гурьеву на банк наплевать, он его опустошил, взяв деньги на покупку акций. В виде бессрочного кредита. Это случилось еще до кризиса, тогда дела шли нормально. Никто не сомневался в том, что Гурьев вернет деньги. Не тут-то было.

— И за это убивать человека?

— Тут есть одна тонкость. Кредит взят под залог имущества. Но кредит бессрочный, никто не вправе требовать деньги сию минуту. Гурьев же не говорит, что не отдаст их. Вернет через год или два, а банк может лопнуть уже в этом году. Как выходить из положения? Грохнуть Гурьева и описать его имущество для погашения кредита. Акции и есть его имущество. Банк становится официальным наследником и имеет право продать их по своему усмотрению. Сегодня они стоят на несколько порядков выше номинальной стоимости.

— Слишком сложно для моего понимания, я ведь не финансист, а коммерсант. Я знаю цену товара, могу его перепродать с выгодой для себя и пустить эту выгоду на приобретение нового товара. Тут все просто, без всяких заморочек. Толкни свои умозаключения следствию, может, они прислушаются.

— Толкну, если спросят. Мне жалко бедолагу. Особенно его молодую жену. Сопливая девчонка. Эти волчары ее догола разденут.

Дербенев любил, когда сочувствуют его партнерам. Он добился своего. Со стороны картина выглядела так, как он ее нарисовал еще год назад, а теперь выслушивает критику своего труда и она ему нравится.

Появились официанты с подносами, стол начал заполняться тарелками.

* * *

В тихом московском дворике на Покровке стоял старый железный «уазик», имеющий в народе прозвище «буханка». Он и впрямь напоминал буханку черного хлеба. Неприметная машина. В подъезде напротив на втором этаже с окнами, выходящими во двор, стояли трое, двое мужчин и одна женщина. Если Иван Шпаликов и Валерий Воронов в эту ночь должны были работать, то присутствие здесь Алины Малаховой выглядело по меньшей мере странным. Все трое курили и томились в ожидании.

— Севочка наш попивает сейчас дорогой коньячок в теплой компашке, а мы дышим ароматом кошачьей мочи, — с грустью сказал Иван.

— Каждому свое, — ухмыльнулась Алина. — Лозунг Бухенвальда. Через пару дней ты будешь хлестать водку на перине из долларов, а Севу за ворот будет трясти полковник Кулешов. Цыплят по осени считают.

— Со мной все понятно, — заговорил Воронов. — Я эту гниду Игумена должен собственными руками задушить.

Его охламоны невинную женщину, как собаку, пристрелили, а я обещал ей стопроцентную безопасность. Ну а тебя, красота несравненная, кто на подвиги подстегнул?

— Тебе не понять, Лерочка, — продолжала ухмыляться Алина, — ты еще не держал миллиона долларов в руках.

— Не то что не держал — даже не видел, — согласился Валерий.

— А я держала и даже тратила. И не миллион, а больше. Но я никогда не верила, что человек в полном сознании и нормальном рассудке может выбросить миллион долларов на ветер. Причем в прямом смысле слова. Незабываемое зрелище и самое острое чувство. Этому никто никогда не поверит.

— Но деньги же не твои, а Фельдмана?

— Мои, Ванечка. Он мне их заплатил за определенную услугу, стало быть, они мои. В этом вся прелесть.

— Другие миллионы проигрывают в рулетку.

— Да. Но, делая ставку, они верят, что вернут свои деньги и даже получат прибыль. Иногда ради большого, настоящего дела и миллиона не жалко.

— Рисковая ты баба, Алина Борисовна, — восхитился Иван.

— Всю жизнь живу на игле, колю себе адреналин. Риск — моя профессия, Ваня, как и твоя. Только мы работаем в разных областях.

Все вдруг замерли. В арке подворотни появились яркие лучи, осветившие детскую площадку, и во двор въехал огромный внедорожник.

— Они, — тихо сказал Иван.

Шикарный «Шевроле» остановился рядом с невзрачным «уазиком». Из джипа вышло пятеро мужчин с рюкзаками и пересели в «буханку». «Уазик» затарахтел и вскоре уехал.

Воронов посмотрел на часы.

— Работают точно, из графика не выбиваются.

— И это все, на что они способны. Пошли.

Троица выбросила окурки и вышла из подъезда во двор. Алина направилась к машине, стоящей в тени, а Воронов и Шаталов к шикарному «Шевроле».

— Лебедка стоит на переднем бампере. К ней они подцепят трос, который будет вытаскивать мешки из вентиляционной трубы наружу. Значит, уходить в берлогу они будут на этой машине.

— Еще одна промежуточная машина у них спрятана рядом с галереей. Но это так, для отвода глаз. Где будем цеплять? — спросил Воронов.

— С обеих сторон, Лера. Под стойками между дверьми. Машину расколет пополам.

— Понял.

Они принялись за работу. Две мины, работающие от электросигналов, были примагничены к днищу. На заднем бампере установили маячок.

Отряхнув руки, мужчины вернулись к своей машине. Алина устроилась на заднем сиденье. Рядом с ней лежал чемодан.

Иван включил прибор на панели, похожий на навигатор, на экране появилась карта с синей точкой.

— Ну вот, теперь наш «Шевроле» от нас никуда не денется. Их маршрут нам известен, и мы сможем пересечься с ними в любой точке города.

Алина почему-то перекрестилась.

* * *

Катя огляделась по сторонам и зашла в арку. В этом дворе, неподалеку от галереи, стояла «скорая помощь». Точнее, реанимобиль «Мерседес» с выключенными маяками на крыше. Там уже сидели Уля и Алеша в белых халатах, в колпаках. Катя открыла дверцу салона.

Алексей подал ей руку, помог взобраться.

— Со связью все в порядке? — спросил он.

— Да. Бедняжка запарилась. В трубе градусов сорок, а ждать еще долго.

— Половина третьего, Игумен уже прибыл на место, — сказала Уля.

— Им еще пол взрывать и деньги грузить. Ладно, наше дело ждать. А машина шикарная.

— По вашей наводке добыта, Екатерина Андреевна. В Северном порту на растаможке. Их там два десятка стоит, ждут своего часа.

— А таможенники ждут взятку, — зло пробурчала Катя. — Мы своих машин четыре месяца ждали. Кому какое дело до больниц и больных. Пока на лапу не дашь, ничего не получишь. Ну, как провернули?

— Все намного проще, чем нам казалось, — пожал плечами Алеша. — На воротах дежурил один старикашка, больше ни души. Немного снотворного в термос с чаем, и он тихо уснул. Навестили мы его прошлой ночью. Я прошел на территорию с номерами и канистрой бензина — машины стоят на базе пустые. Их там сотни, от автопогрузчиков до грузовиков. Привинтил номера, залил бензин, надел белый халатик, и все дела. Ворота мне открыла Уля. Я думаю, они еще не скоро обнаружат пропажу. Завтра мы ее тем же способом вернем на место.

— Молодцы, ребятки. Главное, что ни из одной больницы ни одна машина не была угнана, а значит, у милиции не будет зацепки.

Замигал красный огонек на переговорном устройстве, которое лежало на коленях Кати. Она тут же надела наушники и услышала голос Ляли:

— Игумен со своей задачей справился отлично. Тут идеальная слышимость. Мешки в трубе, решетку в хранилище они поставили на место. Им остается выйти через канализацию на улицу, обойти здание и протащить мешки через воздуховод. Весь эшелон проедет мимо меня.

— Нет, Лялечка. Они еще помотаются по переулкам, сменят пару машин, а потом приедут к дому на джипе со стороны парка. У них в загашнике машина с лебедкой. Потерпи еще немного, детка, я на связи.

По трубам протекал горячий воздух, Ляля обливалась потом, но терпела. Силы воли девушке было не занимать. Она ждала, смахивая рукавом ручейки пота с лица. Время тянулось медленно. Ляля дернула трос на себя. Он легко поддался.

— Господи, зачем им лебедка, мешки ребенок может вытянуть.

Наконец со стороны улицы послышался шум — вернулся Игумен со своей бандой, они начали выкручивать болты решетки. Наступил ответственный момент.

Ляля передала по рации:

— Они здесь.

В ответ услышала голос Кати:

— Будь внимательна.

Трос натянулся, мешки медленно поползли по коробу, издавая змеиное шипение. Девушка приготовилась. Вот они. Проехал первый, второй, третий, четвертый. Ляля быстрым движением отстегнула карабин. Четыре мешка уехали к выходному отверстию, остальные восемь замерли на месте. Ляля выползла в коридор, сдала назад, пропихнула мешки в свой воздуховод, а затем влезла сама головой вперед. На руках были перчатки с присосками. Мешки шли легко, как по маслу, чем дальше она продвигалась, тем воздух становился холоднее. Еще толчок, и она увидела свет. Слева от нее находилась первая решетка, через которую просматривался зал галереи. Никого, девчонки уже закончили уборку.

— Я на месте, — тихо сказала Ляля в микрофон. — Мне все хорошо видно в окна. Охранники в своей комнате забивают козла, на мониторы не смотрят. Приступай.

Она сняла наушники и надела на лицо маску-респиратор. Рюкзачок с инструментами лежал впереди между ней и мешками с деньгами. Ляля локтем выбила решету и вынула из рюкзака дымовые шашки, скрученные проволокой по пять штук в каждом блоке. Чиркнув зажигалкой, подожгла фитиль, бросила дымящейся блок в зал и продолжила толкать мешки дальше. В зале находились четыре таких окошка, и каждое приходилось выбивать. Они держались на честном слове, вкрученные в хлипкую штукатурку. Вот и последнее окошко. Ляля выбила решетку, бросила шашки, а потом начала выкидывать мешки. Зал заволокло дымом, она уже ничего не видела, но отлично знала, в каком месте находится. После того как мешки оказались на полу, девушка выбралась из короба. Прыгать надо было головой вниз, вот тут ей пригодились многочасовые тренировки на специальном тренажере. Ляля сделала кульбит и приземлилась на ноги, будто кошка, выброшенная из окна.

Катя наблюдала за охранниками. Реанимобиль стоял за углом здания. Уля успела подбежать к урне возле люков, через которые уходил Игумен со своими подельниками. Черная сумка лежала в урне. Игумен выполнил задание и вынес содержимое малого сейфа наружу. Он вынес то, что его просили, а то, что не просили, взял себе: титановую коробку с бриллиантами и пистолет прихватил с собой. Дербенев все рассчитал правильно, Игумен был слишком предсказуем.

Катя достала мобильный телефон и позвонила в комнату охраны:

— Эй, ребята, у вас пожар! Из окон дым валит.

Охранники засуетились.

* * *

Машина стояла у обочины недалеко от перекрестка. Иван сидел за рулем, Валерий рядом, с пультом в руках, Алина на заднем сиденье. Шел четвертый час ночи, город затих, будто вымер. Они внимательно следили за монитором с изображением карты города, по которой двигалась мигающая синяя точка.

— Внимание! — воскликнул Иван. — Они выйдут на нас меньше чем через минуту.

— Летят как на пожар, — хмыкнул Воронов.

— Точнее, от пожара. Правда, они даже не догадываются, что происходит в галерее.

— И никогда не узнают.

Как только огромный многотонный «Шевроле» появился на дороге и выскочил к центру перекрестка, Воронов нажал красную кнопку на пульте. Раздался оглушительный взрыв. Тяжеленную машину подбросило вверх метров на пять, на землю полетели пылающие обломки. В соседних зданиях повылетали стекла.

— Ни одного мешка не выбросило, значит, сгорят, — спокойно сказала Алина.

— Ладно, порадуем народ, — усмехнулся Иван и тронул машину с места. — Здесь живут люди небогатые.

Все засмеялись.

Алина открыла окно, выставила открытый чемодан, положив его на дверцу и крепко придерживая за ручку. Встречный ветер выхватывал из чемодана сложенные долларовые купюры, они взмывали в воздух, а потом дождем падали на землю.

— Миллион на ветер! — смеялась женщина. Она получала истинное наслаждение от того, что делала.

На улицу из подъездов и подворотен начали выходить люди. Сначала с опаской. Потом они увидели деньги, много денег. Вся улица была усеяна долларами, как осенними листьями. Ветер гонял ассигнации по мостовой и тротуарам. Раздались восторженные вопли.

Начинало светать.

* * *

Реанимобиль прибыл первым на место происшествия. В распахнутые двери галереи вошли парень и девушка в белых халатах, с каталкой, накрытой простыней. Дым в зале начал рассеиваться, вытяжка работала хорошо. Надо было успеть погрузить мешки, пока на мониторах ничего не видно. Алеша и Уля надели респираторы и стали укладывать мешки между колес каталки, где была специальная сетка. Ее перетянули резиновыми жгутами, каталку прикрыли простыней, которая свисала почти до пола. Ляля, изображая пострадавшую, улеглась на каталку, ее, тоже прикрытую простыней, вывезли из зала и вкатили в реанимобиль. Высота салона позволяла это сделать не складывая каталку, а вогнать ее по узким трапам в полный рост.

Как только дверцы захлопнулись, сидевшая за рулем Катя включила сирену. Замелькали маячки, реанимобиль умчался.

Прибывшие за это время пожарные и медики продолжали свою работу.

* * *

В самый разгар ночи в квартире хозяина галереи раздался телефонный звонок. Юлия не спала, она слышала звонки, но трубку не брала, ответить должен был муж — эта деталь имела важное значение.

Наконец Илья Данилыч проснулся и, трижды чертыхнувшись, снял трубку.

— Слушаю вас.

— Илья Данилыч, это Потапов! Галерея горит! Пожар!

Баскаков вскрикнул и застыл на месте. Юля открыла глаза и увидела мужа сидящим на кровати с трубкой в руке и открытым ртом.

— Что с тобой, Илюша?

В ответ молчание. Женщина взяла из рук окаменевшего мужа трубку.

— Алло?

— Юлия Михална, пожар в галерее! Потапов говорит.

— Сейчас буду.

Она положила трубку, достала пузырек с лекарством из аптечки, накапала нужное количество в рюмку.

— Вот, выпей, Илюша. Спокойно, не нервничай, тебе нельзя. Этот козел паникует, я все выясню.

Она залила лекарство мужу в рот и уложила его на подушку. Одевалась Юля неторопливо, потом минут пятнадцать стояла перед зеркалом и когда была готова к выходу, вновь подошла к мужу и взяла его руку. Пульс не прощупывался, Илья Баскаков был мертв.

Юлия Михайловна опустила его руку, отправилась на кухню, вымыла рюмку, а флакончик с лекарством положила в карман. Возможно, ей придется давать показания следователям. Домой она вернется к утру, врачи должны констатировать смерть не раньше десяти, то есть через шесть часов после остановки сердца. Конечно, она будет возражать против вскрытия, ведь всем известно о больном сердце мужа, но лучше не рисковать.

Юлия Михайловна открыла окна и, погасив везде свет, направилась к двери.

* * *

Реанимобиль довез Катю и Лялю до загородного дома Дербеневых. Восемь мешков отнесли в гараж и запихнули в кузов небольшого фургончика, который Сева использовал для перевозки антиквариата.

— Теперь все мы богаты, — весело констатировал Алеша. — Вы гениальная женщина, Екатерина Андреевна, я вами восторгаюсь.

— А я восторгаюсь Лялей! — Катя обняла «жертву пожара». — Что бы мы делали без нее!

— Это точно, — согласилась Уля. — Теперь мы не скоро увидимся. А за реанимобиль не беспокойтесь, мы его поставим на место.

— Вы уверены, что не хотите брать свою долю? — спросила Катя.

— Мы свою долю получим от матери за черную сумку, которую вынес Игумен и бросил в урну. В ней завещание, это цена всей галереи. Так что мы внакладе не останемся, — с улыбкой объяснил Алеша.

— Удачи, ребята, — пожелала Ляля.

Когда они ушли, Ляля вздохнула.

— Мне нужен душ, иначе за мной приедет мусорная машина.

— А потом спать! — добавила Катя. — На сегодня все. Мои силы иссякли, до завтрашнего дня я в отключке.

* * *

В начале пятого Сева Дербенев и его друзья вышли из ресторана.

— Бог мой, уже светло, — удивился Олег.

— В этом прелесть лета, — согласился Дербенев. — Очень мило посидели, а главное, пришли, как модно сейчас говорить, к консенсусу.

— Я рад, Сева, что мы повидались.

Дербенев со своей девушкой сели в машину.

— Спасибо, дорогуша, ты меня выручила.

— Не за что. Я очень хорошо провела время.

— Я отвезу тебя домой, у меня есть еще дела. Потом высплюсь.

Дербенев собирался ехать на квартиру Левши, тот к утру должен был вернуться из Курска.

2

Когда майор Панкратов подвез Кулешова к дому галерейщиков, они увидели стоящую возле подъезда «скорую помощь», потом появились врачи и уехали.

Дверь открыла хозяйка с заплаканными глазами.

— Что-то случилось? — спросил Кулешов.

— Случилось. Илья Данилыч умер этой ночью. Какая же я дура, что бросила его одного и помчалась на пожар, будто от меня что-то зависело. Этот идиот Потапов, начальник охраны, позвонил и разбудил мужа. Начал кричать в трубку: «Пожар, горим! Галерея пылает!» Я сорвалась и помчалась, а у Илюши сердце не выдержало. Когда мы с вами рассуждали о последствиях, Илья был мертв. Вот так, Леонид Палыч.

— Да, да. У него было больное сердце, — закивал головой полковник.

— Извините, что же это мы на пороге стоим, заходите, — сказала Юлия.

Кулешов вошел в квартиру, там уже были какие-то люди.

— Я прошу прощения, Юлия Михална, но мне надо попасть в хранилище, — перешел к делу полковник. — Из залов ничего не пропало, значит, воры проникли в хранилище. Там же лежат большие деньги. Скорее всего, лежали. Мы обнаружили ночью очень много денег, рассыпанных на улице. Взорвалась бандитская машина и...

— Да, я помню, как вам об этом сообщили. И помню, что вы мне сказали.

— Извините, погорячился.

— У меня нет допуска в хранилище. Там кодовые замки. Муж никогда меня не брал с собой. Ума не приложу, как можно туда проникнуть.

Из одной из комнат вышел солидный мужчина в черном костюме. Юлию словно осенило. Она поманила его рукой:

— Вот, познакомьтесь. Наш адвокат Роман Лукич Лурье. Думаю, что только с его помощью вы сможете открыть хранилище. Вы меня извините, но я с вами не поеду, мне теперь не до галереи.

Адвокат пожал плечами.

— У меня хранится конверт, переданный Баскаковым. Он запечатан, я не знаю содержание. Велено вскрыть после его смерти.

— Где этот конверт?

— В моей конторе, мы можем проехать туда.

— Очень важно.

Лурье поцеловал руку вдове, и они с полковником ушли.

В кабинете Баскакова сидел сын Юлии Алексей. На столе лежали черные папки и огромная книга в кожаном переплете с серебряными застежками.

— Какой же Дербень мерзавец, — входя, зло сказала Юлия. — Значит, он уже давно подобрал код к малому сейфу, знал, что в нем лежит. Чтобы сделать точные копии книги и папок, потребовалось немало времени. Нам подбросили туфту с чистыми страницами.

— Почему он сразу не забрал оригиналы? — спросил сын.

— Не мог. Илья часто лазил в сейф и тут же обнаружил бы пропажу. Нет, он все правильно сделал. Когда стало ясно, что Баскаков уже никогда не сможет спуститься в хранилище, тогда и заменил подлинники на этот хлам.

— Я его понимаю, мама. Дербень подстраховался. Он человек опытный и знает, кому можно доверять, а кому нет. Я же помню наш последний разговор, когда мы везли деньги на дачу. Уже тогда я понял, что ты не собираешься делиться с Севой по-честному. Теперь тебе придется отдать ему его половину. Он стоит дороже, на его месте я бы забрал у тебя все.

— Он так и сделает.

— Нет. Дербень не хапуга, он всегда соблюдает договоренности. Вот только обманывать его нельзя, если не хочешь навредить самому себе. Смирись, мама. От тебя многого не требуется, надо лишь выполнить условия договора.

Юлия села за стол, обхватив руками голову. Алеша криво ухмыльнулся и ушел.

3

Спал Сева не раздеваясь, лишь смокинг повесил на стул. Проснувшись, отправился в генеральский кабинет и включил компьютер. На этот раз он писал письмо не Мамедову, а Алине Малаховой. Она ждала этого письма, и он начал сочинять его на ходу.

«Кому-то везет в жизни, кому-то нет! Так устроен мир. Я вор, но об этом никто не знает. «Око света» похитил я. Меня интересовали бриллианты, а не произведение искусства. Оправа, к сожалению, не сохранилась, а камни я отдал на хранение Баскакову. Он не в курсе того, что я ему передал, его ни в чем не вините! Теперь мне стало известно, что даже Баскакова ухитрились обворовать. Снимаю шляпу перед коллегами. Камни попали в руки «уголовки». Мне их не отдадут, а вам повезло, можете получить свои камешки у Кулешова.

С почтением и уважением, Вор».

Дербень еще раз перечитал письмо и отправил его по электронной почте адресату.

Еще одно дело сделано. Пустячок, а приятно.

Не успел Сева выключить компьютер, как открылась входная дверь. На пороге появился Левша.

— Ну, как дела? — спросил Дербенев.

— Герман тебе не доложил? Я звонил ему из Курска.

— Мы еще не виделись.

— Я все сделал. Плохо только, что в соседнем купе ехал мент. Китель подполковника висел на вешалке. В то купе я тоже заглядывал, он мог меня запомнить. Ребята отравились коньячком, на подъезде к Курску я проверил. Убрать бутылку со стола не сообразил сразу, а потом было поздно.

— Подполковник видел, что ты нес в корзине?

— Он купил водку, коньяк лежал у меня в кармане. Я его достал, перед тем как постучаться к ребятам.

— Тогда не о чем беспокоиться.

— На бутылке мои отпечатки.

— И что? Почему они будут искать тебя в Москве? Ты переквалифицировался в транспортного вора, шаришь по поездам. У ребят не было при себе ни гроша, а с пустыми карманами в Сочи не едут. Значит, их обокрали. С этой версией в Москве делать нечего. И потом, тебе недолго осталось здесь тусоваться.

Дербенев положил на стол целлофановый пакет.

— Посмотри, что здесь.

Левша высыпал содержимое на стол. Ключ с брелоком в виде золотой медальки с номером 431, ключ от машины, загранпаспорт, билеты на самолет.

— Пойдешь в банк завтра, в понедельник, — продолжил Сева. — К одиннадцати утра приедешь на место. Под окнами стоит машина, старенькая «Мазда», но с форсированным движком. Зайдешь в банк, спустишься в отсек частных сейфов, покажешь ключ, тебя пропустят. В графе электронной подписи поставь число сто восемьдесят. Дальше на полу высветится дорожка, она тебя выведет к сейфу с номером 431. Он тебя не интересует. Ключ универсальный. Ты им откроешь ящик напротив, с номером 472. Код — десять нулей. Там лежит футляр от скрипки, в нем акции. Обычные бумаги. Деньги через таможню ты не провезешь. Выйдешь из банка, сядешь в машину и поедешь в Шереметьево. Рейс 1214 до Кипра. В аэропорту тебя встретят и обменяют акции на деньги. Сто тысяч долларов. Это все, приятель, что мы можем для тебя сделать.

— Но акции стоят дороже!

— Естественно. Тебе полагается процент за доставку. Ты можешь отказаться, Левша. Возвращайся в свою Украину и грабь мелкие лавочки, если успеешь сойти с поезда.

— Меня все устраивает.

— Тогда вперед и с песнями. Про историю с поездом забудь. Пока там будут чухаться, ты уже будешь купаться в Средиземном море.

Сева надел смокинг, похлопал Левшу по плечу и ушел.

Левша сказал Дербеню неправду. Задание он не выполнил. Встреча с подполковником милиции в поезде так его напугала, что он не стал отдавать девчонке с парнем отравленный коньяк. Продал им пепси-колу и курицу-гриль. К тому же они уже пили коньяк, но свой. Вряд ли взяли бы еще одну бутылку, а вливать им отраву силой значило погореть на месте. В конце концов, Дербень не скоро узнает о результатах его поездки в Курск.

4

Новый помощник Германа оказался не менее сообразительным, чем Семен Желтков, отбывший с Диной в Сочи. Двадцатипятилетний Юра Севрюгин работал в ресторане «Маяк» больше года и тоже очень уважал Германа. Тот никогда не отказывал ему в деньгах, помог с квартирой и пропиской в Москве, устроив фиктивный брак со вдовушкой. За услуги приходилось расплачиваться. Ничего сверхъестественного Герман от него не требовал. Он нарисовал ему схему, показал множество фотографий, рассказал, кто есть кто и где он мог видеться с этими людьми. Когда в ресторане появились полковник Федоров и капитан Степанов, он знал, как отвечать на их вопросы. Герман, как всегда, оставался в стороне, наблюдая из-за занавески служебного помещения.

Милиционеры хотели видеть Желткова. Метрдотель пожал плечами:

— Ничем не могу помочь, он ушел в отпуск.

Капитан показал фотографию двух девушек:

— Может быть, их еще кто-нибудь видел?

— Посидите за столиком, я сейчас поспрашиваю официантов.

— А где живет Желтков?

— Кажется, в общежитии. У ребят спросите, сейчас кого-нибудь пришлю.

Сыщики присели за ближайший столик. Степанов осмотрел пока еще пустовавший зал.

Минут через десять к ним подошел рыжий парень лет двадцати пяти. Он вернул снимок и сказал:

— Это я их фотографировал. Они сидели за моим столиком. Та, что красивая, дала аппарат, обычную мыльницу, и попросила их щелкнуть. Ее зовут Дина.

— Когда это было? — спросил Федоров.

— В мае. Веселые девчонки.

— Вы их часто видели?

— Нет. Только один раз, но такую кралю забыть нельзя.

— Вы с Желтковым работаете в одну смену?

— Нет, в разные.

— Значит, в субботу пятнадцатого июня вы не работали, — продолжал допытываться полковник.

— Нет, я-то как раз работал, это Семка не работал.

Федоров нахмурил брови.

— Семка — это Желтков?

— Ну да.

— Он обслуживал девушку в субботу, она здесь встречалась с мужчиной в половине девятого, так он мне сказал.

— Вы что-то путаете. В субботу никого из этих девушек здесь не было. Ресторан пустовал. Футбол же был, наши играли. Мне не повезло, у меня смена, а Семка небось у ящика сидел. Он в субботу не работал.

— Вы знаете, где он живет?

— Прописан в общаге. Он же из Хохляндии, не москвич, а живет у вдовушки. Семен спец по бабам, кочует от одной к другой. В общаге не появляется, и вещей его там нет. Сейчас какая-нибудь одинокая старушка повезла его в Египет или Турцию косточки греть на солнышке. Раньше чем через месяц не объявится.

— У Семена есть машина? — спросил Степанов.

— Есть. Горбатенький «Фольксваген». Но не его, а тоже какой-то вдовушки, ей от мужа достался. Сама ездить не умеет, да и ему некомфортно. Ругался.

— Хорошая машина. Юркая, быстрая.

— Для вас. А Семен много лет дальнобойщиком работал, огромные фуры гонял, да еще с прицепами. Навыки другие.

— Номер машины знаете?

— Нет, конечно. Помню, что регион стоял пятидесятый. Значит, машина зарегистрирована в Подмосковье. Цвет желтый, бабий. Найти нетрудно, это же не «Форд», «жуков» у нас мало даже в Москве.

— Спасибо за совет, — хмыкнул Федоров. — Увидимся еще.

Следователи вышли на улицу.

— Значит, все он вам врал! — сделал заключение Степанов. — Пудрил мозги. Этот Семен был курьером фокусника, возил ему обеды и тубусы для чертежей. Он же его и застрелил. Разумеется, мог знать Оксану. Парень был в деле, несомненно. Нам бы понять, на кого он работал.

— Что тебе это даст?

Они стояли возле машины и курили, не зная, что делать.

— Дальнобойщик! — неожиданно воскликнул Федоров.

— Что? — не понял капитан.

— В день ограбления Желтков в ресторане не появлялся, он мог управлять бензовозом и устроить аварию на Варшавке. Водитель бензовоза был очень опытным шофером. Сумел так вывернуть машину, что прицеп с цистерной встал поперек дороги. Фургон Дегтяря врезался в нее, а кабина бензовоза не пострадала. Водитель бензовоза скрылся, а фургон вместе с цистерной взлетел на воздух. Я еще тогда подумал, дело тут нечисто, вполне могли разъехаться. Прямая трасса, хорошая видимость. На том участке никогда аварий не случалось.

— Но бензовоз связан с делом о бриллиантах, а фокусник, пользуясь сходством с Константинесом, работал с картинами.

— Эти ограбления — две ветви одного дела. Тут нет сомнений. У трупа Игумена найдена титановая коробочка, полная бриллиантов. Ясно, что он ее не из дома прихватил. Зачем галерейщику Баскакову нужны бриллианты?

— Дали на хранение. Его бункер надежней любого банка.

Степанова отвлек звонок мобильного телефона.

— А, это ты, неугомонный Симаков. Теперь ложки с вилками нашел? Все, ресторан нас больше не интересует.

— Придется приехать. Я сам не знаю, что нашел. Увидите и определите. Думаю, это важно.

Степанов убрал трубку в карман.

— Опять охранник с Кутузовского. Толковый малый, я бы такого в свою бригаду взял не задумываясь. Просит приехать.

— Езжай, Стас, а я к нашим гаишникам смотаюсь. Попробую найти «жука». Их и впрямь не так много, да еще желтых.

Они пожали друг другу руки и разошлись.

— Ну вот, ребятки, кажется, вас за ручку привели к нужным выводам, — прошептал Герман, наблюдая за милиционерами в окно ресторана. — Пора Ирочке Гурьевой выписываться из больницы. Кто же еще им откроет глаза на правду.

Герман вышел из ресторана и сел в свою машину. Сначала он позвонил Ирине.

— Надышалась свежим воздухом?

— Черт! Сколько мне еще здесь торчать?

— Не переживай, я еду за тобой и везу очень печальную новость. Твой отец застрелился. У тебя должны быть слезы на глазах.

— Я не верю в самоубийство.

— О своих подозрениях расскажешь полковнику Кулешову. Думаю, мы его сегодня увидим, если все сложится по нашей схеме. Целую.

5

Они хорошо выспались, позавтракали, вырядились в дорогие платья и осмотрели друг друга.

— Вечером закатим настоящий бал, — сказала Катя. — В подвале хранится отличное французское вино. Как говорится в рекламе: «Ведь мы этого достойны!» Иван не сумел оценить свою жену. Ты настоящая находка, Ляля.

Ольга улыбнулась:

— И как ты сумела все это придумать?

— Мы женщины, Ляля. Сильная половина человечества не понимает, что они и только они на самом деле являются слабым полом. Просто мы позволяем им считать себя сильными. Идем, нас ждут подарки на праздник. Сегодня Троица.

Женщины вышли в сад, обошли клумбу и открыли ворота гаража. Машина стояла в самом центре ангара. Катя открыла задние дверцы старенького фургона и начала выбрасывать мешки наружу. Их было восемь. Ляля расстегнула молнию, на кафельный пол посыпались пачки долларов.

— Я до сих пор не могу поверить, что здесь двадцать четыре миллиона, — покачала головой Ляля. — Сон какой-то, надо себя ущипнуть. Самое большое, что я держала в руках, было три тысячи, оставленные мне Ваней перед уходом. И то много. Я их до сих пор не потратила. Что нам делать с этим? Мне так мало надо.

— Аппетит приходит во время еды. К богатству быстро привыкаешь, с нищетой примириться трудно.

Они сидели на полу, забыв о своих чистых наглаженных нарядах, и подбрасывали пачки денег, которые рассыпались в воздухе, купюры, кружась, падали на пол.

— Не хотите поделиться? — раздался мужской голос от ворот гаража.

Женщины вздрогнули и испуганно оглянулись. В гараж вошли двое мужчин. Против света их трудно было узнать, но когда они подошли ближе, Ляля произнесла только одно слово: «Ваня!» — и упала в обморок.

— Я всегда знал, что моя жена гений! — сказал Дербенев.

По щекам Кати покатились слезы.

— Не стоит унывать, голубушка, самое страшное позади.

Иван приводил в чувство свою жену. Она действительно верила в гибель Ивана, а Катя знала намного больше, но молчала. Может быть и правильно. Ляля могла не пойти на рискованное дело, зная, что ее муж жив.

Вдова Ивана вновь стала его женой и вся цвела, плакала и смеялась одновременно.

— Ну, девочки, пришли в себя? — спросил Иван. — А теперь мы разожжем на поляне костер и покидаем в него макулатуру, которую вы тут рассыпали.

— Это же деньги! — вылупила глазищи Ляля.

— Нет, — покачал головой Сева, — это хорошо сделанные фантики. Их даже можно обменять, если повезет, но это не деньги. На данный момент это улики, от которых надо избавляться. Настоящие деньги были вывезены из хранилища за сутки до ограбления.

Об этом даже Катя не знала.

— Какие же вы мерзавцы! — не выдержала она.

— Свою долю мы получим, это значительно больше того, что вы здесь раскидали. Без вашего участия наш план не сработал бы. Дело в том, что Игумен не мог вывезти сто миллионов из хранилища. Даже с учетом того, что на полках осталось еще девять миллионов. Мы должны были доказать, что кроме Игумена работали и другие охотники. Никто не сможет определить, сколько вы вынесли денег, а это уже похоже на правду.

Ляля встрепенулась:

— Минутку. Но вы же живы? И об этом скоро все узнают. Значит, вас в первую очередь и заподозрят.

— Подозревать можно что угодно, лапуля. — Иван прижал жену к груди. — Но доказать невозможно. В этом вся проблема.

— Минуточку, — не успокаивалась Ляля. — Но мы же опознали ваши трупы! А вещи? Часы, ключи, и...

— Нас обокрали на рыбалке. Бродяги. Пока мы спали в палатке, нас обчистили, о чем мы написали заявление в местное отделение милиции за три дня до открытия отеля. Так получилось, что погибли воры. Обычное совпадение.

— А откуда они взялись, эти ребята, что погибли в фургоне? — непонимающим взглядом смотрела на мужчин Ляля.

— Я нашла их год назад, — заговорила Катя. — От каждой больницы отобрали врачей для рейда по вокзалам и городским свалкам. Мы ездили в своеобразных лабораториях на колесах, милиция вылавливала бомжей, а мы их обследовали. Такие рейды проводились дважды в неделю. Основная задача — выловить наркоманов и ВИЧ-инфицированных. Слишком много заразы разносили по городу эти оборванцы. Я подобрала троих мужчин. Они не были наркоманами. Один страдал СПИДом, двое других — раковые больные без шанса на спасение. Все трое смертники. Мы сняли для них квартиру в Москве, и год я их поддерживала, как могла, иначе они умерли бы намного раньше. У одного из них был перелом ключицы. Этот рентгеновский снимок я сохранила, его и предъявила на опознании. Они знали, к чему их готовят, и ничего не боялись. Их уже не спасал морфий, боли стали невыносимыми. Так что конец они восприняли как избавление от мук. Вещи им передали в день автокатастрофы. Железные, которые не горят. Бензовоз угнал Иван от нефтеперерабатывающего завода. В ту ночь Сева и Иван были на открытии отеля, за рулем бензовоза сидела я.

Ляля приоткрыла рот, слушая Катю. У нее не было слов.

7

Кулешов был занят, и Алине пришлось ждать достаточно долго. Наконец дежурный офицер вышел к ней с пропуском и сказал, что полковник готов ее принять. Госпожа Малахова уже бывала на Петровке, когда приносила пленку, отснятую по заказу на вечере в отеле, и быстро нашла кабинет Кулешова. Полковник вежливо поздоровался и предложил присесть, но Алина осталась стоять, как бы подчеркивая, что пришла лишь задать несколько вопросов.

Она достала из сумочки конверт и положила его на стол.

— Не знаю, как расценивать это письмо, полученное мной сегодня утром по электронной почте. Скорее всего как хохму. Хотелось бы услышать ваши комментарии на сей счет.

Кулешов достал из конверта лист бумаги, несколько раз перечитал его и отложил в сторону. Оставалось лишь поражаться осведомленности вора. Он знал слишком много, будто сам работал на Петровке.

— Вы можете описать камни, вес и количество?

Алина достала из сумки второй конверт, более плотный.

— Тут все сказано, в деталях. Это копия таможенной декларации и договор с заказчиком.

Женщина продолжала стоять, холодно наблюдая за полковником. Она не верила письму и ждала, что Кулешов рассмеется над глупой запиской.

— До меня дошли слухи, что ваш заказчик уже в Москве. Если вы получите бриллианты, то что получит он? Вернете ему товар и извинитесь?

— У нас есть образец. Он сделан из белого золота. Тот, что выставлялся в витрине. Вынуть из него хрусталь и вставить на его место бриллианты вопрос двух-трех дней.

— Вас не обманули, Алина Борисовна. Бриллианты у нас.

Щеки Снежной королевы раскраснелись, у нее подкосились ноги, она села.

Полковник снял трубку внутреннего телефона и приказал:

— Принесите вещдок 1209 и документацию с оценкой экспертов.

Через несколько минут капитан принес титановую коробку и сопроводительные бумаги.

— Взгляните, — предложил Кулешов Алине, — это ваши камни?

Она достала из сумочки лупу и рассмотрела несколько алмазов.

— Уму непостижимо. Они найдены!

— Осталось найти вора и доказать, что он вор. Вам придется написать мне расписку. Я понимаю, что у вас мало времени, чтобы выполнить заказ. Мы не хотим портить отношения с Арабскими Эмиратами из-за бюрократических проволочек.

— Значит, я могу забрать бриллианты?

— Конечно. Я очень рад, что все закончилось так хорошо, а главное, вовремя.

Алина достала третий конверт, самый пухлый, и положила его на стол.

— Это вам лично от нас с мужем. Мы же обещали премию за возврат бриллиантов и держим свое слово.

Кулешов приоткрыл конверт. В нем лежала толстая пачка стодолларовых купюр. Он промолчал.

— Спасибо, Леонид Палыч. Вы спасли нашу репутацию. И вот что я еще хотела сказать. Как я догадываюсь, вы не открывали уголовное дело, помогали нам, как честный человек сделали все, чтобы справедливость восторжествовала. Я не думаю, что вам надо тратить силы на поиски вора. Мне плевать на него, тем более что он остался ни с чем. А в память о нашем сотрудничестве мой муж готовит для вашей супруги сувенир. Он делает его лично и поставит на изделии свое клеймо. Мы будем рады видеть вас с супругой у себя через несколько дней. Надеюсь, она не будет разочарована.

— Спасибо за внимание, — сказал Кулешов, не зная, что надо говорить в таких ситуациях.

Алина забрала коробку, оставила расписку и ушла. Кулешов смахнул конверт в стол, и тут же раздался телефонный звонок.

— Леонид Палыч, это Степанов звонит. Я в квартире погибшего фокусника на Кутузовском. Мы картины нашли.

— Как нашли? Там же делали обыск!

— Они висят под его плакатами на стене. Канцелярскими кнопками присобачены.

— Не трогайся с места, я выезжаю.

Кулешов тут же перезвонил Мамедову:

— Кулешов беспокоит. Возьмите с собой своих экспертов по живописи и приезжайте на Кутузовский, пятнадцать. Третий подъезд, сто двадцать седьмая квартира. Думаю, что смогу вас обрадовать.

— Нашли картины?

— А это пусть определяют эксперты. Жду!

Мамедов положил трубку. Сыщик Геннадий сдержал свое слово. Он обещал, что картины ему вернут менты, так оно и вышло.

Рашид потер руки и вызвал к себе Нечаева.

8

На квартиру погибшего артиста Геннадия Васильевича Бартошевича приехали Мамедов, Нечаев и двое авторитетных специалистов по русской живописи. Со стороны милиции присутствовал полковник Кулешов и капитан Степанов. Все с волнением ждали приговора экспертов.

Они тщательно осмотрели снятые со стен полотна и высказали общее мнение.

— Это подлинники.

— Как они сюда попали и чья это квартира? — спросил Мамедов, глядя на полковника Кулешова.

Кулешов показал фотографию Бартошевича.

— Вот этот человек. Он же изображен на афишах. Вы с ним знакомы?

Мамедов покачал головой.

— Нет, никогда не видел.

— Мы не знаем заказчика, — продолжил Степанов, — но Валентин Валентино, он же Геннадий Бартошевич, решил сыграть собственную игру. — Степанов взял со стола тубус, вынул из него ватманский лист, на котором была изображена огромная фига. — Это мы нашли в банковской ячейке, ключ от которой находился у Бартошевича. Видимо, он должен был оставить там картины, но передумал. Возможно, потому что узнал их истинную цену. Мы нашли каталог с подробным описанием многих шедевров, находящихся в частных коллекциях. Там указаны цены, в том числе и на эти полотна. Но Бартошевич переоценил свои силы и был убит. Однако заказчик так и не нашел картины. Мы также знаем, что на Бартошевича работал один парень, официант из ресторана «Маяк». Сейчас он в бегах. Найти его не составляет труда, он подозревается в убийстве Бартошевича и уже объявлен в розыск. Такова общая картина, без деталей.

— Спасибо, господа, — сухо произнес Мамедов. — А теперь, если можно, оставьте меня с полковником Кулешовым наедине. Подождите нас в машинах.

Все вышли из квартиры, кроме Нечаева, которого просьба не касалась, он остался стоять в дверях с чемоданом в руке. Мамедов кивнул ему. Нечаев положил чемодан на стол и открыл его. Там лежали аккуратно сложенные пачки долларов.

— Ваши премиальные, Леонид Палыч. Миллион долларов. Я приучен выполнять свои обязательства. Вам удалось за неделю справиться со сложнейшим делом, не открывая уголовного дела, что очень важно для нас. Мы избежали скандала, а это было главным условием сделки.

Я хочу, чтобы вы поставили точку в этом деле. Меня не интересуют ни воры, ни заказчики. Если свидетелей и участников кражи убивают, тем лучше. Меньше слухов и домыслов. Мы своего добились. Картины возвращены, и никакой кражи не было. Забудьте.

— Я помню наши договоренности, господин Мамедов.

— Очень надеюсь на это.

Нечаев свернул полотна и положил их в тубус, из которого вынули плакат с фигой. Чемодан с деньгами остался на столе, а картины они унесли. В дверях Рашид задержался. Оглянувшись, он спросил:

— Это правда, будто галерею Баскакова ограбили?

— Да. Ваши деньги сгорели. В деле участвовали две банды. Они не сумели между собой договориться, история кончилась плачевно. Вряд ли Юлия Баскакова сумеет вернуть вам залог.

— Не думайте об этом, с Баскаковой я как-нибудь договорюсь.

Кулешов остался наедине с деньгами. Дело можно было считать закрытым — бриллианты возвращены, картины найдены. И это при том, что следствие уперлось в тупик, ответы на большинство вопросов не найдены.

* * *

Полковник спустился вниз с чемоданом в руках. Степанов сидел в служебной «Волге», а машина Мамедова уже уехала. Кулешов положил чемодан в багажник и запер его. Когда он сел в машину, капитан доложил:

— У второго подъезда стоит «Форд-Фокус». Видите?

— И что?

— Минут пять назад на нем приехала Анна Гурьева. Ее сопровождает какой-то тип лет сорока. Симпатичный мужик. Меня он видел. Взгляд опера.

— Начальник Главного управления, Стас, определил смерть Гурьева как самоубийство, значит, так тому и быть. Мы люди зависимые, капитан.

— Выходит, надо все бросить? А как быть со своей совестью? Скольких преступников мы оставляем на свободе? Я даже не берусь подсчитывать.

— К концу недели ни одного не останется в живых. Они режут друг другу глотки с таким азартом, что диву даешься.

— А Скуратов? Он же замешан в деле, это очевидно.

— Тем хуже для него. Теперь он будет ходить у нас на коротком поводке, если выберется из комы и к нему вернется разум.

— И вас не интересует, кто в него стрелял?

— Пистолет найден у Игумена. Из него убит Бартошевич, и из него стреляли в Скуратова. Экспертизой это доказано. Дело закрыто, Стас.

— Я бы все же поговорил с Анной. Хотя бы для того, чтобы понять ее настроение. Она же может обратиться в прокуратуру, и ей не откажут в открытии уголовного дела. Бриллианты Алина получила, но отдаст ли она акции Анне?

— Акции конфискует банк в качестве возмещения взятого Гурьевым кредита. Впрочем... да, ты прав. Она единственная, кто остается загадкой.

— Во всяком случае, она своего мужа не убивала, у нее железное алиби. Но какова ее реакция на смерть банкира, надо проверить.

— Убедил. Пойдем.

Они поднялись на шестой этаж и позвонили в квартиру. Дверь открыла Анна. Слез не было, ее лицо, скорее, выражало злость. Черное платье говорило о том, что она в курсе произошедшего.

Хозяйка проводила стражей правопорядка в гостиную, где сидел тот самый мужчина, о котором Степанов рассказывал полковнику. Перед ним лежала груда бумаг и фотографий, он их перебирал.

Мужчина встал и представился.

— Герман Карлович Лацис. Бывший оперуполномоченный ФСБ, сейчас выполняю роль частного детектива без лицензии. Нанят в этом качестве Гурьевым, а теперь работаю на его дочь, Ирину Савельевну Гурьеву.

— Кажется, нас ждут сюрпризы, — пробормотал Кулешов. — А где его дочь?

— Дочь — это я, — сказала Анна и подала свой паспорт.

Полковник изучил его и пожал плечами.

— Зачем же вам понадобилось выдавать отца за мужа?

— Нет, это отцу понадобилось выдавать дочь за жену. Теперь, после его смерти, маскарад можно считать законченным.

Анна, а точнее, Ирина, налила себе коньяка и поставила поднос с графином и рюмками на стол.

— Угощайтесь. Коньяк хороший. Сегодняшнюю встречу будем считать неформальной, так что не ссылайтесь на погоны и служебный долг. Можете курить. Это мой отец не выносил дыма, а я курящая и правила в доме поменялись.

Она сделала несколько глотков. Кулешов налил коньяку себе и капитану. Повисла напряженная пауза. Кулешов не ждал откровений от дочери Гурьева, он понял — женщина для себя все решила и в помощи милиции не нуждалась. А что она может сделать самостоятельно? И чем ей может помочь самозваный сыщик без полномочий? Самым правильным было бы обратиться в прокуратуру, но это противоречит политике милицейского руководства. Очевидно, Ирина уже связывалась с управлением и ей объяснили, что следствие установило факт самоубийства и уголовное дело заводить никто не собирается. При таком раскладе ей незачем откровенничать с милицией, она может их выставить за дверь. Кулешова такой результат не устраивал. Он хотел знать, какими козырями обладает женщина и сколько джокеров спрятано в ее рукаве.

— Анна Гурьева была моей ровесницей, — тихо и неторопливо заговорила Ирина. — Обо мне мало кто знал. Я была против этого брака, и мы с отцом перестали видеться. Скоро его брак дал трещину, отец понял истинные намерения молодой жены. Она хотела получить его деньги и наняла для этого киллера, но отцу удалось перекупил его.

Герман подал полковнику лист бумаги.

— Это обязательство Анны перед киллером, где она обязуется поделиться с ним наследством после убийства Гурьева. Документ стал доказательством заговора. Можно провести почерковедческую экспертизу, но вряд ли в том есть необходимость.

Полковник прочитал письмо и передал его Степанову.

— Отец знал, что Анна от своего плана не откажется, — продолжала Ирина, — и выстрелил первым. Да. Он убил Анну и решил сдаться властям.

Герман подал полковнику второй документ.

— Это его чистосердечное признание. Но оно никуда не пошло.

— Я убедила отца не обращаться в прокуратуру, — сказала дочь. — Он убил убийцу, и я расценила его действия как самозащиту. В то время отец получил приглашение из Москвы, это был выход. Труп Анны закопал в саду. Я с ее паспортом уехала в Москву уже не как дочь, а как его жена, которую в столице никто не знал. Так я стала Анной Гурьевой и оставалась ею до самой смерти отца. Теперь в этом нет необходимости.

— Завораживающая история, — погладив подбородок, обронил полковник. — Но, как я догадываюсь, это не все.

— Конечно. Теперь я хочу разоблачить убийц, которые сумели довести свое дело до конца.

— Вы настаиваете на том, что вашего отца убили? — спросил Степанов.

— Да. И этому есть немало доказательств. Начнем с Оксаны. Она была своего рода лазутчиком в нашем доме. Я давно ее подозревала, случайно видела в компании Фельдмана в ресторане. В смерти моего отца были заинтересованы только два человека — Фельдман и Шпаликов, которые метили в его кресло в банке и пытались заполучить акции Ангольского алмазодобывающего концерна. Эта история вам хорошо известна. Отец не торопился отдавать долги, а банк стоит на грани банкротства, его могла спасти только смерть Гурьева. Убийство готовили очень давно. Я вызвала из Хабаровска Германа, он нам помог в разоблачении Анны, и мы сочли необходимым обратиться к нему снова.

Герман достал договор между ним и банкиром о найме на работу в качестве детектива.

— Договор позволял вмешиваться в частную жизнь семьи. О лицензии я не подумал, был уверен, что сумею предотвратить трагедию, все кончится благополучно и мне не придется выступать в суде.

— И что вам удалось выяснить?

— Оксаны Мартынчук не существует в природе. Точнее, такая женщина есть, живет в Виннице. Три года назад у нее из сумочки выкрали паспорт. С этим паспортом и липовыми рекомендациями девушка устроилась горничной в дом банкира. Ее подлинное имя — Вероника Кутько. Она была членом банды известного на Украине криминального авторитета Тараса Тишко по кличке Левша. Он действительно левша, стреляет с левой руки лучше, чем профессионалы с правой. Когда банду взяли, Вероника ускользнула, перебралась с чужим паспортом в Россию. Когда ее завербовали Фельдманм и Шпаликов, сказать не могу. Возможно, они ее вычислили после того, как она устроилась в дом Гурьевых.

Герман положил перед полковником несколько украинских газет.

— Тут много интересного о банде Левши, есть и фотографии всех участников, в том числе Вероники. Как только я выяснил правду, взял Оксану-Веронику под наблюдение. Женщина часто бывала в ресторане «Маяк», где проходили встречи между «игроками». Любопытное заведение. Их всегда обслуживал один и тот же официант.

— Семен Желтков? — спросил Степанов и достал из кармана фотографию. — Вы видели вторую девушку?

— Желтков, как я понимаю, был связным. Девушку зовут Дина. Она подруга Оксаны и даже бывала в этом доме в квартире на десятом этаже. Ключи от квартиры имелись только у Оксаны, она ими распоряжалась по своему усмотрению. Дина тоже была связной, но на кого она работала, не знаю. Пока заговорщики плели паутину, я не очень волновался, но когда в Москве появился Левша, всерьез встревожился. Навел справки и выяснил, что несколько месяцев назад Левша бежал из колонии. Похоже, Оксана ждала его приезда.

Герман выложил на стол несколько фотографий. На одной были изображены Бартошевич и Мамедов, на другой — Левша и Мамедов. У полковника пробежали мурашки по коже. Снимки говорили о том, что Мамедов был в сговоре с фокусником, а значит, заказчиком кражи картин был сам владелец отеля. Это он в нужный момент отключил сигнализацию и облегчил работу вора.

— На этом снимке изображен фокусник, работающий под псевдонимом Валентин Валентино, — осторожно начал Кулешов. — Он тоже из Хабаровска и жил в вашем доме. Вы его знали?

— Да. Отец знал его очень давно. Геннадий Васильевич позвонил из Хабаровска и сказал, что приезжает в Москву на гастроли. Отец его выручил, дал ключ от одной из квартир в нашем доме. От какой, мне не известно. Но билетов на представление мы так и не дождались. Когда Герман показал мне фотографию, я очень удивилась. Не думала, что Геннадий Васильевич знаком с таким крупным магнатом, как Мамедов. Но я не связываю эти встречи с планами Фельдмана и Шпаликова. Речь идет о Левше. Конечно, странно видеть его в компании Мамедова, но его связь с банкирами очевидна, а роль в деле об убийстве отца очень значительна.

— Поподробней, если можно, — попросил Кулешов и выпил коньяк. В то время как Ирина расслаблялась, Кулешов становился все серьезней и серьезней. — Я думаю, у вас найдется еще немало сюрпризов.

— Савелий Георгиевич скрыл от вас факт покушения на его жизнь, — обрушил новость на голову сыщиков Герман. — За три дня до убийства на него был совершен налет в одном из московских переулков, когда он на своей машине возвращался домой с работы. Вот протокол происшествия, подписанный капитаном райотдела. Савелий Георгиевич уговорил его не заводить дела, счел, что оно не поддается раскрытию. Очевидцы видели машину и запомнили номер, но это еще ни о чем не говорило. Машина принадлежит охраннику банка «Юнисфер». Его зовут Игорь Седов. Он подчиняется непосредственно Фельдману. Я нашел его машину. Она была на месте преступления, на колесах остались следы цемента, точно такого же, что был рассыпан в переулке, где совершено покушение. Там идет капитальный ремонт здания. Седов имеет алиби, но очень хлипкое. Похоже, он участвовал в покушении, а из автомата по машине Гурьева стрелял Левша. Но пока это лишь предположение. Изрешеченную пулями машину Гурьева вы можете увидеть, она на платной стоянке, под брезентом. Ее туда на тросе оттащил капитан Чёлкин. Почему Савелий Георгич не сделал официального заявления, я знаю. Мы хотели взять убийц с поличным. Так, чтобы уже не возникало никаких вопросов.

— На следующий день после убийства, — продолжала Ирина, — отец вызвал адвоката Лурье и переписал все акции алмазного синдиката на мое имя, на имя дочери — Ирины Савельевны Гурьевой, чтобы не рисковать. Но мне показалось, ему не так дорога жизнь, важнее изобличить убийц, показать, что из себя представляют Фельдман и Шпаликов, чтобы было понятно, почему он не хочет возвращать им долг.

— И все же он погиб! — констатировал Степанов.

— Да. И в чем-то виноват я, — с грустью заявил Герман. — Я хотел устроить засаду у него в квартире, но он велел мне ждать сигнала снаружи. Я не сомневался в том, что исполнителем станет Левша. Лучше его операцию никто не провернул бы. Он настоящий профессионал. Этот факт подтверждается тем, что я так и не сумел его выследить, установить местонахождение его берлоги. День и ночь я курсировал по Кутузовскому проспекту, дежурил возле дома Гурьева. Наткнулся на Левшу совершенно случайно. Он сидел на скамеечке возле автобусной остановки и хорошо был виден с дороги. Я остановился в десяти метрах от остановки. Левша читал газету и никуда не торопился, рядом не было ни одной машины. Я стал ждать.

Герман разложил на столе фотографии, на каждой было выставлено число и время.

— Возле остановки остановилась «Вольво». Вот номер машины. Из нее вышла женщина. Тогда я не знал ее имени и раньше никогда не видел. Она забрала пакет, стоящий возле Левши, и поехала дальше. Все это зафиксировано на снимках. Женщина остановилась возле дома Гурьева и вошла в подъезд. Я не мог понять этого маневра, верь в квартире находилась Ирина. Что можно сделать, когда хозяева дома?

— Но ночью меня увезли в больницу, — продолжила его рассказ Ирина. — Анализы показали отравление, а не алкогольный психоз, как многие считали. Мне подсыпали какую-то отраву в виски, что уже однажды делали, как вам известно, только на этот раз доза оказалась смертельной. Меня попросту убрали с дороги. Спасибо доктору Чваркину, он успел меня спасти.

— В эту ночь ничего не произошло, — развел руками Герман. — Наутро Савелий Георгич поехал в банк и специально пригласил к себе в дом Шпаликова. Мол, убедитесь, я один, теперь вам никто не мешает. Я подъехал к дому вместе с ними. Когда Шпаликов ушел, я позвонил

Гурьеву. Он мне сказал, что теперь пора ждать гостей и надо смотреть в оба. И я смотрел. Но совсем забыл о женщине, которая вчера зашла в подъезд. Ведь ничего не произошло, значит, она ни при чем. Я был уверен, что она давно ушла, ее задачей было подсыпать отраву Ирине. Диагноз мне уже был известен.

— Да. Виски и продукты мне привез курьер. Мы всегда заказываем продукты в одном и том же магазине. Он приехал вечером, когда та женщина была уже в доме. Раньше я этого курьера не видела, а сейчас узнала его на фотографии. Это официант из «Маяка» Семен. В квартиру он не заходил и в дверь не звонил. Почему-то позвонил по телефону и сказал: «Откройте дверь, я стою на площадке». Я открыла, он передал мне пакеты с продуктами и тут же ушел. Пешком.

— Я знаю, почему он не звонил в дверь, но об этом чуть позже, — сказал Герман. — И ушел он не вниз, а наверх. Прошел через чердак в соседний подъезд, к фокуснику. И на следующий день опять приехал. В день убийства.

Герман разложил фотографии.

— Когда я приехал на место, «Фольксваген» курьера уже стоял у третьего подъезда. На фотографии видно и стоящую возле второго подъезда «Вольво» той женщины, но тогда я не обратил на машину внимания. Значит, женщина все еще находилась в доме. Я предупредил Гурьева об опасности, но услышал все тот же приказ: «Жди гостей и моего сигнала. Рано. Можешь все испортить!» И я ждал. В половине второго началось шевеление, но я даже не догадывался, что Гурьев уже мертв.

Первым из дома вышел Семен. Вот снимки. Тринадцать тридцать семь. Через четыре минуты выходит женщина. Та самая, что взяла белый пакет у Левши. Она оглянулась по сторонам, подошла к урне и что-то в нее бросила. Что именно, тут не видно. Она села в свою машину и уехала. Я подошел к урне и нашел в ней следующие предметы.

Герман разгреб бумаги и выудил на свет целлофановый пакет.

— Здесь мобильный телефон, мини-видеокассета и ключи от квартиры с золотым брелоком. Теперь мне стало понятно, где она находилась почти сутки. Она ждала своего часа в квартире на десятом этаже. Что касается кассеты, то она вынута из видеодомофона. На ней есть запись, фиксирующая приход этой дамы в квартиру Гурьева. Запись включается в момент нажатия звонка. Не так часто встречаются видеодомофоны, оснащенные записывающим устройством. На такие вещи никто не обращает внимание, но курьер, приносивший виски, знал об этом, потому и позвонил от двери по телефону, и женщина знала, если, уходя, прихватила кассету с собой. Узнать об этой хитрости убийцы могли только от Оксаны. Значит, она была завербована Фельдманом и Шпаликовым, как я предполагал ранее.

— Как же прослеживается связь с банкирами?

— Я установил имя женщины. Это Анна Фельдман. В свое время была проституткой. Сидела два года за отравление клиентов клофелином и грабеж. После освобождения устроилась в престижный столичный притон к Инессе, там и познакомилась с Фельдманом, который вытащил ее из трясины и женился на ней. Я проверил все телефонные звонки, сделанные из квартиры на десятом этаже. За десять минут до смерти Гурьева Анна Фельдман звонила ему на мобильный телефон. Не знаю, что она ему сказала, но он впустил ее в квартиру. Больше некому было открыть ей дверь. Дальше она могла использовать любое отравляющее средство, чтобы вырубить хозяина. Эфир, хлороформ, тот же клофелин, а потом впустить в квартиру Семена Желткова. Во всяком случае, стреляли в Гурьева, когда он лежал в постели и, скорее всего, спал. Он не мог оказать сопротивление. Кто именно стрелял, не знаю. На всех предметах, лежащих в пакете, отпечатки пальцев Анны. Факт убийства можно считать доказанным. И еще. Анна звонила мужу из квартиры десятого этажа. Поздно вечером. Возможно, тогда они подключили к делу курьера. Прослушать звонки ничего не стоит. Нетрудно подключиться к линии, телефонные соединительные коробки стоят на каждом этаже. Возможно, Анна приняла заказ на доставку продуктов.

— В крови Гурьева медики обнаружили сильное снотворное, — подтвердил полковник. — Но как быть с оружием?

— Отец был убит из своего пистолета. Он держал его за книгами в шкафу. Оксана об этом знала. Я не знаю, почему отец не выбросил его. Из этого же пистолета он застрелил свою молодую жену Анну, теперь Анна Фельдман убила из него отца. Найти пистолет легко, если знаешь, где он лежит, так же как вынуть кассету из видеодомофона. А теперь я хочу вернуть вас, Леонид Павлович, к истории с кражей ожерелья в отеле «Континенталь». Вы нам говорили, будто просмотрели все пленки видеонаблюдений, отснятых в холле перед туалетными комнатами.

— Да, они до сих пор хранятся у нас.

— Все ваше внимание было сконцентрировано на каком-то воре-профессионале. Но дело в том, что я видела Анну Фельдман в туалете. Мы с ней не общались, так как наших мужей нельзя назвать друзьями. Она наверняка зафиксирована на этих пленках.

— Думаю, что да. Лицо этой женщины мне показалось знакомым, но я не мог вспомнить, где его видел.

— Зато я ее хорошо помню. Я вам говорила, что оставляла сумочку возле зеркала. Есть два варианта. Первый не исключает факта, что отраву в виски мне подсыпала Оксана, но он меня мало устраивает. Я ведь могла отпить из фляжки раньше, чем дойду до туалета и вырубиться прямо в фойе, у всей публики на виду. К тому же Оксана подсыпала бы снотворное в мою фляжку, а вы нашли в туалетной кабинке чужую. Помните гравировку? «Анне с любовью от Д.». На моей фляжке не было гравировок, но тогда я тоже была Анной, что дало вам основание для подозрений. Теперь я уверена в том, что фляжка была подарена Анне Фельдман одним из бывших клиентов. Или мужем. Когда я достала ее из сумочки, то, разумеется, никакой гравировки не заметила. Выпила и тут же вырубилась. Анна — опытная клофелинщица, знает, как вырубать людей. То же самое она сделала с моим отцом, когда пришла его убивать. Попытайтесь узнать у антиквара Дербенева, продавал ли он такую же фляжку еще кому-нибудь.

— К сожалению, это невозможно, Дербенев погиб.

— Странно. Не помню кто, но мне говорили, будто видели его в городе.

— Обознались.

— Послушайте, — вмешался Степанов, — теперь мне понятно, как ожерелье попало в банк. Если его украла Анна и передала мужу, то он потом подложил его в ячейку и показал Скуратову, зная, что Скуратов попадется на удочку. Скуратов клюнул и выкрал ожерелье, а Дина впоследствии выкрала его обратно и вернула банкирам. Так Фельдман и Шпаликов подставили Веню Скуратова, а потом убили его. Может, это сделала та же Анна. Вспомните о флаконе духов на окне в доме Скуратова. Точно такой мы видели в квартире на десятом этаже. Такими духами пользуются проститутки, а Анна из бывших жриц любви. Надо снять отпечатки пальцев с флаконов, ведь если Анна сидела, ее пальчики есть в нашей дактилотеке.

Только сейчас Степанов почувствовал, как Кулешов давит на его ногу. Похоже, он сболтнул лишнее.

— Выходит, гарнитур «Око света» лежал в банке и вы знали об этом? — спросила Ирина.

— Мы его не успели конфисковать, его выкрал Скуратов, — начал оправдываться Кулешов. — По всей вероятности, он собирался вернуть его вам за обещанное вознаграждение. Если его девушка, Дина, дружила с Оксаной, значит, она работала на Фельдмана и Шпаликова. Кроме нее никто не мог выкрасть бриллианты из тайника Скуратова. Веню подставили, а потом убрали.

— Зачем Фельдману понадобилось ожерелье? — спросил Герман.

— Ответ очевиден, господин сыщик. Алина оказалась в безвыходной ситуации. Пришло время возвращать заказ. Арабы уже в Москве. Фельдман мог предложить ей обмен — акции за гарнитур. И возможно, она отдала им акции. Фельдману осталось только избавиться от Гурьева, чтобы стать полноценным владельцем огромного состояния. У него есть договор, по которому имущество Гурьева переходит банку в счет невыплаченного кредита. Убить Гурьева значит поставить точку. Вот только Фельдман не знает, что Гурьев переписал акции на имя своей дочери. Договор утратил свою силу. Что вы хотите, Ирина Савельевна?

— Посадить убийц за решетку.

— Да. Анну мы можем запрятать надолго. Тут вы правы. Все улики налицо. Но этот скандал вскроет все детали, вплоть до ограбления вас в отеле. Такой вариант никого не устроит. Вам начнут мешать очень серьезные силы. Мы же не вели протоколов, расследование носит частный характер. Думаю, вам надо пойти на некоторые компромиссы. Отца вы к жизни не вернете. Мстить Анне Фельдман — дело неблагодарное, она лишь марионетка в руках своего мужа. Я поговорю с Мамедовым, он выплатит вам компенсацию за моральный и физический ущерб. Цену вы можете назначить сами. От этих людей не убудет. Они больше огня боятся огласки, если заведете уголовное дело — кончите, как ваш отец. Сам Фельдман нигде не засвечен и может пожертвовать женой в случае опасности. Я даже не уверен, что она и Семен Желтков живы до сих пор. Что касается акций, то даю вам слово офицера, что верну вам их в целости и сохранности. Судить Фельдмана — дело неперспективное, с его адвокатами он сумеет отмазаться. Куда страшнее для Фельдмана и Шпаликова вылететь в трубу. Можете считать их банкротами. Я не могу от вас ничего требовать, но подумайте о собственной безопасности.

Ирина долго молчала, потом сказала:

— Я подожду до завтрашнего вечера. В семь часов вы должны мне позвонить. Тогда я приму окончательное решение.

— Договорились.

Полковник взял пакет с вещдоками.

— Тут есть ключ от квартиры на десятом этаже, давайте глянем на нее еще раз, новым взглядом. Вы можете пойти с нами, Герман Карлович?

— Да, конечно.

— Вы не заходили туда?

— Нет.

— А после того, как Анна выбросила в урну все эти вещи, вы не поднимались в квартиру Гурьева?

— Нет. Я все еще ждал звонка Савелия Георгиевича. Может быть, я и поднялся бы наверх, если бы в урну бросили оружие. А когда потом приехала милиция, я понял, что опоздал.

9

Вне зависимости от настроения, погоды или других причин Самуил Яковлевич начинал свое утро с любимой игрушки. Он вставал в шесть утра, не будил жену, сам варил себе кофе и поднимался наверх, в свою бесценную комнату, где играл в железную дорогу. Мы не будем возвращаться к подробным описаниям, они уже сделаны*. Его игра продолжалась до восьми часов утра, после чего он садился в машину и ехал с дачи в банк.

Сегодня у Фельдмана было хорошее настроение. Все проблемы решены, банкротство уже не грозит. Мало того, они со Шпаликовым получают больше трехсот процентов прибыли от продажи акций. Этого и в мечтах не было.

В то время когда Фельдман сел за пульт и десятки поездов на огромном пространстве комнаты тронулись в путь, Герман перелез через забор дачи и подобрался к дому. У ворот дремал только один охранник. На веранде никого не было. Ночные сторожа разошлись по домам. Как всегда, Герман пользовался бахилами и перчатками. Он тихо прошел в дом, потом в спальню. Подкрался к спящей женщине и закрыл ей рот платком, пропитанным хлороформом.

* Читайте роман М. Марта «Сквозь тусклое стекло».

Она не успела проснуться. Теперь с ней можно было делать что угодно. Герман поднял ее на руки, вынес из дома и положил в багажник машины мужа. Достав пистолет с глушителем, выстрелил. Все это делал неторопливо, осторожно, не оставляя следов. Он ушел с территории дачи тем же путем, что и пришел. У леса его поджидал «Форд». В Москве, в одном из переулков, стояла «Мазда», за рулем которой сидел Левша. Герман припарковался за его машиной и посигналил. Левша пересел в его «Форд». Герман начал разговор без вступления:

— Без оружия идти опасно. Сунь пистолет за пояс брюк спереди и прикрой пиджаком. Обыскивать тебя никто не станет. Стрелять не придется, у охранников пистолеты без патронов. При необходимости можешь пугнуть их, если что-то пойдет не так, но не думаю. Ключ от ячейки номер 431 ты уже получил. Предъявишь его на входе, но откроешь сейф под номером 472, тот, что напротив. Ключ универсальный, код — десять нулей. В ячейке лежит футляр от скрипки, в нем акции. Об остальном ты все знаешь. В банк приедешь ровно в одиннадцать, ни минутой раньше и ни минутой позже. Тебя будут страховать. А пока можешь позавтракать в приличном ресторане, тут денег хватит.

Герман протянул бумажник и пистолет.

— Это же «вальтер» генерала, — узнал оружие Левша. — Не знал, что он мне пригодится. Зачем глушитель, если не надо стрелять? — Левша убрал пистолет за пояс и заглянул в бумажник. — Неплохо для начала.

— Да, дружок, ты заслужил, действуй. Мне предстоит еще немало работы, со мной рассчитаются позже.

Герман и не думал, что безобидная фраза станет пророчеством.

10

Оперативка у начальника управления проходила каждый понедельник. Неожиданно генерал сказал:

— Сверим часы, товарищи офицеры. На моих девять сорок семь.

Все тут же глянули на свои часы, кто-то начал подводить стрелки. Генерал тем временем обошел стол, за которым сидели командиры подразделений и начальники отделов.

— Спасибо. А теперь все свободны, за исключением генерала Горбатова, полковника Хлудова, Матвеева, Кулешова и Понамарева.

Офицеры собрали папки и блокноты и разошлись. Остались только те, чьи фамилии были названы.

— Итак. Все вы, кроме Кулешова, должны мне предоставить к концу рабочего дня налоговые декларации. Я знаю, какую зарплату вы получаете. Других доходов у офицера милиции быть не должно. Из вас только у полковника Матвеева самые дешевые часы фирмы «Ролекс». Они потянут тысяч на пятнадцать долларов, у остальных значительно дороже. Я уж не говорю о машинах, на которых вы ездите, и особняках, в которых живете. Если кто-то захочет сослаться на подарки от родственников, обязан предоставить мне их декларации о доходах вместе со своими. Вольготная жизнь кончилась. Тот, кто не выполнит мой приказ, будет давать показания в прокуратуре. А теперь свободны все, кроме полковника Кулешова. Пока свободны.

Лица начальников вытянулись, у кого-то стали красными, кто-то побледнел. Спорить и оправдываться не имело смысла, крутой нрав генерала был всем известен. Растерянные подчиненные разошлись. Кулешов закрыл за ними дверь.

— Садись, Леонид Палыч. Докладывай. Я уже слышал о твоих успехах.

Кулешов выложил все, что знал, и высказал свои соображения. Генерал слушал внимательно, все время поглядывая на портфель, оставленный полковником на столе возле того места, где он сидел в начале оперативки. Доклад длился больше часа.

— Ты советовался с Мамедовым? — спросил генерал после некоторых раздумий.

— Да. Он готов выплатить компенсацию Ирине Гурьевой, только бы она не поднимала волну. Сумму мы не оговаривали, я не хочу вмешиваться в финансовые вопросы.

— Правильно, Леня. Что принес?

— Двести пятьдесят тысяч. Гонорар от Мамедова за честную работу.

Генерал мягко улыбнулся:

— Добавишь еще сто. Сам виноват. В министерстве узнали о нашем подпольном следствии. Я не хотел привлекать их специалистов к делу, ты настоял, вот и результат.

— Будет исполнено.

— Гаси пожар, Леня. К завтрашнему дню вся эта история должна быть забыта раз и навсегда. Ты уверен, что акции в руках Фельдмана?

— Через час я встречаюсь с Алиной. Она расскажет подробности.

— Фельдману будет очень трудно объяснить, каким образом акции оказались у него в руках. Он тут же попадает в категорию подозреваемых в убийстве Гурьева. Не мог же он найти их на улице. И на Алину ссылаться не станет. Мы знаем, где найдены бриллианты. Она могла отдать акции только в обмен, значит, они были у нее. Фельдман должен очень ювелирно сработать, чтобы остаться чистеньким.

— Я сумею прижать его к стенке.

— Не очень сильно, Леня. Ты должен помнить: раздевая догола, не оставляешь человеку выбора. Ему нечего уже терять, и он пойдет ва-банк. А нам скандалы противопоказаны.

— Сделаю все чисто, можешь на меня рассчитывать. Деньги для министерских крыс принесу завтра. Еще один вопрос. В деле мне оказал большую помощь полковник Федоров из управления Ленинского района Подмосковья. Я тебе говорил о нем.

— Помню. Таких людей мы должны ценить. Переведем в Москву. Для начала можешь взять его к себе заместителем.

— Согласен. Он мужик головастый, службу понимает.

— Главное, чтобы устав наш понимал. Жду тебя завтра, Леня, с результатами. И с...

Генерал кивнул на портфель.

Оставив портфель, Кулешов вышел.

Возле кабинета его поджидал Степанов и незнакомый ему подполковник. Тот встал и козырнул.

— Подполковник Жданов. Замначальника криминальной милиции Центрального округа.

— Что-то срочное?

— Так точно, — ответил Степанов. — Подполковник Жданов был свидетелем убийства Дины и Семена Желткова в поезде Москва—Сочи. Я уже отправил лейтенанта Жирова на Курский вокзал.

— Ладно, зайдите.

Кулешов торопился, истории с ликвидацией свидетелей его мало интересовала. А живые ему и вовсе были не нужны.

Жданов разложил на столе фотографии. На них были изображены Дина и официант, лежащие в купе на полу с окровавленными головами.

— При них найдены паспорта, что позволило установить личности. Я ехал в соседнем купе. На станции Курск ко мне вошел проводник и позвал. Я ехал в форме. Мы с братом тоже торопились в Сочи, путевки на руках. Брат поехал дальше, а я сошел в Курске, где вынесли трупы. Оба застрелены. На полу найдены гильзы иностранного производства. Похожи на немецкие от «вальтера». Стреляли в упор в лоб. Предположительно на оружие был навинчен глушитель. В соседнем купе выстрелов было не слышно. Убиты на подъезде к Курску, километров за тридцать. Я видел подозрительного типа, разносившего продукты по купе. Мерзкая рожа. Мы купили у него бутылку водки. Увидев мой мундир, висящий на вешалке, этот тип побелел. Надо было бы его проверить, но мы с братом здорового проголодались. Упустил, одним словом. У погибших денег и кошельков не нашли, в карманах только мобильный телефон и паспорта. Но в Сочи без денег не ездят. В отделении на вокзале мне дали списки и фотографии объявленных в розыск. Убитый парень числился в списке. Я решил, что это важно, и вернулся в Москву. Когда еще они там, в Курске, сведут концы с концами!

— Правильно поступили, товарищ Жданов. Предполагаемого убийцу можете узнать?

— Конечно. Такую рожу не забудешь. Мне еще тогда показалось, что я этого типа где-то видел.

— Если где-то видел, тогда я тебе покажу одну газетку. Там много всякой шушеры. Может, кого признаешь.

Кулешов достал из стола украинскую газету. На первой полосе красовались все участники банды Левши.

Подполковник тут же ткнул пальцем в фотографию Левши.

— Да вот же он. Только в поезде он был с усами.

— Ясно. Капитан Степанов, нам надо выезжать на задание, отведите подполковника к майору Юсупову, пусть он напишет заявление. А потом, товарищ Жданов, можете ехать в Сочи на заслуженный отдых. Я договорюсь с вашим начальством, вам продлят отпуск на трое суток.

Подполковник ко́зырнул:

— Вещдоки я привез с собой. Документы, гильзы, телефон.

— Отлично.

11

Секретарша принесла Фельдману утреннюю почту. Один конверт, без марок, с надписью «срочно», лежал сверху. Он уже догадался, что в нем, но на всякий случай спросил:

— От кого письмо?

— Курьер принес, Саул Яковлевич. Думаю, это частная переписка. Нет штампов, значит, не организация.

— Спасибо, идите.

Девушка вышла из кабинета, а банкир вскрыл конверт. Текст без подписи, инструкция, которая уже обсуждалась, но теперь содержала конкретную последовательность действий:

«Как к вам попали акции Гурьева? Вы их украли? Фактов, подтверждающих передачу их вам конкретным лицом, у вас нет и не будет. Не рассчитывайте на это.

Вы можете обнаружить их по чистой случайности, и только после этого они останутся у вас на законных основаниях.

Ровно в одиннадцать в банк придет вор. У него ваш универсальный ключ с номером ячейки 431, но его интересует сейф 472. У него есть оружие. Пропустите. В этом весь смысл. В ячейке, записанной на Дину, подружку Скуратова, лежит футляр от скрипки. Положите в него акции и перенесите в сейф 472. Сработает тревога. Действия охранника должны быть адекватными. Преступник опасен. Ограбление надо предотвратить. Действуйте!»

Внизу стояла приписка: «После прочтения сжечь!»

Фельдман тут же направился в кабинет Шпаликова. Они вместе прочитали письмо.

— План нас устраивает, — кивнул Шпаликов.

— Убийство в банке? Скандал?

— Не скандал, Саул, а реклама. Банк проявил бдительность, это лишний раз всем докажет, что мы не зря получаем большие деньги за аренду ячеек. Они недоступны для воров, даже вооруженных.

— Надо поставить на пост надежного человека. Не каждый решится стрелять.

— Игорь Седов. Этот парень давно на нас работает и мечтает о повышении. Другой работы он не найдет. Инвалид. Получил ранение в перестрелке, так что с пушкой обращаться умеет.

— Бывший мент?

— Нет. Начальник военного склада. Охранял арсенал с оружием. Думаю, они сами торговали оружием и перед крупной ревизией решили инсценировать ограбление. Тогда недосчитались более сотни автоматов. Грабители ушли, но показательный фейерверк устроили. Скорее всего, под пулю он попал случайно. Что называется, Бог наказал.

Из армии его уволили. У нас работает пять лет. Ему можно доверять. В последние два года занимается видеонаблюдением за ячейками, так что нашу кухню знает.

— Пора действовать, уже половина одиннадцатого.

Шпаликов достал зажигалку и поджег письмо.

* * *

Ровно в одиннадцать Левша был в банке. Он знал, куда идти и что делать, но не торопился, а внимательно осмотрелся. Все стены были увешаны видеокамерами, но на ком-то конкретном они не фокусировались, снимали общую панораму. В операционном зале собралось немало посетителей. Главное — не выделяться и вести себя спокойно. Камеры размещались на высоте двух метров, поэтому Левша предусмотрительно надел бейсболку с большим козырьком. Обстановка показалась ему спокойной, и он прошел к лестнице, ведущей в зал индивидуальных ячеек. Внизу наткнулся на решетчатую дверь, сквозь толстые прутья которой был виден стол с компьютером, в кресле сидел мужчина в униформе и читал газету. Кобура с пистолетом Левшу немного смутила, но он помнил, что ему сказали: «Патронов в оружии нет». Грабитель достал ключ и постучал по толстой стальной стойке. Охранник оглянулся.

— Извините, увлекся.

Он набрал код на клавиатуре, и решетка поднялась вверх.

— Проходите.

Левша прошел.

— Покажите ваш ключик.

Он посмотрел на номер и набрал его на клавиатуре. На матовом стеклянном полу тут же высветились разного цвета дорожки, ведущие вглубь зала, лабиринт из стальных ячеек до самого потолка.

— Ваша зеленая, — сказал охранник, — она выведет вас к сейфу. Не перепутайте номер.

— Я в курсе, — кивнул Левша и вошел в лабиринт. Он заметил на столе металлодетектор, и ему показалось странным, что охранник не стал его проверять и не попросил оставить электронную подпись. Забыл? Вряд ли. Левша был опытным вором и не верил в случайности. Похоже, его здесь ждут: либо охрана подкуплена, что вполне возможно, либо решили подставить. Но если надо было пришить, то это уже сделали бы, к чему разыгрывать комедию. Конечно, живым оставлять его глупо, он слишком много знает. Однако в России обвинить его не в чем, если депортируют в Украину, будет досиживать срок плюс пять лет за побег. Скорее всего, нервозность появилась от того, что он давно не проворачивал никаких операций. Левша взял себя в руки. Неожиданно светящаяся тропинка оборвалась. Ячейка 472 находилась справа. В проходе никого не было.

На лице грабителя выступили капельки пота. Левша никогда не причислял себя к трусам, работал быстро и дерзко, но свои операции обычно готовил сам, сейчас же он работал по наводке, знал лишь схему действий и не имел права на инициативу. Он вставил ключ в скважину и повернул его. На ящике загорелись цифры. Десять раз нажав на ноль, Левша услышал щелчок, выдвинул ящик и открыл его. Футляр от скрипки был на месте. А если он пустой? Надо проверить. В футляре лежали скрученные в трубочку бумаги, перетянутые резинками. Нет, его не обманули.

Вор достал футляр и повернулся. В двух метрах от него стоял тот самый охранник с пистолетом в руке.

— Вы открыли чужую ячейку. Это ограбление, — сказал он, чеканя слова.

Рука с оружием подрагивала — парень явно психовал.

Он стрелять не станет, решил Левша, ведь его пистолет не заряжен. И неторопливо расстегнул пуговицу пиджака. Из-за пояса брюк стала видна рукоятка пистолета.

— Ты бы ушел с дороги, приятель, — сказал грабитель. — Моя пушка заряжена, и на ней глушитель. Я так просто не сдаюсь.

— Положи руки на затылок и иди к выходу, — приказал охранник. Его голос срывался, и Левша окончательно успокоился.

Игорь Седов действительно боялся. Он слишком хорошо помнил свое ранение в живот и знал, какую боль причиняют пули. Хорошо, если убьют сразу, а если опять попадут в живот? У него уже вырезали половину кишок, второй пули он не выдержит. Он видел насмешку на лице грабителя и понимал, что имеет дело не со шпаной, а с настоящим волком. Такой долго думать не будет.

Левша потянулся к пистолету, и через секунду раздались выстрелы.

* * *

В одиннадцать двадцать машина полковника Кулешова подъехала к банку. На дверях висела табличка «Закрыто по техническим причинам». Капитан Степанов позвонил в дверь. Охрана пропустила офицеров внутрь.

— Что случилось? — спросил Кулешов.

— Попытка ограбления. Пройдите в зал индивидуальных сейфов.

— Опоздали, Стас, — буркнул полковник. — А могли бы предвидеть. Идем, живо.

В одном из отсеков лежал труп Левши с тремя пулями в груди. В руке пистолет с глушителем, рядом футляр от скрипки, по полу разбросаны свернутые в трубочки бумаги. Возле трупа стоял охранник и начальство в лице Фельдмана и Шпаликова.

— Что здесь произошло?

— Ограбление... — начал было Фельдман.

— Помолчите, — остановил его Кулешов. — Кто стрелял?

— Я, — обливаясь потом, произнес охранник.

— Фамилия?

— Седов Игорь Николаевич.

Кулешов помнил эту фамилию. На машине Седова совершено покушение на Гурьева за три дня до убийства, протокол подписан свидетелями. По предположению нанятого Гурьевым сыщика Германа Лациса охранник Седов сидел за рулем, а Левша стрелял из автомата по машине банкира. Теперь Левшу убрали.

— Почему вы применили оружие?

— На пульте сработала сигнализация — вор открыл чужую ячейку. Я прибыл на место, а он наставил на меня пистолет. Я вынужден был защищаться. Действовал по инструкции, находясь при исполнении служебных обязанностей.

Кулешов не отводил от охранника пронзительного взгляда.

— Где вы находились в среду от шестнадцати до восемнадцати часов?

Охранник растерялся, он не мог сосредоточиться и даже не понял вопроса.

— Отвечайте, Седов.

— Кажется, ездил на рыбалку с приятелем.

— На его машине или на своей?

— Как вам сказать... Наверное, на моей.

— Сколько свидетелей?

— Трое. С нами еще были две женщины, но они... Я не знаю их имен, мы подобрали их на дороге... Ну, чтобы веселее было. Вы понимаете, я женат и приятель тоже... Кому нужны неприятности?..

— Значит, свидетелей нет?

— А при чем здесь среда?

— Об этом мы поговорим в другом месте, а пока вы задержаны за умышленное убийство.

Степанов вырвал пистолет из рук охранника, тут подоспели и оперативники из местного отделения.

— Наденьте на него наручники и уведите. Определите, на чем приехал преступник, и обыщите его машину. Впрочем, надо осмотреть все машины, припаркованные у банка. Он мог быть не один.

— Я защищался! — выкрикнул задержанный.

— Не валяй дурака. Ты убил рецидивиста Тараса Тишко, а потом подложил пистолет ему в руку. Ошибся, Седов. Тишко был левшой, а пистолет ты ему подложил в правую руку. Надо знать, кого убиваешь.

— Я его не знаю. Мне Фельдман велел пристрелить грабителя...

— Уведите, — махнул рукой Кулешов.

Парня потащили к выходу, он сопротивлялся, что-то кричал, но его уже не слушали.

— Чей сейф вскрыл грабитель? — перейдя на ровный тон, спросил полковник Фельдмана.

— Он числится за некой Оксаной Мартынчук.

— Логично, если учесть близкую связь убитой Мартынчук со свежим трупом Левши. А что он пытался достать из сейфа?

Шпаликов нагнулся и поднял один из свитков с пола. Сняв резинку, он развернул листы.

— Это акции алмазного концерна.

— Как удачно они попали к вам в руки. А главное, вовремя, после смерти Гурьева.

Кулешов повернулся к Степанову:

— Вызови экспертов, обыщи труп, а я продолжу беседу с господами банкирами в одном из их кабинетов.

Начальники сопроводили полковника в кабинет Фельдмана.

— Интриги такой сложности, господа банкиры, вам не по зубам, — начал Кулешов. — История кончится долгосрочным отлучением вас от свободы. Дело в том, что Алина получила свои бриллианты и решила отдать акции Ирине Гурьевой, которая при жизни отца выдавала себя за жену банкира, а на деле была его дочерью. Алина пришла вчера в банк и хотела забрать акции, чтобы вернуть их законной владелице, но ящик оказался пустым. Куда же они делись? Я приехал сюда, чтобы задать вам этот вопрос, а акции валяются на полу возле другого ящика, и их кто-то хотел выкрасть.

— Ирине Гурьевой ничего не принадлежит. Акции переходят банку в соответствии с договором. В любом случае они перешли бы в наши руки. Что касается Ирины, то против нее будет возбуждено уголовное дело. Это она убила Анну Гурьеву, у нас есть показания сыщиков, которые проводили расследование в Хабаровске, — вызывающе проговорил Шпаликов.

Полковника охватила ярость, что с ним случалось крайне редко.

— И на этой туфте вы строили свою защиту? Запихните показания сыщиков себе в задницу! У меня есть неопровержимые доказательства того, что свою жену убил сам Гурьев, а к ним и его чистосердечное признание, написанное им собственноручно. За день до смерти Гурьев переписал все акции на имя дочери, но вы об этом не знали.

Наступила долгая пауза. Кулешов не мешал банкирам думать. Он понимал, сколь неожиданный оборот приняло для них это дело.

— А почему вы не можете предположить, что спектакль с акциями и убийством могла подстроить Алина? — вдруг оживился Фельдман.

Полковник покачал головой.

— Она свое получила. Вам она ничем не обязана, вы ей тоже ничего не должны. Ввязываться в скандал с акциями — значит марать свое имя, которое уже получило мировую известность благодаря ее таланту. Не вижу резона. Что касается убитого грабителя, то Алину невозможно с ним связать. Зато ваша жена, Саул Яковлевич, с ним имела связь. — Кулешов положил на стол фотографии. — Вряд ли вы согласитесь мне рассказать, где ваша жена провела ночь и утро в день убийства Гурьева. А я это знаю точно. Анна Фельдман проходит в качестве подозреваемой по делу об убийстве Гурьева, и будьте уверены, свой срок она получит на полную катушку. Вы еще можете вывернуться, но акции в любом случае придется отдать Ирине. Делать выпады в сторону Алины Малаховой по меньшей мере глупо. Вор вскрыл ячейку 472, а на брелоке стоит номер 431. Он воспользовался универсальным ключом. Ну где, скажите мне, Алина могла взять универсальный ключ? Хотите услышать ее показания? Нет проблем. Она в моей машине, можем пригласить ее сюда. Час назад Алина передала мне заявление о краже акций из ее ячейки. У вас хватит аргументов для обвинения этой женщины в подлоге? Вряд ли! Она вас растопчет. Вы пойдете под суд. Убийство Гурьева доказано. Ваш охранник уличен в покушении на Гурьева, а теперь обвиняется в умышленном убийстве. И уверен, все стрелки он переведет на вас.

Банкиры окончательно сникли.

— В банке уже нет средств, — тихо заговорил Шпаликов, — но у нас есть свои личные деньги. Немного, но есть. Мы как меценаты хотим пожертвовать миллион долларов на нужды милиции, рассчитывая на взаимопонимание и снисходительность.

— Разумное предложение, — ухмыльнулся Кулешов. — Завтра привезете деньги в управление вместе с благодарственным письмом и официальной дарственной. Взятки мы не берем, нас на этом не поймать. Из вас не получится комбинаторов, господа счетоводы. Как это отразится на вашей судьбе, я не знаю, ничего обещать не могу. Но возможно, после вашего завтрашнего визита в мой кабинет вы сможете пройти таможенный и погранконтроль в международном аэропорту. Лучшего варианта для вас я не вижу.

В кабинет вошел капитан Степанов.

— В пистолете Левши не хватает трех патронов. Это «вальтер». Две гильзы найдены в поезде Москва—Сочи. В бумажнике билеты Курск—Москва. Похоже, подполковник Жданов не ошибся. Левша убил ребят в поезде на подъезде к Курску. В его машине найден загранпаспорт и билеты до Кипра на двухчасовой рейс, а также ключи и оплаченная квитанция за коммунальные услуги квартиры, расположенной на Фрунзенской набережной. Туда уже выехал майор Панкратов с ребятами. Но это еще не все. Мы осмотрели все машины. В том числе и руководителей банка. В багажнике Фельдмана лежит труп его жены. Убита выстрелом в затылок. Рядом валяется гильза от «вальтера». Повторяю, в обойме не хватает трех патронов. Все совпадает. Если Левша выполнял задание банкиров, то понятно, почему его убрали.

Побледневший Фельдман выдвинул ящик стола, вынул пистолет и выстрелил себе в рот.

Никто не шелохнулся и не помешал ему покончить с собой.

* * *

— Как ни крути, Стас, но эту партию мы проиграли, — тихо сказал полковник.

— Леонид Палыч, неужели возможно разобраться в этой паутине? Я половины не понял из того, в чем мы разобрались, а уж в остальном и вовсе утонешь.

— Элитные пауки пожрали друг друга, и черт с ними. Нас поставили в железные рамки. «Следствие ведите исподтишка, без скандалов, тихо и быстро». Мы свою задачу выполнили. Бриллианты возвращены, картины на месте, и все без скандалов.

— А сколько трупов собрали с поля битвы? На бандитских разборках столько не насчитаешь.

— Здесь те же разборки, Стас. Только бандиты не носят смокинги и бриллианты. Ни одного положительного героя, посочувствовать некому. Сдохнут — туда им и дорога. Мы играли роль наблюдателей. Нас тоже использовали. Мы же, по сути, ничего не нашли. Нам отдали, а мы в роли посредников передали ворованное из рук в руки. Все выглядит официально. Вечером Ирине отдадим ее акции.

И тоже официально. Я бы их всех пересажал, да кто мне позволит?! Времена бандитских разборок ушли в прошлое, теперь в моде элитные разборки, а мы оказались к ним не готовы. Нас гоняли по полю, как футбольный мяч, и нами же забивали голы. Игроков мы видели, а судей никто не видел. А ведь они были и подсуживали одной из команд, красные карточки показывали. Тошнит меня от этой истории.

— Да уж, на кино не похоже. Это там добро борется со злом. В жизни зло воюет со злом, добро давно спит крепким сном, о нем уже забыли. На арене монстры в одеяниях ангелов.

— Ты видел, чтобы на добре можно было заработать деньги? В нашем расследовании нищие не участвовали. Я о таких суммах раньше не слышал. Миллионы по тротуарам разбрасывают, народ на карачках ползает. Сумасшедший дом!

В квартире на Фрунзенской набережной нашли коробку от пистолета «вальтер», которым пользовался Левша, кругом его следы и отпечатки, а в компьютере черновики писем, отправленные Мамедову и Алине от имени Вора.

— Даже компьютерные игры на безграмотного Левшу свалили. Они над нами издеваются, сволочи!

Кулешов выругался, но что он мог сделать? Только кулаком по столу стукнуть. Да и то не сильно. Мебель дорогая, из карельской березы.

Тут же обнаружились и другие находки. Фотографии и видеокассета. На одних фотографиях был изображен Мамедов и Бартошевич в ресторане «Маяк», где их обслуживал Семен Желтков. На другом снимке тот же столик в том же ресторане, на этот раз на фотографии красовался Мамедов и Левша. В конверте лежала бумага. Кулешов развернул ее и прочел:

«Я, Рашид Мамедов, извещен о намеченном на ближайшие дни ограблении хранилища художественной галереи имени Ильи Баскакова, но не намерен раскрывать секрет операции. Любые мои действия, препятствующее намеченному плану, можно считать как корыстные цели в свою пользу».

Под запиской стояла подпись владельца отеля.

Решили просмотреть видеокассету и увидели фильм об ограблении. В комнате хватало света, и кадры получились четкими.

— Это номер Кэтрин Камерон, если судить по картинам на стене, — комментировал Кулешов. — А это Константинес. Греческий магнат.

— Это Бартошевич, одетый под Константинеса, — поправил Степанов. — Мы не ошиблись, это он украл картины. Вопрос в другом. Кто его снимал?

— Не понимаешь? Конечно же Мамедов. Теперь понятно, с какой целью он отключил сигнализацию. Кроме него никто не мог этого сделать.

— И чего он этим добился? — пожал плечами Степанов.

— Все очень просто. Картины выкрали. Отдать он их не может, залог остается у Баскакова, но не надолго. По плану Мамедова деньги крадут из хранилища, а потом мы находим картины и возвращаем ему. Теперь Баскаков не может их выкупить, и картины переходят в собственность Мамедова. Происходит то, чего он добивался.

— Значит, он и убил Бартошевича?

— А кто же еще? Фокусник решил поиграть по своим правилам. Помнишь фигу, найденную в сейфе вместо картин? Нашел с кем шутки шутить. Я думаю, что Левша и фокусник не знали о второй группе, нанятой Мамедовым.

— О банде Игумена?

— Именно. Мамедов убил Бартошевича с помощью Игумена. Найденный у бандита пистолет подтверждает это.

— Скорее всего, фокусника убил официант, — вмешался вошедший в комнату майор Панкратов. В руках у него были чьи-то ботинки. — Вот, стояли в коридоре. На них следы жира, ресторанного борща. Такие же мы нашли в машине, где убит Бартошевич, такие же следы есть в его квартире и в ресторане возле шкафчика Семена Желткова. Я думаю, официант был связным и знал Игумена. Кто же еще мог передать ему пистолет? И еще. В Скуратова тоже стрелял Семен Желтков. Машина Желткова найдена на платной стоянке Курского вокзала. Я ее осмотрел. Следы от ее колес обнаружены на опушке у дачи Скуратова. И следы от этих ботиночек тоже хорошо пропечатались. Пистолет Игумену сбросили. А это значит, что они знали, что мы его найдем. Как? Очень просто. После взрыва. Вывод напрашивается сам собой. Банду Игумена уничтожал Желтков по команде Мамедова.

— Логично, — согласился Кулешов. — Мамедов не решился уничтожить все сто миллионов, большую часть денег он перехватил в трубе вентиляции и вытащил через залы музея.

— Картинка понятна, товарищ полковник, — усмехнулся Панкратов. — На Мамедова можно надевать наручники.

— Ишь ты какой прыткий. По какому делу он у нас проходит?

— Ну как? А...

— Бэ! Дел никаких нет! Он нас нанял, и мы вернули ему картины. Это все, майор, что от нас требовалось. Собрать материалы и уничтожить. Жесткий диск компьютера отформатировать и изъять.

Кулешов был строг и категоричен.

— Ладно, Леонид Палыч, мы можем списать все трупы как неопознанные, а что делать с трупом Анны Фельдман? Придется открывать дело.

— Фельдман нанял бандита Левшу убить жену, а охраннику велел казнить убийцу жены. Когда его разоблачили, застрелился сам. Против кого будем возбуждать дело? Трупы не судят. Составим протоколы по форме и сдадим в архив. Точка! Я уже устал от этой возни. Закругляйтесь, ребята. Все, что от нас зависело, мы сделали.

Торжества победы добра над злом не получилось. С кислыми физиономиями бригада полковника Кулешова принялась за уничтожение улик. В первый раз за свою практику они делали все наоборот.

12

Похороны Гурьева прошли тихо и незаметно. О смерти четы Фельдманов и вовсе никто ничего не слышал. Зато похороны знаменитого галерейщика Баскакова проходили с помпезностью на Ваганьковском кладбище. Собрался весь бомонд столицы. Кулешов и Федоров тоже приехали, но держались в сторонке как наблюдатели. Вдову в черном поддерживали подруги Алина Малахова и Ирина Гурьева. Среди скорбной толпы полковники заметили и Всеволода Николаевича Дербенева.

— Если это не он, значит, его призрак, — тихо сказал Федоров.

— Такие люди, Федя, не умирают. Он еще на наших похоронах скупую слезу обронит. Вот она, каста победителей. Думаешь, они скорбят? Нет, они торжествуют.

— Я чувствую себя оплеванным.

— Брось, Федя. Мы свою работу выполнили. Ни за одну операцию милиция еще не получала столько. Степанов получил майора, тебя перевели в Москву, нам с начальником управления выдали премиальные, а что касается вдов, то ты видишь перед собой трех самых богатых женщин страны. Теперь их на кривой козе не объедешь.

Кулешов не выдержал и, смешавшись с похоронной процессией, подобрался к Дербеневу.

— Привет, Сева. Давно не виделись. Ходили слухи, будто ты погиб.

— Привет, Леонид Палыч. Значит, кому-то были выгодны эти слухи. Хотели отвлечь ваше внимание.

— Возможно. Особенно когда на изуродованных трупах нашли твои часы, перстень и ключи от дома.

— Да, да. Мы подавали с Иваном заявление в карельскую милицию еще две недели назад, но они так ничего и не нашли. Жаль. Хороший был перстень.

— Я тебя видел на открытии «Континенталя».

— Пришлось приехать на одну ночь. Неудобно было отказывать Нечаеву. Он нам прислал именные приглашения.

Они разговаривали тихо, смотря себе под ноги, будто каждый рассуждал вслух, общаясь с самим собой.

— Вы знакомы?

— Конечно. Бывая в Париже, я всегда останавливался в отеле «Ритц», а Нечаев был там главным. Я думал, вы пойдете на банкет, полковник, но вас там почему-то не было.

— Так ты даже на банкете был? — удивился Кулешов.

— До самого утра. Даже память осталась. Попал на страницы журнала «Глоб». Он валяется в моей машине.

— Красивое алиби, Сева. А где ты был в эту субботу?

— Всю ночь просидел в ресторане «Трапеза» с одним депутатом Госдумы и своим постоянным клиентом по антикварному бизнесу. Человек сто это могут подтвердить, если необходимо. Разошлись под утро.

— Смешные вопросы. Конечно, ничего другого я от тебя и не рассчитывал услышать. Но спросить хотел совсем о другом.

— Всегда готов ответить на любой ваш вопрос.

— Тогда скажи мне, сколько золотых фляжек ты продал? Одну Ирине Гурьевой, вторую Юлии Баскаковой, но были и другие.

— Всего пять. Одну подарил.

— Подарок с гравировкой?

Тут Дербенев впервые взглянул на полковника.

— А вы откуда знаете?

— Так, попалась одна из них мне в руки. На ней надпись «Анне с любовью от Д.». Но «Д.» — это Дербенев, а кто же Анна? Гурьева?

— Анну Гурьеву я не знал. Слышал о такой, но она погибла. Иногда Ирина представлялась гостям Анной, но так было угодно ее отцу. Я подарил фляжку Анне Фельдман. У нас была давняя связь. Теперь после смерти ее мужа об этом можно сказать.

— Да, наслышан о ее богатом прошлом.

Дербенев хмыкнул:

— У каждой женщины свое прошлое. Особенно у светских дам. Только они не любят о нем вспоминать. Слишком тернистый путь им приходится преодолевать со дна к вершинам олимпа.

— Да, Сева, я тебя понял. Но ты должен помнить, что я буду сидеть у тебя на хвосте, пока ты не сделаешь ошибку. Рано или поздно, но это произойдет.

— Вы мне это уже пять лет говорите. Бросьте, Леонид Палыч. В Москве нам двоим тесновато, я решил переселиться на Лазурный Берег или на Кипр. Всегда мечтал жить в мягком климате Средиземноморья.

— Лишаешь меня достойного соперника. Уходишь с арены победителем.

— Пора на покой. Да и вам дышать будет легче. Быстрее генеральские погоны получите.

Кулешов отошел и присоединился к Федорову.

— Ну что?

— Вынужден признать свое очередное поражение, Федя. Теперь эстафету перехватит какой-нибудь комиссар Мегрэ. Будь моя воля, я проводил бы Дербенева с оркестром. Он того стоит!

* * *

У выхода из кладбища стояло много шикарных лимузинов и престижных иномарок. К одной из машин подошел подполковник Жданов и, оглянувшись по сторонам, сел на заднее сиденье. В штатском он выглядел невзрачно, такие люди ничем не привлекают внимание. За рулем сидел Герман, он ждал свою хозяйку, которой был бесконечно предан.

— Привет. Вот я и нарисовался, — расплылся в улыбке Жданов.

— Вижу. Я уже в курсе. Молодец, парень, вовремя нас подстраховал. На таких, как Левша, ставки не делают.

— Трус и дерьмо. Делов-то — бах-бах, и готово.

Герман вынул из бардачка конверт и передал Жданову.

— Забирай и вали. Тут сам Кулешов пришел почести отдать. Не знаю только кому.

— Желаю весело отметить поминки, а меня ждет самолет. Завтра буду бултыхаться в Черном море.

— Не утони, ты нам еще нужен. Решительные деловые ребята всегда нужны.

— А я как пионер всегда готов!

Жданов исчез.

* * *

Поминки, устроенные в ресторане, носили след печали в течение получаса. После третьей рюмки никто уже не помнил, по какому поводу собрались. Все походило на свадьбу, если можно себе представить невесту в черном. С разных сторон доносился смех.

Вдова уединилась с Дербеневым в отдельном кабинете.

— Ну, Сева? Когда ты мне вернешь завещание и каталог?

— Когда на моем счете на Сейшелах появится лишних пять-десять миллионов долларов.

— Ты с ума сошел? У меня же наличные, — чуть ли не выкрикнула Юлия. — Как я могу их переслать? Через какой банк? Об этом тут же все узнают.

— Оставь наши банки в покое и свои наличные тоже. Деньги перешлет Мамедов из своих офшорных счетов на мой счет. Ты же собираешься продать ему галерею. Ради бога! Пусть обвешает свой отель подлинниками, которых тебе будет не жалко, а самые ценные картины скопирует Томилин, твой муж. Как видишь, эта схема хорошо срабатывает. Часть денег за галерею он может переслать на мой счет, у него это ловко получается. Он таким образом уже оплатил бриллианты для Алины. Ты останешься в стороне, а наличные тебе самой пригодятся.

— Такой вариант возможен.

— Значит, и нет проблем.

— А что ты собираешься делать с картинами?

— О чем ты, Юля?

— О четырех работах, копии которых для тебя делал Петя. Он мне все рассказал.

— И здесь я не вижу проблем. Можешь с них начинать свою новую коллекцию импрессионистов. Если мы договоримся о цене. Для тебя я сделаю десятипроцентную скидку. Вот тут ты можешь расплатиться наличными, Ивану они пригодятся. Они с женой остаются в России. Не навсегда, но на ближайшие полгода.

Их разговор прервали Ирина и Алина, вошедшие в кабинет.

— Куда вы пропали? Мы вас обыскались! — возмутилась Ирина. В руке у нее был бокал шампанского.

Сева рассмеялся.

— Кому пришло в голову заказывать шампанское на поминки?

— Условности! — хмыкнула Алина. — У нас новая идея, Сева! Грандиозный план!

— Сева решил смыться из страны, — сказала Юлия.

— Что за чушь! — возмутилась Ирина.

— Вы слишком ненасытные, дорогие барышни, — продолжал улыбаться Сева. — Начиналось все с того, что вы попросили меня избавить вас от нищеты, которая вас всех ожидала. Три таких ярких цветка вяли у меня на глазах, мне стало вас искренне жаль. Ваши желания исполнились, теперь вы в полном порядке. Чего же вам не хватает?

— Нам всего хватает, — недовольно проговорила Алина. — Ты хочешь, чтобы мы сдохли со скуки? Вот ее нам теперь будет хватать до тошноты. Никто не знает, как глубока жизнь. Бесконечно глубока, а мы барахтаемся на поверхности.

— Не захлебнитесь. Очень тронут вашим доверием, любезные барышни, но я закончил свой вояж по темным закоулкам и не стремлюсь на дно. На поверхности больше солнца. Жизнь — апельсин. С ней опасно шутить.

— Что это значит? — нахмурила брови Алина.

— Так, ничего. Когда умирал старый еврей, он сказал своему молодому сыну: «Жизнь — апельсин». Сын прожил семьдесят лет и никак не мог понять, что имел в виду отец. Когда же сам оказался на смертном одре, он повторил эти слова своему сыну. «Что это значит, отец?» — воскликнул юноша. «А черт его знает!» И умер. Жизнь — апельсин, дорогие дамы. Удачи вам!

Женщины смотрели вслед великому комбинатору молча. Сработал их новый план или нет — тема совсем другой истории. Может быть, мы о ней когда-нибудь расскажем. Но не теперь.

На улице Дербенева ждала машина, за рулем сидела Катя, на заднем сиденье стояли чемоданы. Сева открыл дверцу и глянул на окна второго этажа. Три красивые статные дамы наблюдали за ним из-за тюлевых занавесок. Он усмехнулся и сел в машину.

— Скажи, Катя, ты согласна с мнением, будто жизнь — апельсин?

— Конечно. Особенно если у тебя целая плантация цитрусовых на склонах южной Испании.

— Я всегда знал, что ты умная женщина.

Машина тихо тронулась с места.

Литературно-художественное издание

Михаил Март

ОКОНЧАТЕЛЬНЫЙ МОНТАЖ
(СКВОЗЬ ТУСКЛОЕ СТЕКЛО-2)

Роман

Зав. редакцией *Л.А. Захарова*
Ответственный редактор *М.В. Тимонина*
Технический редактор *Т.П. Тимошина*
Корректор *И.Н. Мокина*
Компьютерная верстка *Ю.Б. Анищенко*

Подписано в печать 25.05.2010. Формат 84x108[1]/32. Усл. печ. л. 18,48.
Гарнитура Academy. Тираж 5000 экз. Заказ № 2133и.

Общероссийский классификатор продукции
ОК-005-93, том 2; 953000 – книги, брошюры

Санитарно-эпидемиологическое заключение
№ 77.99.60.953.Д.012280.10.09 от 20.10.2009 г.

ООО «Издательство Астрель»
129085, г. Москва, пр-д Ольминского, 3а

ООО «Издательство АСТ»
141100, Московская обл., г. Щелково, ул. Заречная, 96.

ОАО «Владимирская книжная типография».
600000, г. Владимир, Октябрьский проспект, д. 7.
Качество печати соответствует качеству предоставленных диапозитивов

Вся информация о книгах и авторах «Издательской группы АСТ»
на сайте: www.ast.ru

Заказ книг по почте:
123022, Москва, а/я 71, «Книга — почтой»,
или на сайте: shop.avanta.ru

По вопросам оптовой покупки книг
«Издательской группы АСТ» обращаться по адресу:
г. Москва, Звездный бульвар, д. 21, 7-й этаж
Тел.: (495) 615-01-01, 232-17-16

РЕГИОНЫ:

- г. Архангельск, ул. Садовая, д.18, т. (8182) 64-00-95
- г. Астрахань, ул. Чернышевского, д. 5а, т. (8512) 44-04-08
- г. Белгород, Народный б-р, д. 82, ТЦ "Пассаж", 1 этаж, т. (4722) 32-53-26
- г. Владимир, ул. Дворянская, д. 10, т. (4922) 42-06-59
- г. Волгоград, ул. Мира, д. 11, т. (8442) 33-13-19
- г. Воронеж, пр-кт Революции, д. 58 ТЦ ,"Утюжок", т. (4732) 51-28-94
- г. Иваново, ул. 8 Марта, д. 32, ТРЦ "Серебряный город", 3 этаж, т. (4932) 93-11-11 доб. 20-03
- г. Ижевск, ул. Автозаводская, д. 3а, ТРЦ "Столица", 2 этаж, т. (3412) 90-38-31
- г. Екатеринбург, ул. 8 марта, д. 46, ТРЦ «ГРИНВИЧ», 3 этаж
- г. Калининград, ул. Карла Маркса, д. 18., т. (4012) 71-85-64
- г. Краснодар, ул. Головатого, д. 313, ТЦ "Галерея", 2 этаж, т. (861) 278-80-62
- г. Красноярск, пр-т Мира, д. 91, ТЦ "Атлас", 1, 2 этаж, т. (391) 211-39-37
- г. Курск, ул. Ленина, д. 31, ТРЦ "Пушкинский", 4 этаж, т. (4712) 73-45-30
- г. Курск, ул. Ленина, д. 11, т. (4712) 70-18-42
- г. Липецк, угол Коммунальная пл., д. 3 и ул. Первомайская д. 57, т. (4742) 22-27-16
- г. Орел, ул. Ленина, д. 37, т. (4862) 76-47-20
- г. Оренбург, ул. Туркестанская, д. 31, т. (3532) 31-48-06
- г. Пенза, ул. Московская, д. 83, ТЦ "Пассаж", 2 этаж, т. (8412) 20-80-35
- г. Пермь, ул.Революции, д. 13, 3 этаж, т. (342) 0238-69-72
- г. Ростов-на-Дону, г. Аксай, Новочеркасское ш., д. 33, ТЦ "Мега", 1 этаж, т. (863) 265-83-34
- г. Рязань, Первомайский пр-т, д. 70, к. 1, ТЦ "Виктория Плаза", 4 этаж, т. (4912) 95-72-11
- г. С.-Петербург, ул. 1-ая Красноармейская, д.15, ТЦ "Измайловский", 1 этаж, т. (812) 325-09-30
- г. Ставрополь, пр. Карла Маркса, д. 98, т. (8652) 26-16-87
- г. Тверь, ул. Советская, д. 7, т. (4822) 34-37-48
- г. Тольятти, ул. Ленинградская, д. 55, т. (8482) 28-37-68
- г. Тула, ул. Первомайская, д. 12, т. (4872) 31-09-22
- г. Тула, пр. Ленина, д. 18, т. (4872) 36-29-22
- г. Тюмень, ул. М.Горького, д. 44 ТРЦ "Гудвин", 2 этаж, т. (3452) 790-513
- г. Уфа, пр. Октября, д. 34, ТРК "Семья", 2 этаж, т. (3472) 293-62-88
- г. Чебоксары, ул. Калинина, д.105а, ТЦ "Мега Молл", 0 этаж, т. (8352) 28-12-59
- г. Челябинск, пр-т Ленина д. 68, т. (351) 263-22-55
- г. Череповец, Советский пр-т, д. 88, т. (8202) 20-21-22
- г. Ярославль, ул. Первомайская, д. 29/18 , т. (4852) 72-89-20
- г. Ярославль, ул. Свободы, д. 12, т. (4852) 72-86-61

Широкий ассортимент электронных и аудиокниг
ИГ АСТ Вы можете найти на сайте www.elkniga.ru

Заказывайте книги почтой в любом уголке России
123022, Москва, а/я 71 «Книги – почтой»
или на сайте: shop.avanta.ru

Курьерская доставка по Москве и ближайшему Подмосковью:
Тел/факс: +7(495)259-60-44, 259-41-71

Приобретайте в Интернете на сайте: www.ozon.ru

Издательская группа АСТ www.ast.ru
129085, Москва, Звездный бульвар, д. 21, 7-й этаж
Информация по оптовым закупкам: (495) 615-01-01, факс 615-51-10
E-mail: zakaz@ast.ru